S0-BJA-927

GÉNÉRATION 1970

DU MÊME AUTEUR

La Souris et le Rat, roman, Gatineau, Vents d'Ouest, 2004.
L'été de 1939, avant l'orage, roman, Montréal, Hurtubise, 2006, compact, 2008.
La Rose et l'Irlande, roman, Montréal, Hurtubise, 2007.
Haute-Ville, Basse-Ville, roman, Montréal, Hurtubise, 2009, compact, 2012 (réédition de *Un viol sans importance*).
Un homme sans allégeance, roman, Montréal, Hurtubise, 2012 (réédition de *Un pays pour un autre*).
Père et mère tu honoreras, roman, Montréal, Hurtubise, 2016.
Eva Braun, tome 1, *Un jour mon prince viendra*, roman, Montréal, Hurtubise, 2017.
Eva Braun, tome 2, *Une cage dorée*, roman, Montréal, Hurtubise, 2018.
Un seul Dieu tu adoreras, roman, Montréal, Hurtubise, 2018.
Impudique point ne seras, roman, Montréal, Hurtubise, 2019.
Après, roman, Montréal, Hurtubise, 2021.

CYCLE LES PICARD
Les Portes de Québec, tome 1, *Faubourg Saint-Roch*, roman, Montréal, Hurtubise, 2007, compact, 2011.
Les Portes de Québec, tome 2, *La Belle Époque*, roman, Montréal, Hurtubise, 2008, compact, 2011.
Les Portes de Québec, tome 3, *Le prix du sang*, roman, Montréal, Hurtubise, 2008, compact, 2011.
Les Portes de Québec, tome 4, *La mort bleue*, roman, Montréal, Hurtubise, 2009, compact, 2011.
Les Folles Années, tome 1, *Les héritiers*, roman, Montréal, Hurtubise, 2010, compact, 2011.
Les Folles Années, tome 2, *Mathieu et l'affaire Aurore*, roman, Montréal, Hurtubise, 2010, compact, 2011.
Les Folles Années, tome 3, *Thalie et les âmes d'élite*, roman, Montréal, Hurtubise, 2011, compact, 2011.
Les Folles Années, tome 4, *Eugénie et l'enfant retrouvé*, roman, Montréal, Hurtubise, 2011, compact, 2011.
Les Années de plomb, tome 1, *La déchéance d'Édouard*, roman, Montréal, Hurtubise, 2013.
Les Années de plomb, tome 2, *Jour de colère*, roman, Montréal, Hurtubise, 2014.
Les Années de plomb, tome 3, *Le choix de Thalie*, roman, Montréal, Hurtubise, 2014.
Les Années de plomb, tome 4, *Amours de guerre*, roman, Montréal, Hurtubise, 2014.
Le Clan Picard, tome 1, *Vies rapiécées*, roman, Montréal, Hurtubise, 2018.
Le Clan Picard, tome 2, *L'enfant trop sage*, roman, Montréal, Hurtubise, 2018.
Le Clan Picard, tome 3, *Les ambitions d'Aglaé*, roman, Montréal, Hurtubise, 2019.

SAGA FÉLICITÉ
Tome 1, *Le pasteur et la brebis*, roman, Montréal, Hurtubise, 2011, compact, 2014.
Tome 2, *La grande ville*, roman, Montréal, Hurtubise, 2012, compact, 2014.
Tome 3, *Le salaire du péché*, roman, Montréal, Hurtubise, 2012, compact, 2014.
Tome 4, *Une vie nouvelle*, roman, Montréal, Hurtubise, 2013, compact, 2014.

SAGA 1967
Tome 1, *L'âme sœur*, roman, Montréal, Hurtubise, 2015.
Tome 2, *Une ingénue à l'Expo*, roman, Montréal, Hurtubise, 2015.
Tome 3, *L'impatience*, roman, Montréal, Hurtubise, 2015.

SAGA SUR LES BERGES DU RICHELIEU
Tome 1, *La tentation d'Aldée*, roman, Montréal, Hurtubise, 2016.
Tome 2, *La faute de monsieur le curé*, roman, Montréal, Hurtubise, 2016.
Tome 3, *Amours contrariées*, roman, Montréal, Hurtubise, 2017.

SAGA ODILE ET XAVIER
Tome 1, *Le vieil amour*, roman, Montréal, Hurtubise, 2019.
Tome 2, *Le parc La Fontaine*, roman, Montréal, Hurtubise, 2020.
Tome 3, *Quittance finale*, roman, Montréal, Hurtubise, 2020.

SAGA LA PENSION CARON
Tome 1, *Mademoiselle Précile*, roman, Montréal, Hurtubise, 2020.
Tome 2, *Des femmes déchues*, roman, Montréal, Hurtubise, 2021.
Tome 3, *Grands drames, petits bonheurs*, roman, Montréal, Hurtubise, 2021.

SAGA GÉNÉRATION 1970
Tome 1, *Une arrivée en ville*, roman, Montréal, Hurtubise, 2021.

Jean-Pierre Charland

GÉNÉRATION 1970

tome 2

Swinging Seventies

Roman historique

Hurtubise

Catalogage avant publication de Bibliothèque et Archives nationales du Québec et Bibliothèque et Archives Canada

Titre : Génération 1970 / Jean-Pierre Charland.

Noms : Charland, Jean-Pierre, 1954- auteur. | Charland, Jean-Pierre, 1954- Swinging seventies.

Description : Mention de collection : Roman historique

Identifiants : Canadiana 20210053585 | ISBN 9782897816971 (vol. 2)

Classification : LCC PS8555.H415 G46 2021 | CDD C843/.54—dc23

Les Éditions Hurtubise bénéficient du soutien financier du gouvernement du Québec par l'entremise du programme de crédit d'impôt pour l'édition de livres et de la Société de développement des entreprises culturelles du Québec (SODEC). L'éditeur remercie également le Conseil des arts du Canada de l'aide accordée à son programme de publication.

Financé par le gouvernement du Canada | Canada

Conception graphique : Sabrina Soto
Illustration de la couverture : Alain Massicotte
Maquette intérieure et mise en pages : Folio infographie

ISBN 978-2-89781-697-1 (version imprimée)
ISBN 978-2-89781-698-8 (version numérique PDF)
ISBN 978-2-89781-699-5 (version numérique ePub)

Dépôt légal : 4e trimestre 2021
Bibliothèque et Archives nationales du Québec
Bibliothèque et Archives Canada

Diffusion-distribution au Canada :
Distribution HMH
1815, avenue De Lorimier
Montréal (Québec) H2K 3W6
www.distributionhmh.com

Diffusion-distribution en Europe :
Librairie du Québec/DNM
30, rue Gay-Lussac
75005 Paris
www.librairieduquebec.fr

Imprimé au Canada
www.editionshurtubise.com

Les personnages

Aubut, Pierre : Professeur d'histoire canadienne à l'Université Laval, né en 1944. Il donne aussi des cours de méthodologie.

Charpentier, Monique : Née en 1945, amie d'enfance de Diane Chénier et ancienne secrétaire, elle a entrepris des études universitaires en 1974. Elle a épousé un travailleur social, Benoît Charpentier.

Charon, Aline : Mère de Lucien, Solange et Jacques. Elle a soixante-trois ans en 1975. Son époux, Paul, est mort cette année-là.

Charon, Jacques : Né en 1954 à Manseau, fils de Paul et Aline Charon, il a commencé des études en histoire à l'Université Laval en 1974.

Charon, Lucien : Fils aîné de Paul et Aline Charon, né en 1944 à Manseau, il travaille à Ottawa. Marié à Jeanine, il a trois enfants.

Charon, Solange : Née en 1946 à Manseau, fille de Paul et Aline. Elle est travailleuse sociale à Trois-Rivières et a un fils âgé de neuf ans en 1975, Alain.

Chénier, Diane : Née en 1944, formée en secrétariat, elle entreprend des études universitaires en histoire en 1974. Elle a épousé un médecin, Robert Chénier.

Cloutier-Picard, Aglaé : Âgée de trente-deux ans, elle travaille comme lectrice de nouvelles à Radio-Canada.

Doyle, Nadine: Engagée en 1974 par l'Université Laval, elle commence sa carrière à l'âge de vingt-huit ans. Elle enseigne l'histoire moderne.

Dumont, Maurice: Né en 1922, il enseigne l'histoire canadienne à l'Université Laval.

Gervais, Louis: Né en 1944, il est un coureur de jupons invétéré et, accessoirement, un professeur d'histoire canadienne à l'Université Laval. Son épouse se prénomme Suzanne.

Gervais, Suzanne (née Trottier): Secrétaire du doyen de la faculté de droit de l'Université Laval, elle est l'épouse de Louis. Elle est née en 1950.

Hamelin, Claude: Professeur au département de sociologie de l'Université Laval.

Lévesque, Guy: Professeur de psychologie à l'Université Laval, il a aussi une clientèle privée surtout recrutée parmi le personnel de cet établissement.

Nadeau, Jean-Philippe: Étudiant au département d'histoire né en 1954. Il est originaire de Charlevoix.

Robert, Jacques: Né en 1937, il est directeur du département d'histoire de l'Université Laval en 1974. Son épouse se prénomme Aline.

Robitaille, Alfred: Né en 1936, il enseigne l'histoire des États-Unis à l'Université Laval. Son épouse se prénomme Francine. Ils ont trois enfants.

Tellier, Normand: Médecin dans la fin trentaine, il est actif dans le milieu échangiste avec sa femme, Madeleine.

Veilleux, Christine: Née en 1945, elle enseigne l'histoire de l'Asie et de l'Amérique latine à l'Université Laval.

Van Doesberg, Jean: Né en Belgique en 1942, il enseigne l'histoire médiévale à l'Université Laval. Son épouse se prénomme Marielle.

Chapitre 1

— Monsieur, si vous me le permettez, je vais partir tout de suite, annonça Suzanne Gervais.

La jeune femme se tenait dans l'embrasure de la porte du bureau du doyen de la faculté de droit. Elle était affreusement intimidée. Comme son supérieur ne paraissait pas comprendre, elle crut nécessaire de lui rappeler :

— Comme vous le savez, certains vendredis, je dois me présenter à l'école de psychologie.

C'est morte de honte qu'au mois de juin précédent elle avait demandé ce privilège. Participer à une thérapie conjugale, c'était admettre son échec en tant qu'épouse.

— Bien sûr, j'avais la tête ailleurs ! dit le doyen. J'en profite pour vous souhaiter de bien profiter de ce congé de trois jours.

Le lundi suivant, 1er septembre, ce serait la fête du Travail, et mardi, le jour de l'inscription des étudiants à la session d'automne 1975.

— Merci... Je vous souhaite un bon congé aussi.

Suzanne fut heureuse que l'idée ne soit pas venue au doyen de demander comment progressait la thérapie.

Au même instant, Jacques Charon entrait dans le pavillon De Koninck par l'entrée principale. Hostiles l'année précédente, ces lieux étaient devenus agréables, presque un nouveau chez-soi. Lorsqu'il sortit de l'ascenseur, il constata avec étonnement que la porte d'un grand nombre de bureaux était ouverte. Beaucoup de professeurs s'affairaient à préparer leur retour prochain en classe. La semaine suivante, ce seraient plus de vingt mille étudiants qui retrouveraient le campus.

Louis Gervais était de ceux qui entendaient se préparer un peu. Celui-ci invita Jacques à entrer quand il l'aperçut dans le couloir.

— Tu as passé un bel été ? demanda-t-il en lui désignant la chaise devant son bureau. Enfin, je veux dire à l'exception du décès de ton père…

— Oui, très beau. Ce genre de travail a représenté un heureux changement. Vous savez, à cette date l'an dernier, j'étais dans une usine de meubles.

— Je peux comprendre que le Séminaire de Québec soit plus reposant.

— Mais comme contremaître, l'archiviste se situe dans une classe à part. Impossible d'être plus rebutant que lui.

Tout en parlant, Jacques avait tiré un paquet de feuilles de son sac de postier. Le transport en avait froissé certaines. Louis Gervais feuilleta quelques pages et déclara :

— Tout ça me semble parfait ! Je te remercie de t'en être chargé. Tu es prêt à reprendre le programme ?

— Beaucoup plus que l'an dernier. D'ailleurs, je compte bien m'inscrire au séminaire que vous donnerez les lundis soir. Mais le titre, Séminaire d'histoire des Amériques I, est vague à souhait.

— Ce sera sur l'économie américaine au terme de la Deuxième Guerre. Ça me fera plaisir de t'y retrouver.

C'était une façon de le congédier. Après un bref échange de salutations, l'étudiant quitta le bureau. Si le travail avait été plus facile qu'à la manufacture de meubles, les remerciements du professeur se révélaient moins enthousiastes que ceux du contremaître de l'usine. Tout n'était donc pas radieux dans cet univers devenu le sien.

Suzanne Gervais arriva dans le stationnement du pavillon de psychologie un peu avant quatre heures. À la toute fin du mois d'août, elle conduisait toujours la Renault 12 du couple. Louis n'avait pas osé la lui réclamer de nouveau. Quand elle monta l'escalier en façade d'un pas vif, elle sentit ses tripes se nouer.

Après plusieurs semaines, elle n'arrivait toujours pas à se sentir à l'aise au moment de mettre son intimité à nue, dans un bureau empestant la cigarette française. C'était pire encore que d'avoir les pieds dans les étriers, alors que son gynécologue l'examinait en s'aidant d'un spéculum.

Bientôt, elle se plaça dans l'embrasure de la porte du thérapeute et frappa sur le cadre.

— Madame Gervais, entrez, je vous prie, dit le psychologue en se levant.

Guy Lévesque affichait une mine joviale, comme pour recevoir une connaissance. Cependant, il ne semblait pas vouloir s'approcher et lui tendre la main. Alors qu'il savait tout d'elle – plus que sa mère, plus que son mari –, ce n'était même pas une accointance. Quand elle l'avait croisé à la Place Laurier, il ne l'avait même pas saluée d'un signe de tête. Et puis ce vouvoiement, après toutes ces confidences…

L'homme reprit sa place quand elle fut assise devant lui.

— Madame Gervais, est-ce que vos deux dernières semaines furent agréables ?

Dans une thérapie de couple, il convenait de se présenter parfois à deux, mais aussi d'effectuer certaines séances individuelles. Les quelques semaines où elle avait eu congé de ces rencontres s'étaient avérées les meilleures de l'été. Commencée plus de deux mois auparavant, la démarche lui pesait de plus en plus. Le psychologue, de son côté, se montrait invariablement aimable et souriant.

— Je suis un peu lasse de vivre chez mes parents… Mais je ne devrais pas me plaindre. Ils sont très bons de m'accueillir ainsi.

— Cet inconfort est naturel, vous n'êtes plus une petite fille. Avez-vous pu sortir, rencontrer des gens ?

Comme elle ne répondit pas, Lévesque se fit plus précis :

— Renouer avec de vieux amis, par exemple ? Ou alors faire de nouvelles rencontres ?

Suzanne compléta mentalement la phrase : « … masculines ». Le psychologue avait abordé ce sujet à chacune de leurs séances en tête à tête.

— Vous savez que je suis mariée.

— Un mariage que vous avez choisi de mettre sur pause, ce qui était la bonne décision, je crois. C'était pour vous l'occasion d'explorer, de rencontrer des gens pour croître en tant que personne.

Elle interpréta cela comme une allusion à son immaturité. Comme si sa croissance tenait à la multiplication des rencontres masculines.

— Pour faire comme lui en couchant à droite et à gauche ? Je ne suis pas comme ça.

— Jamais je n'ai suggéré cela.

« Toutefois, cela n'aurait pas nui », songea-t-il. Cet échange ne donnerait plus rien si la jeune femme se braquait. Après un silence, le psychologue changea complètement de stratégie.

— Lors de notre dernière rencontre à trois, vous paraissiez disposée à réintégrer le domicile familial, comme le suggérait votre mari.

— Une famille de seulement deux personnes...

— Pourtant, lors de nos rendez-vous précédents, vous ne paraissiez pas chaude à l'idée d'avoir des enfants.

— Faire des enfants avec un homme attiré par tous les jolis minois ? Vous croyez que ce milieu serait propice à leur éducation ? En plus, les élever toute seule ne me dit rien.

L'allusion au joli minois tira un sourire à Lévesque. Suzanne n'avait rien à envier à personne de ce côté. Pour la belle saison, elle avait adopté une coupe pixie qui couvrait à peine ses oreilles. Ses yeux noisette étaient pétillants, et ses sourires – très rares dans le cadre de ces consultations –, lui dessinaient des fossettes sur les joues. C'était une jolie femme.

— Vous demeurez toujours aussi blessée...

— ... Par sa trahison, l'interrompit-elle. Et ne cherchez pas encore des mots innocents pour désigner son comportement. Comme « indélicatesse » ou « accroc ». Il a pris un engagement et l'a trahi.

Le silence du psychologue pesa dans la pièce. Suzanne n'osait plus le regarder dans les yeux. Le ridicule de la situation ne lui échappait pas : redevenir une jeune fille dans la maison de ses parents ne réglait rien. Sa colère contre son mari demeurait intacte. Pendant un moment, elle feignit de se passionner pour les papiers et le cendrier sur la surface du bureau, et ensuite pour le contenu des étagères chargées de livres. Comme lors de sa première visite à cet endroit, son regard s'arrêta sur un titre : *Open Marriage*.

Cet homme arrivait à la faire se sentir tellement mal à l'aise, comme si son attitude constituait un recul, une rechute dans une maladie appelée la jalousie. Il lui en donna tout de suite la preuve :

— Nous avons déjà parlé de ça. C'est votre insécurité qui s'exprime.

Être jaloux, c'était être vulnérable, être immature, même. Les gens sûrs d'eux n'exigeaient pas l'exclusivité sexuelle de leur partenaire. Ils avaient assez confiance en eux pour avoir la certitude du retour de l'autre.

— Pour moi, le mariage est un engagement de l'un envers l'autre. Votre travail, c'est de prêcher pour une autre conception du mariage que la mienne ?

— J'essaie de vous aider à clarifier votre pensée. Si la fidélité conjugale se trouvait vraiment au centre de vos valeurs, vous ne seriez pas venue ici en juin, vous auriez vu un avocat.

Suzanne sentit ses joues devenir brûlantes. Cet homme devait la trouver naïve. Elle rêvait toujours que cette démarche fasse de Louis un époux transformé, fidèle et plus respectueux. Mais son mari pouvait-il jouer ce rôle ? En avait-il seulement envie ?

— Vous avez changé d'idée ? finit-il par demander. Vous ne souhaitez plus rentrer à la maison ?

Le couple avait évoqué le début du mois de septembre pour un retour à la vie commune. On était le 29 août. Lentement, Suzanne secoua la tête. Cela ne suffisait pas à son interlocuteur. Certaines choses devaient être formulées à voix haute.

— Vraiment ?

— Je rentrerai à la maison dimanche prochain, dans dix jours, comme nous avons dit la dernière fois.

Plus exactement, comme Louis l'avait proposé. Retourner au domicile conjugal ne suscitait aucun enthousiasme chez Suzanne. Elle ne croyait pas que ce développement puisse conduire à un nouveau voyage de noces. Et puis, le souhaitait-elle vraiment ?

Jusqu'à la fin de la séance, la jeune femme afficha le visage d'une personne vaincue.

Samedi après-midi, après avoir mis un T-shirt, des sous-vêtements et des bas de rechange dans son sac de postier, Jacques Charon décida de se rendre à pied jusqu'à la gare d'autocars de la ville, boulevard Charest. À grandes foulées, cela représentait environ une heure de marche.

L'année précédente, il avait pris l'habitude de se diriger vers Trois-Rivières, plutôt que vers Manseau, pour ensuite faire le reste du trajet avec Solange. Cela lui permettait de ne jamais se retrouver seul avec ses parents. Maintenant, il ne restait plus que sa mère, mais sa crainte d'un tête-à-tête demeurait intacte. Sa sœur y trouvait le même avantage.

Il était passé cinq heures quand il frappa à la porte de l'appartement. Comme d'habitude, ce fut Alain qui vint ouvrir.

— Maman, c'est Jacques !

— Tu lui as dit bonjour, au moins ?

Le gamin s'inclina en disant « Bonjour, Jacques ».

— Bonjour, Alain. Refais la même révérence si un jour quelqu'un te présente à la reine.

Quand sa sœur arriva dans l'entrée, il y eut un échange de bises. L'habitude venait lentement depuis les funérailles du père. Comme si le départ de celui-ci les avait libérés.

— Comment vas-tu ? demanda-t-elle.

— Pas mal. Hier j'ai rendu mon travail à mon patron, il avait l'air content. Là, je commence à m'angoisser pour l'été prochain. J'aurais beaucoup de mal à passer de nouveau quatre mois dans une usine. Je suis devenu un enfant gâté.

— Tu pourrais commencer à t'angoisser en janvier, tout de même.

— À mon âge, on se refait difficilement.

Il avait exactement vingt et un ans, mais certaines mauvaises habitudes semblaient déjà inscrites en lui. En parlant, il l'avait suivie jusque dans la cuisine. Elle faisait cuire des pâtes. Jacques occupa une chaise devant la table.

— Et toi, ça va ?

— Plutôt. C'est étrange, mais c'est comme si une menace était disparue.

Combien d'enfants parlaient de cette façon trois mois après la mort de leur père ?

— Une menace est vraiment disparue.

— ... Je me trouvais quand même hors de sa portée.

— Peut-être. Mais maintenant, c'est définitif. Dis donc, as-tu vu Aline depuis ton séjour à Québec ?

En août, Solange avait loué une chambre dans les résidences étudiantes de l'Université Laval.

— J'y suis allée un dimanche.

— Comment va-t-elle ?

— Sa performance dans le rôle de la veuve éplorée mériterait un Oscar. Elle m'a dit le voir un peu partout dans la maison.

« Tout comme moi », songea Jacques. C'était arrivé fréquemment pendant le premier mois suivant l'enterrement. Comme si le fantôme de son père souhaitait avoir une dernière – en réalité une première – conversation.

— Comme j'avais une mine surprise, elle a dit : "Ça ne m'effraie pas. C'était un homme bon."

— Seigneur Dieu ! Penses-tu qu'elle croit ce qu'elle raconte ?

— C'est la seule façon pour elle de se réconcilier avec son passé. Après une vie entière passée avec lui, elle ne peut pas dire que c'était un salaud. Autrement, comment justifier qu'elle soit restée tout ce temps ?

Solange constata que les spaghettis étaient cuits. Comme un chien doté du meilleur odorat, Alain sortit de sa chambre à ce moment.

— Tu savais qu'il y a une comédie ce soir, au canal 13 ? C'est *Nous les comiques*.

— Moi qui pensais enfin jouer au Scrabble avec toi…

Alain mima une envie de vomir. La blague se répétait depuis un an. Jacques ne renonçait pourtant pas à l'idée de le convaincre un jour. Finalement le film, un collage de scènes tirées de diverses productions depuis les années 1920, se révéla très amusant pour les adultes, et beaucoup moins pour l'enfant.

Le lendemain matin, ils montèrent tous les trois dans la Gremlin afin de se rendre à Manseau. La veille, Solange avait averti sa mère de leur visite. Évidemment, elle s'était vu confier le suivi du dîner. C'est avec sa clé que la jeune femme ouvrit la porte.

— Comment fait-elle pour aller à la messe ? demanda Jacques.

— Un voisin veut bien lui donner un *lift*. Même chose pour faire ses courses.

Quand ils entrèrent, ils sentirent l'odeur de la volaille au four. Leur mère se montrait fidèle à la tradition du poulet dominical. Solange alla directement vers la cuisinière afin de vérifier la cuisson. Ensuite, elle entreprit d'éplucher des pommes de terre.

— Je peux aller dans la grange ? demanda Alain.

— Les bâtiments ne sont plus à nous. Il faudrait que tu obtiennes la permission des nouveaux propriétaires.

C'était une façon de lui dire non sans en avoir l'air. Dans une ferme, il existait de nombreuses manières de se casser une jambe. Solange préférait le voir se consacrer à une activité plus sûre.

— Tu peux regarder la télévision.

— Le dimanche, c'est la messe.

— Pas aux deux postes.

— Mais c'est pas meilleur à l'autre…

À ce sujet, le garçon avait raison. *C'était le bon temps*, produit par Télé-Métropole, était animé par Fernand Gignac. Le chanteur de charme faisait jouer de vieux disques 78 tours. C'était comme faire de la radio devant une caméra.

Depuis sa place à table, Jacques demanda :

— Comme ça, elle a réussi à vendre la terre et les bâtiments ?

Qu'il l'ignore illustrait bien ses relations irrégulières et superficielles avec sa mère.

— Ça s'est réglé il y a tout au plus deux semaines. Maintenant, il lui reste à se débarrasser de cette maison. Ensuite, elle pourra aller s'établir au village.

En vendant sa ferme, un propriétaire pouvait conserver la maison et un lopin de terre. Chaque transaction permettait à un voisin d'augmenter la taille de son exploitation.

— Elle y arrivera ?

— Pour une bouchée de pain, oui.

Une vieille maison perdue au fond d'un rang n'intéressait personne. Bientôt, la porte s'ouvrit et Aline Charon apparut. Déjà petite et trop grosse, elle paraissait maintenant se tasser sur elle-même. Sans hésiter, Solange se dirigea vers elle pour l'embrasser. La relation entre les deux avait donc évolué. Jacques s'approcha à son tour, elle lui tendit la joue. Le courage de résister lui manqua, il s'exécuta de façon mécanique.

— Là, tu dois l'avoir terminé, ton travail si important?

Le ton était chargé de reproches. À cause de son emploi avec Louis Gervais, Jacques avait refusé de venir s'occuper de la ferme, une fois son père enterré. S'il avait pu reculer le temps, Jacques se serait finalement abstenu de la bise.

— Évidemment, puisque les cours commenceront après-demain.

— C'est sûr qu'apprendre l'histoire...

Qu'une femme incapable d'écrire un mot sans faire trois fautes regarde de haut son choix professionnel lui fit l'effet d'une gifle au visage. Après ça, il participa médiocrement à la conversation. Heureusement, Solange tenait à incarner la chrétienne irréprochable, capable de pardonner et même de donner son aide assidue à l'un de ses bourreaux. De plus, Alain ne cessa pas de babiller.

Un peu avant trois heures, le trio de visiteurs remonta dans la Gremlin afin de retourner à Trois-Rivières. La jeune femme roula pendant quelques minutes avant de remarquer:

— Ce n'était pas si terrible, non?

— Parce que tu étais là. Je ferai tout pour éviter d'être seul avec elle. Je trouve insupportable de la voir jouer la veuve éplorée et la mère parfaite.

— Tu n'as pas appris ces... événements depuis longtemps.

Elle faisait allusion à l'inceste. Comme si sa propre colère à ce sujet pouvait s'émousser au cours des ans. Mais plutôt que de reprocher à sa sœur de se montrer trop généreuse, il murmura:

— Je suppose que tu as raison.

Après ça, pendant un long moment ils se limitèrent à commenter le temps et le paysage. Enfin Solange demanda:

— Dans quel état d'esprit vas-tu entreprendre cette nouvelle année scolaire ? Meilleur que l'an dernier ?

— En septembre dernier, avant même de mettre les pieds sur le campus, je doutais de mon droit de me trouver là.

— Quand on a la conviction d'être né pour un petit pain...

Elle comprenait très bien cet état d'âme, puisqu'elle le partageait aussi.

— Alors disons que cette année, je pense avoir droit à un moyen pain.

— Il faut considérer ça comme une grande amélioration, dit Solange en riant.

— Moi, j'espère être né pour un morceau de gâteau au chocolat du Marie-Antoinette, intervint Alain.

Il avait connu cette institution pendant son séjour à Québec à la fin des longues vacances. Jacques se tourna à moitié pour demander :

— Avec de la crème glacée ?

— Certain !

— Alors je te le souhaite pour tous les jours. Tu seras gros et heureux.

Solange ressentit le besoin de faire porter la conversation sur l'importance de garder de saines habitudes alimentaires. À Trois-Rivières, il y eut un échange de bises, des « au revoir », puis Jacques alla s'asseoir dans la salle d'attente de la gare d'autocars.

C'est dans un bon état d'esprit que Jacques commença sa seconde année universitaire le mercredi 3 septembre 1975. L'année précédente, dès le premier jour, le directeur Robert avait prophétisé que la moitié des nouveaux auraient abandonné dans un an. Il en restait pourtant les deux tiers : l'homme s'était montré trop pessimiste, finalement.

Ce mercredi matin, c'est avec le statut de bon étudiant que Jacques se dirigea vers le pavillon De Koninck. Pour se hisser parmi les meilleurs, il devrait faire très attention aux directives des professeurs, et demander des éclaircissements, si nécessaire. Ces gens-là ne faisaient jamais une phrase de cinq mots pour exprimer leur pensée s'ils pouvaient en utiliser quinze.

Keep it simple, stupid, lui avait conseillé le professeur Aubut. Il aurait plutôt dû en parler à ses collègues.

C'est sans ses acolytes habituels que Jacques chercha une place dans l'amphithéâtre. Comme au cinéma, il occupa une table située en plein milieu de la salle. Bientôt, il ferait la connaissance de Claude Hamelin, la vedette du département de sociologie.

Il venait de prendre de quoi écrire dans son sac de postier quand il entendit :

— Je peux ?

Sénécal, un étudiant du département d'histoire, se tenait dans l'allée.

— Bien sûr.

— Tu as passé un bel été ?

— Avec l'archiviste du Séminaire, on ne s'amuse pas vraiment. En revanche, mon premier ministre était plutôt sympathique.

— Tu y as mis tout l'été ?

— J'ai remis le résultat de mes efforts à Gervais vendredi dernier.

Sénécal venait à peine de s'asseoir quand il se tordit le cou pour regarder vers l'arrière de la salle.

— Seigneur ! Notre professeur attire des vedettes.

Jacques suivit son regard et aperçut une jolie femme – de trente ans, jugea-t-il – demander à une étudiante si la place à ses côtés était prise. Comme plusieurs autres demeuraient libres dans la salle, cela tenait sans doute au désir de la nouvelle venue de ne pas s'exposer aux entreprises de séduction d'un don Juan pas encore tout à fait sorti de l'adolescence.

— Une vedette ? Je devrais la connaître ?

— Tu n'écoutes pas le *Téléjournal* ?

— Assidûment avant d'arriver ici, au canal 13. Depuis, je me contente des journaux et de la radio.

— C'est la lectrice des nouvelles au canal 11. On l'entend souvent à la radio aussi. Elle s'appelle Aglaé Cloutier-Picard.

— Ah oui ! dit Jacques. Elle est aussi jolie que sa voix, ce qui n'est pas toujours le cas.

— Je me demande ce qu'elle fait là.

— La même chose que nous, probablement.

C'est-à-dire enrichir sa culture personnelle. Le cours SOC 1003, intitulé Genèse du Québec contemporain, s'adressait à la clientèle de première année du programme de sociologie, et accessoirement aux personnes curieuses de réfléchir sur le sujet. Des étudiants de divers départements le choisissaient comme cours hors programme, et des non-universitaires à titre d'étudiants libres.

Le silence se fit quand un homme tout mince, dans la cinquantaine, fit son entrée. Portant cravate, veston et pantalon au pli impeccable, il s'éloignait de l'image des professeurs cools, vêtus de jeans pour « faire jeune ». Et quand il ouvrit la bouche, tous comprirent que mieux vaudrait soigner la qualité du français dans leurs travaux. Claude Hamelin ne se présentait pas devant une classe pour faire le pitre.

— Bon, grommela Sénécal, moi qui espérais un cours facile...

On « magasinait » les cours hors programme avec l'intention d'alléger sa tâche, pas de l'augmenter.

— Tu vas abandonner ?

— Jamais de la vie ! Enfin, je vais en avoir pour chaque cent que coûte ce cours.

Jacques comprit que dans ses efforts pour figurer parmi les meilleurs, il lui faudrait considérer ce garçon aux yeux un peu globuleux et aux dents mal plantées comme un solide compétiteur.

Chapitre 2

À la pause, Sénécal s'absenta. Jacques en profita pour sortir un livre de son sac avec l'espoir d'en parcourir quelques pages. Lorsqu'il entendit quelqu'un arriver sur sa gauche, il leva les yeux pour apercevoir la speakerine de Radio-Canada à la si jolie voix. Quand leurs yeux se croisèrent, un bref instant, il craignit de se faire reprocher ses regards insistants.

Pourtant, elle passa tout droit pour marcher directement jusqu'à l'estrade où Claude Hamelin s'était assis, dans l'attente de la reprise du cours. Il y eut une poignée de main et un court échange. Le jeune homme entendit quelques mots d'excuse, au sujet de retards possibles, ou de départs précipités, à cause du travail de la dame. Le professeur paraissait tout à fait disposé à ne pas lui en tenir rigueur.

Quand elle revint, Jacques prit bien garde de la soumettre à un nouvel examen. Pourtant, elle s'arrêta devant lui.

— Tout à l'heure, j'ai vu ce que vous lisiez.

Machinalement, il referma le livre. Le titre *Ainsi soit-elle* se détachait sur la couverture.

— C'est bien la première fois que je vois un homme faire une lecture de ce genre. Et vous avez presque terminé.

— Sans sauter de page, je vous assure.

— Ça vous intéresse ?

— Évidemment. Il s'agit de la parole de la moitié de la population de la planète, je serais un très mauvais historien en devenir si je l'ignorais.

Cela lui valut un charmant sourire, puis elle redevint sérieuse :

— Savez-vous que dans le magazine *Lui*, un journaliste a rendu compte du livre en traitant son auteure d'"ovarienne cauchemardesque" et de "syndicaliste de la ménopause" ?

— Dans une revue comme *Lui*, c'était nécessairement entre quelques photos de paires de seins. Vous êtes surprise ? Je suppose qu'on a écrit aussi "mal baisée" ?

Elle hocha la tête avec l'esquisse d'un sourire, puis précisa :

— Oui, mais dans une autre publication.

— Ces idiots m'étonnent toujours un peu. Ils sont tous nés d'une mère, ils partagent sans doute leur lit avec une ou plusieurs femmes, ils les laissent ensuite accoucher et s'occuper de leurs enfants, tout en les méprisant à ce point. S'imaginent-ils qu'elles seront mieux baisées après avoir été excisées ?

Il faisait allusion à l'une des dénonciations les plus senties du livre de Benoîte Groult.

— Vous m'autorisez à vous inviter à luncher, un prochain mercredi ?

— Luncher...

— Ne vous faites pas d'idées, l'addition ira dans ma note de frais.

— Même sans cette précision, j'aurais accepté. C'est juste la surprise.

Puisque Claude Hamelin avait quitté sa chaise pour annoncer la reprise du cours, comme une bonne étudiante, Aglaé murmura : « On se reparle » avant de regagner sa place. Dans les secondes suivantes, Sénécal se rassoyait à côté de Jacques en lui disant à voix basse :

— Je te laisse une minute et je te retrouve en grande conversation avec la plus jolie femme du cours. Vous parliez de quoi ?

— Nous partagions nos appréciations de lecture.

L'étudiant le regarda de ses trop grands yeux, certain de se faire mener en bateau.

Au milieu des années 1970, de multiples livres avaient bouleversé les valeurs dominantes. À deux reprises déjà, Suzanne Gervais avait vu l'un d'eux dans le bureau du psychologue Lévesque : *Open Marriage*. D'abord, elle pensa aller en chercher un exemplaire aux Presses de l'Université Laval. Toutefois, elle fut découragée par la perspective de rencontrer une collègue ou un professeur la connaissant.

Aussi, elle quitta son bureau avec son lunch à la main pour aller récupérer la Renault 12 dans le stationnement. L'usage d'un véhicule depuis trois mois représentait une véritable gâterie. Maintenant, elle aurait du mal à s'en passer. Cela aussi figurerait dans la liste des choses à renégocier avec Louis. Jusque-là, quand ils étaient deux à vouloir l'utiliser, à la fin, c'était elle qui prenait l'autobus.

Si fréquenter les PUL paraissait trop l'exposer aux indiscrétions, la brièveté de la période allouée pour le dîner l'empêchait d'aller trop loin. Une librairie se trouvait dans la pyramide du Centre Innovation, elle put s'y rendre en trois minutes. En entrant dans l'établissement, elle vit l'ouvrage *Open Marriage* en vitrine, entre *The Joy of Sex* – décidément, le sujet intéressait beaucoup les donneurs de leçons – et *Ainsi soit-elle*. En voyant les trois ouvrages sur les présentoirs, elle hésita. Le dernier, affublé d'un bandeau avec le mot « Nouveauté », lui sembla intéressant. Mais ce fut pourtant avec le premier qu'elle se présenta à la caisse. Elle voulait en avoir le cœur net quant à la conception du mariage de ce curieux personnage qui lui trifouillait l'âme depuis des semaines.

Bientôt, elle se gara de nouveau au pavillon De Koninck. Après avoir baissé la vitre à sa droite pour créer un courant d'air, elle ouvrit la boîte de plastique due au génie de Earl Tupper – un Tupperware – contenant la salade qui serait son repas, chercha sa fourchette, puis déposa le livre contre le volant. Il était paru en 1972 aux États-Unis d'abord, mais elle avait acheté une traduction française publiée chez Hachette. Si le titre demeurait en anglais, *Open Marriage*, le sous-titre se révélait plus limpide : *Le couple, un nouveau style de vie*.

Les auteurs, Nena et George O'Neill, formaient un « vrai » couple dans la vie. Voilà qui la rassura. Sautant par-dessus le préambule, elle attaqua tout de suite le premier paragraphe du premier chapitre.

> *Les lacunes du mariage sont maintenant expliquées par une légion toujours croissante de divorcés, de malheureux mariés et des jeunes qui, à la lumière des expériences amères de leurs aînés, sont devenus extrêmement méfiants à l'idée de s'engager dans une telle catastrophe eux-mêmes. De plus, beaucoup dans les rangs des désenchantés non seulement raillent le mariage, mais iraient plus loin et nieraient sa nécessité.*

— Shit ! s'exclama-t-elle assez fort pour attirer l'attention d'un étudiant passant à proximité.

Le gros mot ne tenait pas tant au choc produit par ces lignes qu'au fait que le contenu de sa fourchette était tombé sur sa cuisse.

— Sur mon pantalon blanc !

Suzanne chercha un Kleenex dans le coffre à gants, l'humecta avec un peu de salive et tenta de faire disparaître la tache.

C'était pire.

Finalement, elle avala le reste de sa salade, referma le contenant et reprit le livre tombé sur le plancher de la voiture au moment de son petit malheur. Évidemment, l'institution du mariage en prenait pour son rhume, avec la succession des divorces. Seuls les curés et les religieuses défroqués paraissaient vraiment encore en avoir envie. Le destin des protagonistes du film québécois *L'Amour humain*, vu avec Louis, lui laissait un souvenir doux-amer. Il ne suffisait apparemment pas de jeter sa soutane pour goûter à la félicité des plaisirs conjugaux…

Quand même, ces deux Américains avaient sans doute mieux à proposer que l'enterrement de première classe d'une si vieille institution. Avant même d'avoir terminé le premier chapitre, elle trouva « leur » solution :

> *Le mariage ouvert signifie une relation honnête et ouverte entre deux personnes, basée sur l'égalité de liberté et d'identité des deux partenaires. Cela implique un engagement verbal, intellectuel et émotionnel pour le droit de chacun à grandir en tant qu'individu au sein du mariage. […] Le mariage ouvert est une relation entre pairs dans laquelle il n'y a pas besoin de domination et de soumission […].*

— Vous devriez venir leur expliquer ça… Même si aucun des deux ne le formule à haute voix, pour eux, il y a le chef et il y a l'autre, murmura-t-elle en pensant à Louis et à son psychologue.

Le professionnel cherchait bien à afficher une neutralité de circonstance, mais elle n'y croyait pas. Ils faisaient front commun. Et un indice la confortait dans cette impression : Louis avait refusé avec véhémence de chercher un thérapeute de sexe féminin quand elle l'avait proposé après la première séance.

La suite de cette lecture viendrait plus tard, il lui fallait regagner son poste de travail. Elle glissa le livre sous son siège afin que personne ne l'aperçoive. Des ouvrages de ce genre faisaient toujours l'objet de supputations peu charitables. Et si elle l'avait déposé sur un coin de son bureau, au moins un professeur aurait fini par dire assez fort pour que tout le monde entende : « T'es pour ça, toi, le mariage *open* ? C'est bon à savoir. »

Son mari, en tout cas, ne se serait jamais privé de lancer une remarque de ce genre.

Une fois dans le pavillon, Suzanne fit un arrêt aux toilettes. Elle essaya d'enlever la tache avec un essuie-main en papier humecté d'eau. Sans autre résultat que d'empirer les choses. En poussant un soupir, elle se dirigea vers son bureau.

Sa mère passait son temps à écouter les émissions de service destinées aux femmes à la radio de CHRC. Quelqu'un y avait sans doute déjà enseigné la recette magique pour faire disparaître de l'huile d'olive sur un pantalon blanc. Toutes les bonnes épouses connaissaient ce genre de chose.

En arrivant chez ses parents, Suzanne lança un « Bonsoir, je suis là ! », puis elle se dirigea rapidement vers sa chambre. Un empressement destiné à dissimuler le livre qu'elle tenait à la main. Elle le glissa sous le matelas et fit un arrêt à la salle de bains pour donner le change.

Quand elle arriva dans la cuisine, sa mère remarqua :

— Une urgence ?

— C'est tout de même un peu long de l'université à ici.

Les Trottier habitaient L'Ancienne-Lorette. Malgré la proximité de la ville, il s'agissait toujours d'un gros village.

— Je peux t'aider ?

— Mets la table.

Depuis qu'elle avait trouvé refuge chez ses parents en juin, la jeune femme cherchait à se rendre utile. Ses parents avaient refusé qu'elle participe aux dépenses du ménage, alors c'était une façon de compenser un peu. Tout en plaçant les couverts, elle s'interrogea sur ses motifs de cacher ce livre. Le rôle de petite fille lui était revenu spontanément.

Évidemment, en le voyant, sa mère aurait repris son discours habituel sur « le monde d'aujourd'hui ». Les messes à gogo, les robes « à ras le bonbon », les garçons avec des cheveux longs « comme des filles », et ces gens qui couchaient à droite et à gauche « comme des animaux », lui semblaient être des signes d'une décadence inéluctable. Sa première question aurait été :

— Tu vas pas me dire que toi t'es pour ça, le mariage *open* ?

Aux émissions de Réal Giguère et Lise Payette, des invités commentaient tous les sujets susceptibles de titiller les auditeurs. Il en était certainement question aussi l'après-midi à l'émission *Femme d'aujourd'hui*, animée par Aline Desjardins. De plus, il y avait les soutanes recyclées à la radio de CHRC, dont Émile Legault et Marcel-Marie Desmarais. D'ailleurs, ce dernier avait publié un ouvrage inoubliable en 1950 : *L'amour à l'âge atomique*. Cela faisait peut-être de cet éternel célibataire un spécialiste du mariage.

Aux yeux de Suzanne, cela ne faisait pas de sa mère l'interlocutrice idéale pour une conversation entre femmes. L'écart entre les générations était trop grand.

Après le souper, la jeune femme finissait à peine de faire la vaisselle quand elle entendit :

— Mais t'as fait quoi à ton pantalon ?

— J'ai laissé tomber un peu de salade.

— Bon, là, il est trop tard pour mettre du sel dessus. Va l'enlever et frotte-le des deux côtés avec du savon. Et avant d'aller te coucher, tu le rinceras à l'eau froide.

Suzanne obtempéra, rassurée. Dans quelques domaines, elle pouvait tout de même avoir une confiance absolue envers sa mère.

En soirée, Suzanne reprit sa lecture dans sa chambre de jeune fille. Elle se faisait l'impression de lire un mauvais livre en cachette. Comme il comptait seulement deux cent cinquante-sept pages, elle espérait en venir à bout avant de s'endormir.

Cependant, certains paragraphes ressemblaient à des gifles au visage. Notamment celui qui affirmait que compter sur le mariage pour donner un but, un sens à sa vie, trouver l'amour, la tendresse, un statut dans la société, une famille, c'était se comporter comme un enfant qui compte sur sa doudou pour se sentir en sécurité. Pour les auteurs, la sécurité devait d'abord se trouver en soi, sans égard aux comportements des autres.

Finalement, cette lecture risquait de la laisser plus incertaine qu'auparavant.

Cela dit, elle aussi croyait qu'en 1975, les femmes désiraient être autre chose que des épouses et des mères. Demeurer enfermée à la maison, c'était risquer de devenir folle. Cela signifiait toutefois assumer deux tâches. Dans son cas, celle de secrétaire et celle de maîtresse de maison. La suggestion de partager ce dernier travail avec Louis lui tira un ricanement amer. Il refuserait catégoriquement.

Malgré toutes les nouvelles inventions – elle avait lu qu'un jour les fours à micro-ondes permettraient de faire cuire un repas en quelques minutes –, le fardeau demeurerait insupportable.

Heureusement, sa mère avait trouvé la solution à tous ses problèmes :

— Tu fais des enfants, pis tu t'en occupes. Pas avec lui, par exemple.

Pour cette femme approchant la cinquantaine, un mari qui « allait voir ailleurs », ne serait-ce qu'une seule fois, méritait le pire des châtiments. Un après-midi où elles épluchaient des pommes de terre, elle avait murmuré : « Moé, ces gars-là… » tout en effectuant un mouvement de haut en bas avec son couteau. Comme pour trancher une carotte invisible.

— Pis tu vas voir, être mère, y a rien qui bat ça, avait-elle renchéri.

La grandeur de la maternité pour effacer l'ennui, la dépendance, la médiocrité d'une vie derrière les barreaux – fussent-ils dorés – du mariage. Avec la pilule et le stérilet, bien des femmes évitaient la maternité, souvent sans en parler avec leur mari au préalable, pour garder leur emploi. Ce qui ne les sauvait sans doute pas de la préparation des repas et de l'entretien de la maison.

— Et moi je n'ai pas un emploi facile et gratifiant comme Louis, soliloqua-t-elle. Même si le patron est gentil, je suis quand même un peu sa boniche.

Jeudi matin, Jacques Charon arriva dans un amphithéâtre désert du pavillon De Koninck. Il retrouva sa place habituelle du côté droit, à la quatrième rangée, adossé au mur. Lentement, d'autres étudiants remplirent la salle. Chaque fois, il y avait un échange de salutations ou des bribes de conversation.

Bientôt, Diane vint occuper le siège devant le sien. Même quand elle faisait la route avec Monique, cette dernière arrivait quelques minutes plus tard. Elle ressentait toujours le besoin de fumer une cigarette avant d'entrer en classe.

— Comment as-tu trouvé ton cours de sociologie ? demanda Diane.

— Ce monsieur Hamelin n'entend pas à rire. Je suis aussi bien de mettre les bouchées doubles pour ne pas avoir les mêmes notes qu'à ma première session.

— Tant que ça ?

— Je ne suis pas dans le même état d'esprit, ce qui fera une grosse différence, mais il m'a semblé exigeant. Je ne courrai pas de risque.

Ce qui signifiait qu'en octobre, il entendait bien en avoir terminé avec tous les travaux requis dans la session. Il appelait ça une « assurance » contre une mauvaise grippe : passer tout novembre au lit ne mettrait pas fin à ses études.

— De ton côté, le Moyen Âge ?

— Peux-tu croire qu'un gars porte le nom de Sanfaçon ?

— Maintenant que tu me le dis, oui. On a déjà un Laterreur.

Certains patronymes étaient plus durs à porter que d'autres.

— Alors ? continua Jacques.

— Ça ira. Il compte parmi ces professeurs revenus de leurs études en France avec un curieux accent.

— Quand on vient des colonies, je suppose qu'il faut soigner son langage pour se faire accepter là-bas.

C'est à ce moment que Monique descendit l'allée pour prendre place à côté de son amie, avec Jean-Philippe sur les talons. Bientôt, c'est à quatre qu'ils bavardèrent sur les cours suivis la veille.

Pendant un bref instant, car Alfred Robitaille se dirigeait déjà vers l'estrade. Plus près de quarante ans que de trente, ses cheveux drus étaient déjà poivre et sel. Son ventre débordait par-dessus sa ceinture et son nez en patate marqué de couperose faisait immédiatement penser à quelques abus. Sans doute injustement. Vêtu d'un pantalon « habillé » et d'une chemise à manches courtes, il devait laisser sa cravate et son veston dans son bureau pour se livrer à un exercice aussi exigeant qu'un cours de trois heures.

Cet homme enseignait l'histoire des États-Unis, et son cours était obligatoire. Ce qui signifiait que tout l'effectif de deuxième année se trouvait dans la salle. Cela permettait de mieux mesurer l'étendue de la décimation subie en première année. Et malgré le ton jovial et le sourire engageant, il devint vite évident qu'il plaçait la barre plutôt haut. Au point où, à la pause, Norbert Sénécal rejoignit Jacques Charon pour lui dire :

— J'espère que les autres seront un peu moins exigeants, parce que s'ils sont tous comme lui et Hamelin, ce ne sera pas vivable.

— Il faudra faire enquête auprès des étudiants de troisième afin de faire des choix éclairés l'hiver prochain. Nous les classerons avec des notes de A à E, selon le niveau des exigences.

Sénécal s'attarda jusqu'à la fin de la pause pour discuter avec les trois autres membres du groupe. Les deux femmes devaient se sentir rassurées, car en septembre 1974, le statut d'intruses leur avait pesé. De « madames » dont la présence paraissait étrange un an plus tôt, maintenant elles étaient juste des étudiantes un peu plus vieilles que la moyenne. Le département d'histoire n'était plus tout à fait un club réservé aux jeunes hommes principalement venus des beaux quartiers.

Après avoir mangé aux tables situées dans la cafétéria au sous-sol du De Koninck, les quatre amis se séparèrent en se donnant rendez-vous à la cafétéria du Grand Séminaire pour le souper.

En après-midi, Jacques passa une heure à explorer les rayons de la bibliothèque afin de chercher des livres susceptibles de l'aider à mieux comprendre la matière au programme de cette session. C'est avec un sac très lourd qu'il regagna sa chambre du pavillon Parent.

Il parcourut avec attention le volume portant sur la Troisième République française. C'était sa façon de se mettre en train pour son cours qui aurait lieu en soirée. À cinq heures, il rejoignit Jean-Philippe dans le hall.

— Tu sais comment te rendre là ? demanda-t-il.

— Non, mais je suppose que si nous suivons l'odeur de l'encens, ça ira.

— Ça nous mènera plutôt à la chapelle qui se donne des allures de cathédrale.

Le grand édifice religieux de pierre grise avait été conçu dès 1948 par l'architecte Ernest Cormier, pour être complété seulement en 1959. Grandiose, réalisé à grands frais, les années 1960 avaient suffi pour en faire un immeuble à la recherche d'une nouvelle vocation.

Tout en parlant, ils avaient quitté la résidence pour traverser la rue et s'engager à travers un long terrain gazonné. Des écriteaux plantés à quatre pouces du sol tout le long du trottoir indiquaient « Ne marchez pas sur la pelouse ». Cela ressemblait à une blague, puisque les pas de centaines d'étudiants y avaient tracé de petits sentiers s'allongeant sur une centaine de verges, allant en droite ligne vers les divers pavillons.

Ils entrèrent par une porte de côté du Grand Séminaire. Obligeamment, les bons prêtres avaient posé des affiches indiquant le chemin de la cafétéria. Non seulement les étudiants de l'université étaient les bienvenus à cet endroit, mais on les guidait jusqu'à leur destination. Monique et Diane étaient à l'entrée.

— C'est la première fois que je viens ici, remarqua Jacques en contemplant la grande salle.

— On dirait un réfectoire de collège, dit Jean-Philippe.

— Nous y allons ?

Jacques fut le premier à se mettre en ligne pour recevoir son repas. Les autres lui emboîtèrent le pas. Ce soir-là, ce serait du pâté chinois. Les prix rivalisaient très bien avec ceux de la cafétéria de l'université. De longues enfilades de tables permettaient d'accueillir au moins deux cents convives. Toutefois, plus de la moitié des places demeuraient vides. Ils s'installèrent un peu en retrait.

— Je ne peux pas dire que je me sente tout à fait chez moi, ici, dit Diane. Il y a un certain nombre de robes, mais aucune femme dedans.

Une douzaine de prêtres formaient un groupe plutôt compact, et des étudiants en théologie, un autre. Et, plus dispersés, des étudiants de l'université, pour la plupart des garçons.

— Nous allons leur donner des mauvaises pensées, ricana Monique.

Quelques regards ecclésiastiques les avaient effectivement suivies depuis l'entrée. Dont certains fort réprobateurs. La présence de femmes risquait d'ébranler des vocations. D'autres, plutôt favorables, signifiaient qu'au moins en pensée, ils avaient déjà rompu leurs vœux.

— C'est curieux, dit Jacques, je m'imaginais qu'il n'y avait pas plus de dix futurs prêtres dans le diocèse.

— D'un autre côté, remarqua Jean-Philippe, alors que la fonction publique recrute maintenant au compte-goutte, l'Église offre une belle sécurité d'emploi. Ça peut toujours revenir à la mode.

C'était là toute l'ironie de leur situation. Pendant une année, ils s'étaient inquiétés de ne pouvoir continuer dans le programme. Et maintenant que cela leur semblait acquis, un autre sujet d'angoisse commençait à les tenailler : que feraient-ils avec un diplôme en histoire ?

— Ce ne sont pas tous des séminaristes, intervint Monique. Dans le lot, je vois Fritz von Krackner.

— Qui ?

— C'est un gars en histoire. Tu vois celui avec la tête rasée ?

À une époque où la tignasse d'un garçon sur deux atteignait les épaules, c'était une façon de se singulariser.

— Nous l'appelons comme ça parce qu'il ressemble à un soldat allemand de la Grande Guerre, expliqua Diane.

— En 1918, quand ils crevaient de faim, qu'ils étaient mangés par les poux et qu'ils pleuraient sur leur défaite, précisa Monique.

Oui, cet étudiant présentait une maigreur qui donnait envie de partager son repas avec lui. Il avait également un regard très triste. Elle continua :

— Ou alors, c'est l'air qu'ils avaient quand, par inadvertance, ils s'asseyaient sur leur casque à pointe.

Ce genre d'humour mettait toujours Jacques mal à l'aise. Ce gars n'avait choisi ni son physique ni son air morose. Et même dans le cas de sa coupe de cheveux, ce n'était pas sûr. Sa propre allure devait donner lieu à des moqueries du même genre. Maigre aussi, timide, déjà un peu voûté par les heures passées penché sur des livres, il devait certainement meubler des conversations empreintes de méchanceté.

— Qu'ils soient en théologie ou non, ce ne sont pas les hippies, les fumeurs de pot ou les membres du Parti marxiste-léniniste qui viennent ici.

Jean-Philippe décrivait là une bonne partie de la clientèle du département d'histoire – et des sciences humaines en général.

— Vous aimez ça ? demanda Diane.

— Pour les jours où ils servent du foie de bœuf au Pollack, je veux bien revenir, dit Jacques.

Jusqu'à la fin du repas, ils échangèrent sur les motivations étranges qui, en 1975, poussaient des gens à se destiner à la prêtrise. Aucune de leurs hypothèses n'aurait plu aux principaux intéressés.

Chapitre 3

Habituellement, à cinq heures, le personnel administratif du département d'histoire avait quitté l'université. Denise Choinière, l'aînée des secrétaires du directeur, avait toutefois accepté de se dévouer. Et la nouvelle venue, Fernande, qui occupait le second bureau dans l'antichambre de Robert, avait très vite compris que mieux valait afficher sa bonne volonté en lui offrant son aide.

— Ils sont nombreux à venir ? demanda cette dernière.

Elle regardait les bouteilles d'alcool, de Perrier et de sodas placées sur le petit chariot à roulettes qui servait d'habitude à transporter les photocopies.

— Ça varie d'une fois à l'autre. Disons que les deux tiers des professeurs viennent.

— C'était pas mal la même chose à l'École de commerce. Et les épouses ?

— Une sur deux.

Madame Choinière se montrait un peu abrasive depuis l'avant-veille, au grand déplaisir de Fernande. Toutefois, à trente ans, cette dernière montrait moins de déférence qu'une nouvelle de dix-huit ou dix-neuf ans. C'est avec ses mains sur ses hanches qu'elle fit une mise au point :

— Écoute, moi j'ai posé ma candidature pour ce poste en juillet. Ce n'est pas ma faute si, au bureau du personnel, ils ont fait traîner les choses jusqu'à mardi dernier.

Habituée à la docilité de Jacinthe Couture, Denise se troubla un peu.

— Je sais. Qu'est-ce qu'ils s'imaginent, dans la tour, pour faire commencer quelqu'un le jour de la rentrée...

Elle parlait de la tour de l'administration de l'université située juste à côté de la tour des sciences de l'éducation. Il s'agissait des seuls édifices en hauteur sur le campus. Ce retard de la nouvelle secrétaire l'avait forcée à travailler seule sur la planification du jour de l'inscription, et là il lui fallait la former dans un perpétuel va-et-vient d'étudiants.

— Pourtant, j'aurais pu être là le 1er août.

Denise se le tint pour dit. En guise de calumet de paix, en ajoutant des bretzels et des croustilles aux boissons, elle offrit quelques médisances à Fernande :

— Les absences des uns tiennent souvent aux présences des autres. Quand il y en a un qui vient me demander : "Madame Choinière, Untel sera-t-il là ?", si la réponse est oui, c'est certain qu'on ne le verra pas. Les absents sont ceux qui veulent éviter une mauvaise rencontre.

— Pourquoi ça ?

Elle évoqua des inimitiés nées d'une promotion manquée – ou d'une élection perdue, pour certains postes à l'université. Mais les plus durables concernaient des querelles intimes. Une fois dans l'atrium, en pointant le doigt vers l'un des étages supérieurs, Denise expliqua :

— Lui s'intéressait à la même étudiante que lui. Et lui, il a épousé la sœur de l'autre, là, pour se séparer trois ans plus tard. Ils étaient comme les doigts de la main, et maintenant, ils s'arrangent pour ne pas être sur le campus les mêmes jours. Il faut refaire les horaires jusqu'à ce que tous les deux soient satisfaits.

Après cela, Fernande retrouva son sourire. Cette nouvelle affectation venait avec son lot de situations croustillantes. Quand elles eurent terminé, ce fut encore plusieurs tons plus bas que la nouvelle demanda :

— Et la jeune que je remplace, pourquoi est-elle partie ?

Denise se montra hésitante, pour faire monter l'intérêt de sa collègue.

— Écoute, il ne faut pas que tu le répètes...

Fernande secoua la tête avec énergie.

— Le gars dans ce bureau – à nouveau elle pointa une porte du doigt –, c'est un malade. Quand il voit une nouvelle, il ne la lâche pas. Elle a préféré aller travailler ailleurs.

Madame Choinière ne se donna pas la peine d'inciter sa nouvelle collègue à la prudence. Louis Gervais réservait ses attentions à des personnes plus jeunes et plus minces. Elle ajouta :

— Là, elle travaille pour les Services aux étudiants, au pavillon Pollack. Au moins là-bas, si elle se fait *cruiser*, ce sera par quelqu'un de son âge.

— Tu es gentille d'être venue me prendre à la maison, dit Louis en refermant la portière de la Renault 12.

Depuis que Suzanne avait quitté le domicile conjugal, chaque délicate attention lui valait des remerciements. Et le fait d'être réduit au statut de piéton frustrait encore plus son mari que l'obligation de préparer ses repas.

— Comme je profite de la voiture, c'est bien normal.

Sa lecture du livre *Open Marriage* la rendait un peu plus encline à se montrer gentille. Toutefois, elle tenait à ce qu'il ne se fasse pas d'illusion sur sa bonne volonté.

—Tu comprends que même si j'ai accepté de me présenter à cette soirée, je ne compte pas me retrouver seule dans un coin, alors que tu butines de l'une à l'autre.

— C'est une activité du département. Dans ces circonstances, la règle est de parler à tout le monde. Pour faire du social, pas plus. De toute façon, tu sais bien que toutes les femmes qui seront là sont des épouses de collègues.

— Ah ! Tu penses qu'il existe des hommes qui trompent leur femme, mais aucune femme qui fait la même chose ?

Le ton de Suzanne étonnait de la part d'une femme disposée à retrouver le domicile conjugal dès le dimanche suivant. C'était un autre effet de sa lecture de la nuit précédente. Pendant la journée, elle avait examiné les employés de la faculté de droit en tentant de deviner qui, du nombre, pratiquait l'amour libre.

La remarque du psychologue lui tournait en boucle dans la tête : si elle ne pouvait pardonner l'accroc fait aux engagements du mariage, c'est un avocat qu'il lui fallait consulter, pas un professionnel qui tirait sa subsistance de la thérapie de couple. Après ce dernier coup de griffe, ils demeurèrent silencieux jusqu'à leur arrivée sur le campus.

Avant d'aller chercher Louis à Sainte-Foy, la jeune femme était retournée à la maison de ses parents à la fin de sa journée de travail afin de se changer. Le détour en avait valu la peine. Elle portait une robe noire toute neuve, lui allant quelques pouces en haut des genoux. Assise, avec ses deux pieds sollicités par les pédales, elle montrait plus de la moitié de ses cuisses. Les bretelles spaghetti et les pointes de ses seins dressés par le contact direct du tissu témoignaient de l'absence de soutien-gorge.

Sa tenue avait attiré le regard de son mari, mais il n'avait osé aucune remarque, aucun geste. Curieusement, la seule femme avec qui il ne trouvait pas les mots pour séduire était la sienne.

Un peu avant sept heures du soir, le quatuor pressa le pas pour ne pas se mettre en retard pour le prochain cours.

— C'est quand même curieux qu'un professeur de l'Ontario vienne enseigner à Québec, remarqua Jean-Philippe.

Lors de l'inscription, Christine Veilleux s'était faite rassurante à ce sujet, mais il redoutait quand même que le cours se déroule en anglais.

— Sa spécialité est l'histoire de la France de la Troisième République, dit Monique. Jamais je ne croirai qu'il est reconnu comme un spécialiste d'un pays dont il ne parle pas la langue.

Le Séminaire d'histoire européenne I devait avoir lieu au second étage du De Koninck, dans l'aile B. La salle pouvait accueillir seize personnes autour d'une grande table, si elles se serraient un peu. Un homme vêtu d'un veston de tweed, d'une chemise blanche et d'un pantalon de velours côtelé, se tenait au bout. Concession faite à la chaleur de ce début de septembre, sa cravate était desserrée et le premier bouton de sa chemise était détaché.

Il murmurait des « bonsoir » timides à chacun des étudiants.

— Tu as vu le film *La chasse au diplôme* ? dit Jacques à l'oreille de Diane.

— Oui. On dirait Timothy Bottoms. Il a la même moustache tombante.

Ce comédien avait interprété le rôle de James Hart, un étudiant de première année de l'Université Harvard qui avait eu la mauvaise idée de s'enticher de la fille d'un professeur particulièrement exigeant, au grand déplaisir de celui-ci. La scène dans la piscine s'était révélée particulièrement aguichante. Assez pour demeurer dans sa mémoire.

Bientôt, le professeur demanda à l'étudiant placé le plus près de la porte :

— Pouvez-vous fermer ? Je pense que nous sommes au complet.

Si son français avait un accent très perceptible, le professeur s'avérait facilement compréhensible. De quoi rassurer doublement les inquiets : ils le comprendraient, et en même temps, ils perdraient moins de points à cause d'une orthographe déficiente.

Le professeur fit passer les plans de cours, tout en disant :

— Comme vous le savez certainement, la Troisième République française, c'est la période allant de 1870 à 1940.

Certains ne le savaient peut-être pas, mais jamais ils ne l'admettraient à voix haute.

— Je m'appelle James Nelles, et j'enseigne au département d'histoire de l'Université Carleton, à Ottawa. J'ai accepté de venir donner ce cours ici pour maintenir mon français à niveau. J'ai fait mon doctorat à Paris, mais je n'ai pas si souvent l'occasion de parler cette langue, maintenant.

Le département d'histoire tenait sa fête dans l'atrium. Le grand espace, ouvert sur trois étages, était certes très impressionnant.

Quand Louis et Suzanne Gervais arrivèrent, il y avait déjà une quinzaine de professeurs et une dizaine d'épouses. Pourtant, quelques-uns de ces messieurs auraient sans doute préféré se présenter avec l'une ou l'autre des étudiantes accortes de première année rencontrées au cours des trois derniers jours. Ils recherchaient toujours la même combinaison de qualités : avenantes, innocentes, naïves et facilement impressionnables.

À titre de directeur, Jacques Robert devait incarner l'hôte parfait. Flanqué de sa femme, Aline, il s'avança la main tendue.

— Je suis heureux de vous revoir, Suzanne.

Elle l'accepta, en se disant tout aussi heureuse. Par chance, son petit nez un peu pointu ne s'allongea pas.

— Toi aussi, Louis, même si notre dernière rencontre ne date pas d'aussi longtemps.

Il y avait eu une réunion départementale le matin même. Ils trouvèrent le moment bien choisi pour revenir sur un sujet à l'ordre du jour. Les deux épouses étant laissées entre elles, madame le directeur essaya de servir la carrière de son mari en jouant son rôle d'hôtesse.

— Vous travaillez toujours à la faculté de droit?

Suzanne perçut un certain jugement dans le ton.

— Je ne saurais pas vraiment quoi faire de mes journées si je demeurais à la maison.

Ce qui contenait un reproche sous-entendu quant aux motifs d'une femme en bonne santé de se limiter au rôle de reine du foyer. Toutes les deux avaient bien affûté leur épée.

— Vous n'avez pas d'enfants, je crois. Moi, j'en ai deux.

— Non, pas encore. En réalité, je me demande si je suis faite pour ça. Me priver de voir des gens... Je veux dire des adultes.

« Tu aimes mieux taper les lettres et servir le café à ton patron », songea Aline. Cependant, prenant au sérieux son rôle d'hôtesse, elle préféra demeurer coite. Une sage décision, autrement l'échange aurait fini par devenir acrimonieux.

Bientôt, Louis revint aux côtés de sa femme.

— Si vous voulez bien nous excuser, dit-il, je vois Alfred là-bas.

Alfred Robitaille conversait avec Maurice Dumont. Tous les deux étaient accompagnés de leur femme. Ils s'arrêtèrent de parler pour faire face au couple. L'odeur du contenu du verre que chacun tenait à la main permettait d'émettre une hypothèse sur le nez trop rouge du spécialiste de l'histoire des États-Unis. Le père de Suzanne appréciait aussi la bouteille brune de forme cylindrique affichant le nom Bols.

À nouveau, il y eut discussion sur l'assemblée tenue le matin. Même devant des épouses, la plupart de ces hommes préféraient parler boutique.

— Vous travaillez toujours à la faculté de droit ? demanda Francine Robitaille.

Suzanne tenait de ses deux mains le bras droit de son mari, ne le lâchant que le temps de le laisser avaler une gorgée. Elle répéta la même réponse que précédemment, tandis que son interlocutrice réussit à glisser que de s'occuper de trois garçons ne lui laissait pas une minute de libre. Elle conclut en disant :

— Et vous ?

— Je n'ai pas d'enfant.

C'était bien la difficulté pour ces épouses : ces soirées étaient d'un ennui mortel. Mais comment laisser ces professeurs entre eux, maintenant que le département comptait des femmes, toutes âgées de trente ans ou à peu près ? Le même scénario se répéta au gré du tour de salle que Louis se croyait obligé d'effectuer.

À moins de dix verges du couple Gervais, les trois membres du corps professoral de sexe féminin faisaient bloc.

— Je n'en crois pas mes yeux, s'exclama Christine Veilleux. Elle doit tenir une chaîne invisible dans sa main.

— Et l'autre bout est bien attaché à ses couilles, continua Marie.

Marie Laliberté enseignait l'histoire de l'Union soviétique, sans connaître un traître mot de russe. Que disait-on ? « Au pays des aveugles, les borgnes sont rois. » Leur regard à toutes les trois se portait en direction de Louis et Suzanne.

— Que voulez-vous dire ? demanda Nadine Doyle.

— Il ne s'est pas encore éloigné de plus de dix-huit pouces de sa femme, dit Christine en ricanant. D'habitude, on l'a toujours sur le dos.

Embauchée depuis un peu plus d'un an, Nadine ne s'était pas présentée au party de l'année précédente. Morte de trac à l'idée de donner son premier cours le lendemain, elle n'avait pas osé lever son nez de ses livres pendant même deux ou trois heures pour y assister.

— Et elle est toujours comme ça ?

— Surtout depuis que Gervais a entrepris sa campagne de séduction de la petite employée aux cheveux blonds dès son retour de vacances, l'an dernier.

Comme Nadine haussait les sourcils, sans comprendre, Christine expliqua :

— C'était la jeune secrétaire du directeur. Elle a demandé à être mutée dans un autre service au moment où elle a obtenu sa permanence.

Chacune le savait, dans ces histoires, une femme faisait mieux de mettre les voiles plutôt que de se plaindre de harcèlement. On pouvait trouver bien des motifs pour renvoyer une enquiquineuse.

— La pauvre Suzanne a dû entendre parler du congrès des sociétés savantes, le printemps dernier, murmura Christine.

— Mais j'y étais, protesta Nadine, et je n'ai pas vu Louis une seule fois. Bon, je dois admettre que je n'ai pas assisté à sa conférence, j'avais déjà pris l'autobus pour revenir.

— Justement, tu ne l'as pas vu, dit Marie. Il a passé une semaine à Kingston, mais personne ne l'a vu.

Au moins pour cette fois, Suzanne n'eut aucune raison de s'inquiéter. De toute la soirée, jamais Louis ne tenta de s'approcher de ses collègues de sexe féminin.

Professeur invité, James Nelles donnait le seul cours offert le jeudi soir au département d'histoire. Cela permettait à tous les autres de participer au petit *gathering* dans l'atrium. Après avoir résumé les activités des prochaines semaines, il s'était occupé de proposer des sujets sur lesquels porteraient les travaux des étudiants, et le calendrier des présentations orales.

Les activités données à de petits groupes – les séminaires – devaient permettre aux étudiants de prendre la parole. Toute la seconde partie de la session, ils auraient ainsi l'occasion de présenter à leurs confrères un aspect de cette fameuse Troisième République. Ayant potassé un ouvrage de synthèse sur le sujet au cours de la journée, Jacques proposa d'entrée de jeu de parler de la stratégie de la grève révolutionnaire au sein du mouvement syndical français.

Personne ne songea à le lui disputer tellement cela paraissait ennuyeux. Tout de même, au moment de la pause, un étudiant voulut lui prodiguer un conseil :

— Pour ça, tu devrais lire Louis Althusser.

Grand et mince, avec des lunettes aux montures de plastique noir sur le nez, les cheveux assez longs pour le faire ressembler à un chanteur yéyé français, l'étudiant en question s'appelait Christian Beaudoin. Il adoptait bien la posture d'un ancien élève du collège des jésuites : évoquer un auteur peu connu, ou un livre, pour souligner l'ignorance d'un autre. Le petit terrorisme habituel des campus.

Jacques n'avait plus la tête à jouer à ça.

— Tu veux dire *Lire le Capital* ? C'est un peu ringard, un type qui publie plus de six cents pages pour nous dire comment lire l'ouvrage d'un autre type. Si je veux lire *Le Capital*, je le lirai. Mais je n'ai pas besoin de quelqu'un pour me donner le sens de toutes les lignes du livre. Je le fais seul, comme un grand.

— Ringard ? C'est un des plus grands intellectuels de ce siècle !

— Marx, ce n'est pas l'auteur d'un évangile, mais un philosophe. Il n'a pas besoin d'exégètes. D'ailleurs, dans une lettre à son gendre, Marx lui-même expliquait ne pas être marxiste, si ça voulait dire voir son œuvre comme un texte sacré.

— Son gendre ?

Les étudiants qui s'apprêtaient à sortir s'étaient arrêtés pour assister à la version universitaire du jeu « Qui pisse le plus loin ». Jacques ne se donna pas la peine de répondre, feignant de devoir classer les papiers devant lui.

Le professeur se chargea d'informer Beaudoin :

— Paul Lafargue, l'un des fondateurs du Parti ouvrier, en 1882. Il a épousé Laura, la dernière fille de Marx. Le couple a même hérité de Friedrich Engels.

Jacques regarda James Nelles et dit avec un demi-sourire :

— De lui, j'ai surtout aimé *Le droit à la paresse*. Tant qu'à prêcher la révolution, autant le faire de façon amusante.

Le grand dadais se découvrit une envie pressante, alors que le professeur et l'étudiant évoquèrent encore quelques lectures improbables. Quand le cours reprit, Jacques esquissait un sourire satisfait.

En voyant Suzanne s'approcher de la table où se trouvaient les boissons, Pierre Aubut lui demanda :

— Je peux te servir quelque chose ?

Cet homme mesurait six pieds et quelques. Avec cette carrure, ajoutée à une barbe drue et très noire, il faisait penser à un bûcheron perdu sur un campus. Il avait adopté spontanément le tutoiement avec une femme de tout au plus trois ans sa cadette.

Suzanne lui sourit tout en disant :

— Il reste du Perrier ?

— Non. Pour ça, tu aurais dû te précipiter. C'est le breuvage favori de ces dames. Oups, pardon : la boisson. Des plans pour me voir refuser ma permanence pour crime contre la langue française.

Puis son rire sonore fit comprendre qu'il ne s'inquiétait pas trop à ce sujet.

— Vivre au milieu de tous ces juges du bon goût, ça ne doit pas être de tout repos, dit Suzanne.

— Tiens, je peux t'offrir un 7-Up à peu près froid.

Il lui montra la canette d'aluminium. La jeune femme acquiesça d'un geste de la tête. Aubut prit un verre et le lui remplit en disant :

— Des juges du bon goût… Oui, ça décrit assez bien la petite guerre d'ego dans le département. Tu vois le vieux, là-bas ?

— Buczkowski ? On me l'a présenté il y a une minute.

— Ce matin, à la réunion du département, il a remarqué, mine de rien : "Il n'y a pas si longtemps, personne ne se serait présenté sur le campus sans cravate." La sienne porte les traces de tous les repas qu'il a pris depuis un an, et il critique ma tenue.

— Hygiène pour hygiène...

Elle n'osa pas dire : « Je préfère la tienne. » À la place, elle murmura :

— Son odeur m'a fait penser à un chien mouillé.

— Ah bon ? À dix heures ce matin, l'effluve de gin dominait pourtant déjà.

Ils échangèrent un sourire. Un court instant, Suzanne pensa : « Si je l'avais rencontré d'abord... » D'habitude, elle arrivait à mieux chasser de son esprit ce genre de réflexion.

— Mais au cinquième, ça doit être encore pire qu'ici.

Il voulait dire à la faculté de droit. Ainsi, il se souvenait des paroles échangées avec elle lors du précédent party.

— Personne ne m'a encore parlé de l'obligation de porter une cravate. Mais je pense que mon pantalon capri, cet été, a dérangé quelques personnes.

— Pourtant, je suis certain que tu ne déparais pas.

Il la regardait avec des yeux rieurs. Après des semaines à se sentir comme une moins que rien, la remarque apparut comme un baume pour Suzanne. Pourtant, presque tout de suite, son interlocuteur gâcha un peu l'effet produit :

— Ton époux ne me quitte pas des yeux depuis un moment. Dois-je m'inquiéter ?

Cependant, son sourire indiquait qu'il ne s'inquiétait pas du tout. Suzanne jeta un regard de côté. Louis était bien là, les yeux fixés sur eux.

— Non, il est inoffensif, dit-elle en tournant délibérément le dos à son mari.

Elle porta son verre à ses lèvres. La chaleur lui mettait une mince pellicule de sueur au-dessus de la lèvre supérieure. Quand elle s'enquit de ses activités du dernier été, Pierre évoqua une expédition dans sa vieille Beetle, du côté de la Gaspésie. Après quelques minutes, les péripéties autour d'un pneu crevé dans un coin perdu tirèrent un rire franc à la jeune femme.

Chapitre 4

James Nelles retint ses étudiants jusqu'après neuf heures trente. Avant de les libérer, il leur dit :

— Je vais tenter de voir si nous ne pourrions pas avoir un local un peu plus grand, la prochaine fois.

Ensuite, il se trouva assailli par des jeunes gens empressés de lui adresser la parole. Dont Christian Beaudoin, qui ne paraissait pas savoir que l'on n'avait jamais une seconde occasion de faire une première bonne impression.

Près de la porte, Monique se pencha vers Jacques toujours assis à sa place et lui dit :

— L'anarchosyndicalisme, rien de moins ?

Il avait créé son petit effet, avec sa proposition de travailler sur la grève révolutionnaire.

— C'était ça ou le général Boulanger qui se suicide après la mort de sa maîtresse.

À cet instant, une grande silhouette passa la porte, suivie du claquement très sonore d'une main frappant la fesse de Monique. Buczkowski continua son chemin sans se retourner, en disant :

— Monsieur Nelles, je présume ?

Celui-ci, surpris par ces agissements déplacés dans la plus vieille université française et catholique d'Amérique du Nord, accepta la main tendue en prononçant des banalités. Ensuite, Buczkowski quitta la pièce aussi vite qu'il y était entré après avoir promis au nouveau venu une invitation prochaine pour un souper dans un restaurant de la ville.

Pendant ce temps, toujours bouche bée, Monique frottait sa fesse endolorie.

— Me voilà avec la marque de Zorro.

James Nelles et tous les étudiants demeuraient muets. Les histoires de professeurs harcelant des étudiantes – parfois très lourdement – étaient monnaie courante. Toutefois, une scène de ce genre demeurait étonnante : un vieux malpropre tapait les fesses d'une femme de trente ans, continuait son chemin mine de rien, faisait semblant d'être un collègue affable devant un invité, et repartait comme si de rien n'était.

Après un moment, le professeur invité s'approcha pour proposer à voix basse :

— Madame, si vous voulez vous plaindre, je pourrai témoigner.

— Non. Vous l'avez senti comme moi. C'est un *drunkyard*.

Elle avait utilisé le terme anglais pour être certaine d'être comprise. Nelles demeura immobile, ne sachant trop quoi dire. Puis il s'esquiva en murmurant « Bonne soirée ». Après cela, les autres étudiants quittèrent la salle, tout aussi embarrassés.

— Tu aurais dû accepter, dit Diane quand il ne resta plus que les quatre complices dans le local. Tu vas certainement avoir un bleu.

— Que veux-tu que je fasse ? Me déculotter pour montrer la marque au prof ? Parce que si tu me prends en photo demain, Buczkowski dira que c'est un autre qui a fait ça.

Sa voix était devenue particulièrement aiguë. Elle ajouta encore :

— Tu ne vas pas me dire que ça ne t'est jamais arrivé.

— Évidemment, que ça m'est arrivé. Mais comme ça, devant quinze personnes...

Question grossièreté, celui-là était dans une classe à part. Monique mit toutes ses affaires dans son sac et ils sortirent. Dans le couloir, Jacques s'arrêta devant la porte du bureau de Buczkowski. Il fit mine de frapper à la porte, mais Diane secoua vigoureusement la tête pour l'arrêter. Ils en discuteraient plus tard. Elle lui expliquerait que dans ce genre de circonstances, mieux valait se taire, que tout le système universitaire broierait celle qui avait osé protester.

Dehors, les « À demain » se firent rapidement, les deux femmes avaient visiblement envie de se trouver ailleurs. Après avoir parcouru une dizaine de verges en direction du pavillon Parent, Jean-Philippe déclara :

— Je n'avais jamais rien vu de tel.

— Ah ! Mais nous sommes deux gentils garçons venus de la campagne où tout le monde se connaît, où tout le monde se respecte.

Le ton était tellement grinçant que son ami préféra demeurer silencieux. Ils auraient certainement pu aligner une longue liste d'abus dont ils avaient été témoins et qui, même s'ils n'étaient pas publics, pouvaient être infiniment plus blessants. Ils arrivaient à leur résidence quand Jean-Philippe demanda encore :

— Le gendre de Karl Marx, tu le fréquentes depuis longtemps ?

— Depuis cet après-midi. J'ai fait sa connaissance dans un livre paru aux Éditions du Seuil.

— En tout cas, tu l'as planté d'aplomb. Et tu as lu ça, *Le droit à la paresse* ?

— Non. Pas plus que lui n'a lu Althusser, je suppose. Le jeu de ces gars-là, c'est de te faire sentir inférieur.

Les Gervais s'approchaient de la Renault 12, dans le stationnement du De Koninck. Louis paraissait maussade.

— Pierre Aubut semblait avoir des choses très drôles à te raconter, dit-il après avoir refermé la portière de la voiture.

Suzanne s'engageait sur le chemin Sainte-Foy quand elle répondit :

— Tu devrais parler de ta jalousie à Lévesque. Ça lui fera plaisir de t'expliquer que ça tient à ton sentiment d'insécurité.

— Jaloux d'Aubut ? Il ressemble à un grand chimpanzé, avec tous ses poils.

— Pourtant, de tous les hommes qui étaient là, je crois que c'est le seul à pouvoir faire rire une femme. Vraiment rire, pas faire semblant. Et à pouvoir lui faire un compliment tout en douceur, sans créer aucun malaise. Jacinthe, elle riait souvent avec toi ?

En pensant à la finale de cette relation, Louis préféra serrer les dents. Suzanne ne le laisserait pas s'en tirer si facilement.

— Je n'ai pas vu son nom sur la porte du directeur. Elle ne travaille plus au département ?

Sur un campus où tous les murs semblaient en carton, impossible de savoir qui savait quoi. Si Jacinthe s'était confiée à une seule personne parmi le personnel administratif, les détails les plus scabreux de cette histoire pouvaient bien avoir atteint le bureau de la secrétaire du doyen de la faculté de droit. À nouveau, l'homme préféra ne rien répondre.

Quand Suzanne s'arrêta devant la petite maison de Sainte-Foy, Louis entendit revenir à un registre sur lequel il se sentait plus confiant. En la remerciant encore de l'avoir raccompagné, il se pencha pour l'embrasser, tout en posant sa main sur sa cuisse.

— Descends, dit-elle en détournant la tête pour éviter le contact avec ses lèvres. Et tu ne me touches pas.

— Voyons, tu es ma femme.

— Tu veux dire que je t'appartiens, comme ton char, ton chien et ta maison ?

Ces discours féministes finiraient bien par lui passer, songea Louis. Il remonta sa main sous le bord de sa robe. Elle la saisit fermement :

— Là, tu sors ou bien je te dénonce pour viol.

— Tu es ma femme ! répéta-t-il.

Il y eut un échange de regards, puis, vaincu, il sortit en grommelant :

— Dis-le si ce sont tes mauvais jours, au lieu de me menacer.

En rentrant chez ses parents, Suzanne réfléchit sur les motifs qui l'avaient rendue aussi déterminée à le faire descendre de l'auto. S'agissait-il simplement de l'effet d'une conversation agréable avec un autre homme ? La seule depuis son mariage, lui semblait-il.

Quand le psychologue parlait de rencontrer des gens de son âge, pour grandir, évoquait-il simplement cela ?

Comme le couple Robitaille habitait à Beauport, il ne serait pas rendu à la maison avant dix heures trente. S'éloigner demeurait la seule façon de se loger à moindre coût. Avec trois enfants et une épouse à la maison, cela s'imposait.

Comme il arrivait parfois – souvent, même –, c'est Francine qui conduisait : son époux avait le pied pesant quand il buvait trop. Il avait baissé sa vitre, avec l'espoir que l'air frais lui permette de dégriser avant d'entrer dans la maison, pour ne pas donner un mauvais exemple à ses fils.

— Ce soir, j'ai entendu une curieuse histoire, commença Francine. Une conversation entre les femmes de Jaumain et de Van Doesberg.

Les épouses des deux professeurs d'origine belge du département. Comme il ne mordait pas à l'hameçon, elle dit avec une petite pointe d'impatience :

— Tu ne veux pas l'entendre ?

— Bien sûr, je veux l'entendre…

— L'une des deux avait laissé sa télé ouverte au canal 4, un jour de la semaine dernière. Elle a vu Aline et sa plus grande fille à l'émission *Les Tannants*.

Aline Robert, la femme du directeur. Alfred demeura d'abord silencieux. Puis il sentit que pour le bien de son ménage, il devait dire quelque chose.

— Beaucoup de personnes vont assister à l'enregistrement de cette émission. C'est pareil pour *Les Coqueluches*.

— Mais *Les Tannants*, c'est tellement quétaine…

Chez les intellectuels, la programmation de Télé-Métropole paraissait méprisable. Des femmes de professeurs d'université allaient au concert, au théâtre ou elles demeuraient chez elles. Mais assister à ça, c'était déchoir, et égratigner la réputation d'un mari par la même occasion.

— Il paraît qu'il lui a fait une sainte colère quand il l'a appris, continua sa femme. Si ça se sait, ça va certainement nuire à sa réélection à la tête du département.

— Si Marielle Van Doesberg raconte ça, c'est sans doute parce qu'elle est déjà en campagne pour l'élection de son mari. Celle-là ne vise rien de moins que le titre de madame le recteur.

— Un gars avec des cheveux traînant aux épaules et une moustache à la Richelieu ne sera jamais nommé.

C'était une conviction partagée par tous les deux.

— Mais toi, ça ne te ferait rien ? Si j'allais aux *Tannants*, tu trouverais ça normal ?

— Si tu t'amuses, ça me ferait plaisir.

Décidément, cet homme ne comprenait rien à l'importance de soigner sa réputation.

— Et tu as vu la femme de Gervais avec Aubut ? Ils avaient l'air de bien s'amuser.

— S'il y a juste un dixième de ce qui se raconte sur Gervais de vrai, c'est certain qu'elle est mieux de regarder ailleurs.

Pendant tout le reste du trajet, Francine reprit sur tous les tons : « Qu'est-ce qui se raconte ? Qu'est-ce qui se raconte ? » Mais son mari avait décidé de feindre un coma éthylique jusqu'à la maison.

Le lendemain matin, vendredi, à leur arrivée au pavillon De Koninck, les retrouvailles des quatre amis furent empruntées, maladroites. Monique tentait d'éviter le regard des autres, et eux d'éviter de croiser le sien. Comme s'il fallait absolument faire semblant que rien ne s'était passé.

Ce cours portait sur l'analyse critique des sources en histoire. C'était le prolongement de la formation, d'ailleurs trop lourdement insistante, aux yeux des étudiants, sur la méthodologie. La cohorte avait été scindée en deux pour former des groupes d'environ quarante-cinq étudiants. Cela faciliterait au moins un peu les échanges. Et pour l'occasion, ils reprenaient contact avec le professeur Pierre Aubut.

Celui-ci arriva juste à l'heure, et un peu essoufflé.

— Pour ceux qui espéraient un congé aujourd'hui, je m'excuse de vous décevoir. Il y a des jours comme ça, quand les moteurs allemands décident de se montrer récalcitrants… Nous reprendrons exactement là où nous en étions fin avril. Vous vous souvenez de vos visites dans les centres d'archives ?

Un murmure lui permit de constater que personne n'avait perdu la mémoire au cours de l'été. Il sortit des feuilles de son sac pour les séparer en cinq paquets et les donner à ceux qui se trouvaient au premier rang. Les étudiants connaissaient la routine, chacun prit une copie du plan de cours et fit passer le reste à l'occupant de la table derrière.

— Alors vous irez à nouveau dans les dépôts cette année. Cette fois, vous choisirez un sujet et vous chercherez tout ce qui est pertinent pour son étude.

Personne ne poussa des cris d'enthousiasme, ni de soupirs de découragement. Ces apprentissages devenaient routiniers. Les quatre-vingts minutes de la première moitié de l'activité s'égrenèrent assez lentement. À la pause, puisque tous ses camarades avaient trouvé un motif de sortir, Jacques se retrouva seul dans un coin de la salle. Aubut en profita pour se diriger vers lui.

— J'ai pu constater que tu avais fait un bon travail avec la correspondance de Chauveau.

— Monsieur Gervais vous l'a montré ?

— Monsieur Gervais l'a remis à monsieur Dumont en disant qu'après réflexion, il trouvait que faire la biographie d'un poète premier ministre, ou un premier ministre poète, ce n'était pas dans ses cordes. J'ai hérité de la corvée. Alors ne te surprends pas si je te pose des questions à ce sujet pendant les prochaines semaines.

— Comme vous êtes spécialiste de l'histoire économique, je comprends que les premiers ministres et les poètes sont votre tasse de thé.

Son interlocuteur commença par s'amuser de la remarque, avant de murmurer :

— Tu comprends la différence entre un gars qui a obtenu sa permanence et un autre qui ne l'a pas encore ? Tout entre dans ma tasse de thé, au gré du directeur. Un jour j'aurai le droit de dire non.

Le professeur allait retourner vers son pupitre quand Brigitte Dubois l'interpella :

— Monsieur Aubut, pouvez-vous m'accorder une minute après le cours ?

— Bien sûr.

Jacques pencha la tête pour dissimuler son amusement. Pour la seconde fois depuis mercredi, il l'entendait demander une explication supplémentaire – et superflue – dès la première rencontre d'un cours, histoire de se faire remarquer. Elle pariait que ses professeurs hésiteraient à lui donner une mauvaise note juste à cause de ses beaux yeux et de son zèle.

Soudain, une voix le fit sursauter :

— Hier soir, c'était vraiment étrange.

Jacques leva les yeux sur Norbert Sénécal. Lui aussi avait assisté au coup d'éclat de Buczkowski.

— Et quand je dis étrange, ça exprime mal ma pensée.

— Grossier, brutal, cruel, idiot, stupide, déplacé, méprisant, inconvenant... Tu as vraiment le choix du terme. Si la victime avait été un homme, on parlerait d'assaut, mais là, c'est une femme.

— Je sais. Penses-tu que si Monique s'adressait à l'association étudiante, ça pourrait changer les choses ?

Cette organisation aimait se présenter comme le « syndicat » de ses membres.

— Je ne crois pas qu'elle souhaite attirer l'attention sur cette histoire. Se plaindre du comportement d'un professeur, c'est risquer d'être mal vue de tous les autres.

Pour attirer la sympathie des professeurs, battre des cils et sourire béatement valait sans doute mieux.

— Vu comme ça...

Comme Diane et Monique revenaient à l'instant, Sénécal changea rapidement de sujet.

En après-midi, Louis Gervais se présenta à la porte du bureau de son thérapeute avec un léger retard.

— Désolé, dit-il en s'approchant la main tendue. Le transport en commun n'est pas très rigoureux, quant aux horaires.

Quand il fut assis, Lévesque répéta la question posée à l'épouse, le vendredi précédent :

— Alors, ces deux semaines ?

— Hier soir, commença le client, c'était le party du département. Celui où les épouses sont invitées. Suzanne a été un long moment en conversation avec un collègue. Tous les deux avaient des fous rires.

C'était un peu exagéré comme description, mais ils avaient pris du plaisir à la conversation.

— Et alors ?

— Elle a fait ça pour me rendre jaloux, c'est certain.

— Ça a fonctionné ?

Comme Louis demeurait silencieux, le thérapeute se fit plus clair :

— Ça t'a rendu jaloux ?

Parce qu'entre hommes, entre collègues en plus, le psychologue adoptait spontanément le tutoiement.

— C'est ma femme. Il n'a pas à faire ça devant moi.

— Ça te semblerait plus convenable dans ton dos ? Quand tu prenais bien garde qu'elle ne te voie pas, le printemps dernier, c'était par délicatesse ?

Dommage que le psychologue ne s'exprimât jamais de cette façon devant Suzanne. Elle y aurait trouvé un véritable réconfort.

— Ce n'est pas la même chose. C'est une femme.

— Ah ? fit Lévesque.

— Là, tu me niaises, dit Louis. Tu le sais autant que moi.

Le sourire amusé de Lévesque s'avérait un peu provocateur, de quoi susciter la colère de son interlocuteur.

— Tu vas devoir m'expliquer, dit le psychologue, parce que je ne vois pas la différence. Comme disait ma mère, ce qui est bon pour pitou est bon pour minou.

Nena et George O'Neil énonçaient le même principe dans *Open Marriage*, mais de façon moins imagée.

— Ce n'est pas la même chose pour un homme, c'est la nature qui veut ça. On voit une belle fille, on bande, et il faut l'avoir. D'ailleurs c'est vrai pour toutes les espèces. La femme reste au nid pour s'occuper des enfants.

— Dois-je comprendre que maintenant, tu désires en avoir ?

« Consulter une femme serait peut-être aussi bien », songea Louis. Son thérapeute semblait devenir tout à coup bien obtus, comme s'il adhérait maintenant au discours féministe.

— Je vais essayer de résumer, proposa Lévesque. Toi, tu penses qu'il faut obéir à tes pulsions.

— Pour rester équilibré. Ce n'est pas ce que disent les psychologues ? Par exemple, Wilhelm Reich prétend que la dictature ne fonctionne qu'auprès de personnes à la sexualité réprimée.

Cet auteur était revenu à la mode au cours de la dernière décennie, pour donner une caution au changement des pratiques amoureuses ou aux prétentions des milieux de gauche.

— C'est vrai, il a écrit en ce sens, quoique tu simplifies pas mal. Savais-tu qu'il est mort en prison pour avoir conseillé à des malades du cancer de refuser leurs traitements ? Il leur offrait à la place de les soigner avec l'Orgone. Un terme créé à partir des mots "orgasme" et "organique", pour désigner "l'énergie de la vie".

Avec ses doigts, il avait tracé des guillemets imaginaires. Louis suivait de moins en moins la conversation.

— La fin de sa carrière prouve que c'était un idiot dangereux, alors prends ses écrits du début avec un grain de sel. De toute façon, tu ne vas pas prétendre sérieusement que ton histoire de dictature a le moindre rapport avec la situation entre toi et ta femme ?

Comme tout bonimenteur, Louis continua d'aligner des arguments spécieux en ce sens. Lévesque s'abstint d'interrompre ce flot de mots creux. Après tout, une thérapie servait à libérer la parole. Puis après avoir regardé discrètement sa montre, il commença :

— Ton point de vue est assez simple : l'homme qui ressent du désir pour certaines femmes est mieux de se satisfaire, ne serait-ce que pour conserver son équilibre mental. Après tout, on n'empêche pas un gourmand, ni un gourmet, de goûter de nouveaux mets.

Louis Gervais hocha la tête avec un empressement qui laissait penser que depuis sa naissance, personne ne l'avait aussi bien compris.

— Tu as peut-être raison. Cependant, tu sais que ta femme n'est pas de cet avis. Elle ne veut pas partager sa vie avec un homme qui adopte un tel comportement. C'est son droit le plus strict. Alors, ou vous trouvez un terrain d'entente, ou tu abandonnes cette idée de refaire vie commune avec elle. D'ailleurs, ça tient à quoi, ce désir de garder le statu quo ? Tu crains qu'elle ne parte avec tes richesses en cas de divorce ?

— Nous n'avons rien... sauf des dettes. L'essentiel de nos biens appartient à la Caisse populaire de l'université.

— Alors pourquoi cet entêtement?

— J'aime vivre avec elle.

Et non pas «Je l'aime». Comme il entendait rentrer souper à l'heure habituelle, le psychologue préféra ne pas orienter la conversation sur ce sujet.

— Très bien. Dans ce cas, je ne vois que deux solutions: tu deviens un homme fidèle ou tu lui accordes la même liberté qu'à toi.

— Ça ne l'intéresse pas. Ce n'est pas une femme comme ça.

— C'est pour ça que tu as débarqué ici fâché parce qu'elle a osé rire avec un homme pendant un party de bureau?

Quand, après un long moment de réflexion, Louis reprit la parole, ce fut d'une voix beaucoup moins assurée:

— Selon toi, la solution c'est qu'elle baise de son côté?

— Ou que tu cesses de la tromper, ou que vous le fassiez ensemble, avec d'autres. Tiens, ça pourrait devenir votre projet commun.

Après tout, on était au beau milieu des *Swinging Seventies*. L'idée des échanges de couples tentait beaucoup de banlieusards. Voilà qui réglerait peut-être définitivement l'épidémie de divorces en Amérique.

— Tu n'es pas sérieux…

— Tu ne veux pas jouer le rôle du gentil mari fidèle, d'accord. Au moins, respecte la liberté de Suzanne de faire ce qui lui plaît. Sinon, divorce. De nos jours, aucun de vous deux ne perdra son emploi pour ça.

Ces deux-là comptaient sur lui pour tracer une ligne entre l'acceptable et l'inacceptable, comme s'il lui appartenait de fixer les nouvelles règles de leur vie conjugale. Ils devraient pourtant le faire pour eux-mêmes, et agir en conséquence.

Sa conclusion traduisit parfaitement son opinion :

— Bon, nous sommes arrivés au terme de cette démarche, le reste vous appartient. Je mettrai ma facture à la poste lundi matin.

Le tutoiement et la jovialité de surface avaient fait croire à Louis qu'ils venaient d'avoir une conversation entre hommes cultivés et raisonnables qui, au fond, partageaient le même point de vue. Sauf que l'un des deux gagnait sa vie avec cette activité, et il venait de le lui rappeler brutalement. La poignée de main et les souhaits de bonne chance manquèrent un peu de chaleur.

Chapitre 5

Jacques se présenta tôt à la cafétéria pour souper, heureux d'en avoir terminé avec cette première semaine de cours. En arrivant à sa table habituelle, il esquissa un sourire. Il n'y avait eu que de rares présences féminines lors de la première année universitaire, mais après trois jours de la seconde, les filles se faisaient un peu plus nombreuses. Comme si elles s'étaient donné le temps de jauger les mâles, avant de trouver que certains d'entre eux étaient fréquentables.

Il se retrouva assis à côté de Martial, inscrit en histoire lui aussi, et devant, il y avait Jean-Philippe. Aux côtés de ce dernier, une très jolie jeune fille venue d'un coin du Bas-Saint-Laurent.

— Tu ne connais pas Sylvie-Nicole, je pense, dit son ami.

Puis en se tournant vers elle :

— Jacques est en deuxième année en histoire.

— Tu étudies quoi ? lui demanda Jacques.

— L'archéologie.

Il s'agissait d'un programme offert aussi par le département d'histoire, de même que l'histoire de l'art, et les arts et traditions populaires – certains disaient le folklore, d'autres, l'ethnologie. Jacques trouvait les futures archéologues particulièrement jolies. Et celle-là, avec un corps tout mince, des cheveux longs et noirs, des yeux de même couleur, un sourire engageant, des dents parfaitement alignées, se distinguait parmi les plus séduisantes.

— Tu es intéressée par les études des sites des Premières Nations ?

— Non, pas vraiment. À Laval, on parle d'archéologie classique. Des fouilles auront lieu à Herculanum l'été prochain.

En Italie donc, près de Pompéi. Le type d'expédition qui faisait rapidement gonfler le coût des études.

— C'est certainement plus attirant que les sous-bois pleins de maringouins des sites iroquoiens.

« Et aussi que les archives du Séminaire de Québec », songea-t-il. La conversation reprit là où elle en était au moment de son arrivée. La jeune fille se pencha au-dessus de la table pour demander :

— Martial, que disais-tu avoir fait, pendant l'été ?

— J'ai travaillé dans le commerce de mon père.

— Oh ! Homme d'affaires en plus.

Cela vint avec un sourire et un battement de cils. Jacques, et tous les autres, perçurent l'ironie de la remarque, sauf le principal intéressé.

— Il tient un magasin au village.

— Comme Todore Bouchonneau, dans *Les belles histoires* ?

Il y eut des ricanements autour de la table.

— C'est ça, oui, mais en plus grand.

— Tu es le seul fils ?

Il acquiesça d'un mouvement de la tête. Quand on regardait Martial de profil, la ressemblance avec Averell Dalton était flagrante : un long nez avec un menton en galoche, très noir de poil, et une barbe si forte qu'une ombre noire marquait toujours les joues. Comme si Morris, le dessinateur de *Lucky Luke*, l'avait pris comme modèle.

— Oui.

— Comme ça, tu vas hériter. Tes études, c'est seulement pour ta culture personnelle.

Le garçon parut particulièrement heureux de ce constat. « Très jolie et méprisante », songea Jacques à ce moment. Les maladroits et les naïfs faisaient les frais de l'humeur taquine ou cruelle de certaines.

Pour détourner le cours de la conversation, il demanda :

— Martial, qu'as-tu pensé du cours de ce matin ?

Même si cela l'obligeait à rompre le contact avec les beaux yeux noirs pendant un instant, il voulut bien répondre, pour donner une appréciation plutôt négative du professeur Robitaille.

Un peu avant sept heures, une demi-douzaine d'étudiants se déplacèrent vers la table de billard du pavillon Parent – ils occupaient tous des chambres dans l'un ou l'autre des blocs de celui-ci.

Une fois dans la grande salle en sous-sol, Jacques se retrouva de nouveau attablé avec Jean-Philippe, en attendant de remplacer le perdant de la première partie. Sylvie-Nicole et Martial, debout à côté des machines distributrices, continuaient la conversation commencée à la cafétéria. La future archéologue paraissait boire les paroles du jeune homme. Bientôt, elle leva la main pour esquisser une caresse sur sa joue.

— Je me demande s'il va nous inviter à ses noces, murmura Jacques.

Ces conversations sur le sort des autres se répétaient sans cesse. Peut-être avait-on dit la même chose de lui, quand il se retrouvait en tête à tête avec Catherine, l'année précédente. Mais la grande châtaine était, quant à la sensibilité, sur un tout autre registre que cette brunette. Elle respirait l'empathie. Maintenant, il avait l'impression de voir une souris offrir sa gorge à un chat.

— S'il y a des noces, dit Jean-Philippe, c'est Martial qui ne sera sans doute pas invité. Selon Sylvain, un vice-doyen de la faculté serait tombé sous son charme.

Et comme ce Sylvain était aussi inscrit en archéologie, il devait savoir de quoi il parlait.

— Elle est sur le campus depuis mardi, et nous sommes vendredi…

Une nouvelle fois, c'est pour un brunch que Diane avait accepté de recevoir les collègues de son mari.

— C'est un bel endroit, mais j'ai eu un peu de mal à me retrouver dans les couloirs, remarqua le premier invité à se présenter sur les lieux.

Le médecin était évidemment venu en compagnie de son épouse. Robert lui tendit un mimosa en disant :

— Après deux jours, on s'habitue.

— Ça ne te manque pas, un grand terrain comme à Beauport et la vue sur le lac ?

— L'entretien d'un grand terrain ne me manque pas. Quant à la vue, je vais vous montrer.

Il s'occupa d'abord de leur donner un verre et Diane vint leur souhaiter la bienvenue à son tour.

— Tu aimes ça, ici ? demanda la nouvelle venue à son hôtesse.

— Ça convient mieux à mon mode de vie. En plus, le ménage me demande moins de temps.

Évidemment, les traces de doigts sur le verre, l'acier et le chrome des tables et des chaises lui faisaient parfois rêver de bois massif. Mais le bois faisait tellement vieux jeu. La visiteuse s'extasia un moment sur les électroménagers couleur *avocado*. Comme ce n'était pas la première fois qu'elle les voyait, Diane devina qu'il y avait anguille sous roche. L'allusion devait simplement permettre à la visiteuse de préciser :

— Moi j'ai préféré la couleur *tawnie gold*, il y a trois semaines.

Dans le salon, le tapis *shag* blanc reçut aussi son approbation, accompagnée encore d'une précision :

— Tu viendras voir chez moi. J'ai choisi le *bright gold*, avec des draperies assorties.

— Tu ne trouves pas que tout ce *gold*, ça fait un peu cage dorée ?

La visiteuse considérait surtout que cela faisait riche, mais réagir à la petite pique de Diane pourrait se retourner contre elle. Les deux femmes rejoignirent les hommes sur le balcon.

— Difficile de battre ça, comme coup d'œil, apprécia Robert en faisant un grand geste pour désigner le panorama. À moins de posséder une maison en Californie, avec vue sur le Pacifique.

— Tout de même, c'est de la location, dit le visiteur. Tu enrichis le propriétaire.

Diane vit le serrement des mâchoires de son mari. Sa liste d'invités changerait peut-être pour la prochaine activité.

Heureusement, deux autres couples arrivèrent juste à ce moment. Pour Diane, ce fut un peu comme remettre l'aiguille de son tourne-disque dans le premier sillon d'un trente-trois tours, mais avec des variantes :

— *Avocado* ? dit l'une en regardant les électroménagers. Moi, j'ai choisi chocolat, je trouve que ça va mieux avec le brun des armoires.

— Je pense que je vais changer les miens, intervint l'autre. J'ai vu de nouveaux modèles chez Eaton, d'un joli bleu pâle. On dirait la couleur du voile de la vierge sur la statue qui se trouvait dans l'entrée du couvent situé juste à côté, sur les plaines. Puis j'ai vu des sanitaires de couleur lilas. La toilette, la baignoire et le lavabo.

— As-tu pensé à consulter ton optométriste ? dit Diane tout en posant la main sur son avant-bras, comme une amie attentionnée. Parce que mélanger toutes ces teintes avec le tapis mur à mur *deep orange* de ton rez-de-chaussée... Je crains que tu ne sois daltonienne.

Comme la visiteuse la regardait avec de grands yeux étonnés, la bouche entrouverte, elle ajouta :

— Tu ne connais pas ce mot ? *Color blind*, alors ?

Immédiatement, Diane se sentit coupable : Robert ne voyait pas grand monde, et maintenant, la liste des collègues avec qui il entretenait des relations cordiales risquait de raccourcir par sa faute.

— Vous devrez m'excuser toutes les deux, je pense qu'il est temps que je m'occupe du repas.

Elles n'offrirent pas leur aide ; à la place, elles allèrent bavarder ensemble dans le salon. Quand les hommes entrèrent, ce fut à quatre qu'ils discutèrent des avantages et des inconvénients de la location.

— En plus, tu dois entendre les voisins, dit l'un. Parce que tu en as en haut, en bas, et des deux côtés.

Alors que Diane versait le café dans les tasses, puis plaçait les assiettes contenant des œufs brouillés et du bacon devant chacun, elle put entendre vanter les vertus acoustiques du béton. Elle venait tout juste de s'asseoir quand Robert déclara :

— Maintenant que ma femme a repris l'université, moi aussi je pense étudier. La fin de semaine prochaine, je commencerai des cours de pilotage à l'aéroport de L'Ancienne-Lorette.

— Piloter ? s'exclama son collègue.

— Ne t'en fais pas, je ne suis pas mauvais en anglais, alors je pourrai comprendre les directives des gars de la tour de contrôle.

L'Association des gens de l'air – francophones – menait une lutte tapageuse pour les droits du français dans le ciel. Depuis quelques années, les pilotes de langue française avaient commencé à dénoncer le fait que quatre-vingt-dix pour cent des contrôleurs aériens du Québec étaient unilingues anglais. Cela signifiait que dans les communications entre un pilote et la tour de contrôle, et même à l'intérieur de la cabine de pilotage, les conversations devaient toutes se faire en anglais, au nom de la sécurité.

— Ce n'est pas ça… Mais pourquoi diable apprendre à piloter ?

— Pour ne pas m'encroûter intellectuellement.

— Ça ne te servira à rien.

— Quand j'aurai terminé, je m'achèterai un petit avion. Comme ça, quand je voudrai aller quelque part, je n'aurai qu'à m'envoler.

Robert fit un geste avec ses bras, pour illustrer ses propos. Diane avait bien vu traîner quelques magazines d'aviation dans l'appartement, mais elle entendait parler de ce projet pour la première fois.

— Que penses-tu de ça, Diane ? demanda l'une des visiteuses.

— Je suis certaine que Robert y arrivera. C'est un homme plein de ressources. Puisque nous sommes devenus locataires, il a beaucoup plus de temps libre.

Son mari jeta sur elle un regard surpris et reconnaissant. Maintenant, elle compterait sur son appui relativement à ses propres études. Elle ajouta, un sourire en coin :

— J'espère juste qu'il ne voudra pas répéter l'exploit de Charles Lindbergh. Ça m'inquiéterait un peu.

Parmi ce groupe d'invités, au moins un homme dirait à sa femme en rentrant à la maison :

— Aussi fous l'un que l'autre. Ils sont faits pour aller ensemble, ces deux-là.

Pendant tout le reste du repas, les avions et ceux qui les pilotaient firent les frais de la conversation. Les invitées voulurent bien aider leur hôtesse à transporter la vaisselle sale jusque dans la cuisine. Leur collaboration n'irait toutefois pas plus loin. Quand Robert annonça son intention de montrer à ses collègues certains modèles d'avion « dans mes moyens » – des Cessna–, elle annonça :

— Vous voudrez bien m'excuser, je préfère ne pas fumer dans la maison...

L'une des épouses, Huguette, se leva en disant :

— Je vais t'accompagner, si tu le veux bien.

Aussi elles furent deux à prendre place dans les fauteuils sur le balcon. Diane lui présenta son paquet, l'autre refusa. Ce tête-à-tête avait donc un autre motif. Pendant un moment, les échanges portèrent sur des banalités. Puis Huguette murmura, rougissante :

— J'aimerais avoir ton avis sur quelque chose de privé.

— Je t'écoute.

— Mon mari a offert de me donner une voiture comme la tienne si je renonçais à mon désir d'entreprendre une psychanalyse. Qu'en penses-tu ?

Déjà, elle avait fait augmenter ses seins qui n'étaient pas trop petits et rapetisser son nez qui n'était pas trop gros avec l'accord de son époux. Mais le mari était prêt à payer le gros prix pour l'empêcher de mettre de l'ordre dans sa tête.

— Je pense que ça ne concerne que toi. Que ce soit un besoin, une envie ou juste de la curiosité. T'en empêcher, c'est comme vouloir mettre ton esprit dans une cage et jeter la clé.

Diane ne présumait en rien de ce qu'Huguette ferait de son conseil. Ces femmes étaient éduquées depuis l'enfance à faire – et à être – ce qu'un mari attendait d'elles. À cet instant, elle ressentit une vague d'affection pour Robert. Il utilisait tous les moyens à sa portée pour la décourager de faire «sérieusement» des études. Cependant, jamais il n'avait dit «Je te l'interdis», et il payait ses frais de scolarité sans sourciller.

L'Américain Henry Miller avait acquis la réputation d'être un romancier sulfureux avec des ouvrages interdits de circulation dans son pays. C'est en France qu'il avait publié son premier roman, *Tropic of Cancer*, en 1934. En 1975, âgé de quatre-vingt-quatre ans, il avait eu le temps d'en publier une trentaine, et au moins autant de textes plus courts, et de se marier cinq fois.

Le cinéma donnerait à Jacques Charon un premier contact avec deux de ses œuvres. Au moment où Diane parlait psychanalyse avec une bourgeoise déçue, il se tenait devant la porte du cinéma Cartier pour voir une adaptation très libre de *Tropic of Cancer*. Et à quatre heures, il sortait par une porte, payait un nouveau billet, puis entrait à nouveau pour voir *Quiet Days In Clichy*, encore une adaptation d'un roman de Miller, écrit en 1940 celui-là, et publié en France en 1956.

Dans *Quiet Days In Clichy*, le jeune étudiant vit pour la première fois sur un grand écran un sexe masculin pénétrer un sexe féminin. Ce film avait été projeté pendant une semaine à Montréal en 1970. Puis, sur ordre du maire Jean Drapeau, la copie avait été saisie par l'Escouade de la moralité et le gérant du cinéma arrêté. En 1975, les sensibilités avaient évolué à cet égard. Pourtant, ce ne fut pas cet aspect du film qui le troubla le plus, mais la désinvolture avec laquelle les protagonistes – dont l'un était Miller, qui présentait ses écrits comme étant semi-biographiques – consommaient et jetaient leurs partenaires sexuelles. Dont une gamine de quinze ans.

Une situation qui ramenait sa sœur dans ses pensées. Elle aussi avait été consommée à un jeune âge. Très jeune, même.

Ce film le ramenait aussi à la petite scène impliquant Monique et Buczkowski. Cela le révoltait encore deux jours plus tard. Toute cette indignation provenait-elle de ses valeurs bourgeoises ? S'appliquer ce terme lui tirait un rire grinçant. De la bourgeoisie, il n'aurait eu que les valeurs et aucun des autres avantages : la vie facile, le confort, des parents raisonnablement compétents comme éducateurs, une bonne éducation, une meilleure santé, une existence qui ne tournait pas totalement autour de la nécessité de ne jamais relâcher ses efforts pour se sortir du trou. Mais alors, où diable était-il allé les pêcher, ces valeurs bourgeoises ?

Quand il retrouva la lumière du jour, à presque six heures, il soupesait encore ce qui était « moral » ou pas. Cependant, ce fut un autre constat qui gâcha totalement sa journée. En sortant du cinéma, il remarqua que *Harold et Maude* serait présenté en soirée. Il l'avait vu un an plus tôt en compagnie de Catherine. Penser à elle, ou plutôt à la façon dont il avait vécu cette relation mort-née, le déprimait toujours.

Ensuite, le jeune homme trouva un goût amer au hamburger Glouton mangé au restaurant Popeye de la rue Saint-Jean. Certains souvenirs avaient un mauvais effet sur son appétit. Ou alors quelqu'un avait raté la mystérieuse sauce qui valait sa réputation à l'établissement.

Dimanche matin, Louis Gervais s'était levé avec les meilleures intentions du monde. Il considérait être bien près de l'héroïsme, prêt à tous les extrêmes afin de ramener sa femme à la maison. Il avait commencé par ramasser les vêtements traînant sur le sol de la chambre à coucher et celui de la salle de bains, pour tout mettre dans le lave-linge. Il se doutait bien un peu que le blanc ne se mêlait pas aux couleurs, que certains tissus résistaient mal aux températures trop chaudes, mais pour cette seule fois, cela ne porterait sans doute pas à conséquence.

Ensuite, il avait mis la vaisselle entassée au fond de l'évier dans le lave-vaisselle et appuyé sur le bouton. Sans même se donner le temps de souffler, il décida de passer l'aspirateur dans toute la maison. Aussi, c'est épuisé qu'il s'accorda finalement le droit de s'asseoir, le temps d'un déjeuner plutôt copieux, ou d'un dîner léger, selon la façon d'envisager les choses. Car jamais il n'aurait été capable de se livrer à la corvée suivante avec un estomac vide.

Le linge passa de la laveuse à la sécheuse, puis l'homme s'attaqua au plus dégoûtant de ces travaux : la salle de bains. Verser une tasse d'eau de Javel dans la cuvette des toilettes serait un bon préalable aux coups de brosse. Si le résultat n'était pas irréprochable en ce qui concernait certaines taches, au moins ça sentait le « propre ». Pour la baignoire, une généreuse portion de Comet sur une éponge permit de retrouver la couleur blanche d'origine, dans une version un peu plus mate, toutefois.

Après tous ces efforts, rien de mieux qu'une douche. Une fois lavé, il se badigeonna les aisselles et le bas du dos avec du Mennen, pour s'habiller ensuite. À une heure, il s'installait dans son fauteuil avec le dernier numéro du *Soleil* dans les mains. À deux heures, les divers cahiers se trouvaient dispersés autour de lui, et à trois heures, il commença à jurer entre ses dents.

— Si elle n'est pas ici bientôt, elle peut rester chez ses parents pour toujours !

Louis eut même envie de téléphoner chez les Trottier pour lui dire d'oublier les retrouvailles, que son avocat entamerait les procédures de divorce dès le lendemain pour désertion du foyer conjugal.

Après être revenue de l'église – à L'Ancienne-Lorette, le rendez-vous dominical allait de soi –, Suzanne avait murmuré : « Maintenant, je vais préparer mes affaires. » Cependant, une fois le dîner terminé, elle proposa de laver la vaisselle avec sa mère. Ce fut les mains dans l'eau que cette dernière remarqua :

— Tu sais, si tu préfères ne pas y retourner, tu n'as qu'à rester ici.

Le sujet tournait dans la tête de la jeune femme depuis le jeudi précédent. Un peu à cause du plaisir qu'elle avait pris à la conversation avec Pierre Aubut. Le psychologue avait bien raison : elle s'était accordé un congé de mariage, mais sans se donner la permission de profiter de l'occasion pour faire des rencontres, pas même sur une base amicale.

— Non, après tout le temps passé ici, je dois rentrer chez moi.

— Chez toi, c'est vraiment avec lui ?

Face à Lévesque, évoquer ce retour avait paru facile. Devant témoin, Louis savait adopter une attitude raisonnable. Sans jamais rien promettre quant à son comportement futur, il arrivait à donner l'impression que ses errements du printemps étaient une parenthèse dans un océan de fidélité.

— C'est mon mari. Une femme habite sous le toit conjugal, non ?

— Et un homme ne va pas chercher ailleurs ce qu'il a à la maison. Parce qu'entre lui et toi, les choses se passaient...

— ... Comme elles devaient se passer, dit Suzanne, un peu cassante.

Ce qui témoignait du solide appétit de Louis. Ses fredaines ne l'empêchaient pas de faire son « devoir ». Parfois, elle se plaisait à croire que lui aussi avait vécu les derniers mois dans l'abstinence, à réfléchir sur ses fautes. « Maudite idiote ! », se disait-elle dans ces moments. Il avait tissé une toile de mensonges alors qu'elle ne lui refusait aucune tendresse. Libre de ses allées et venues, il ne devait pas s'être privé.

— Tu sais, si tu veux divorcer, ton père et moi ne te ferons aucun reproche. Pas plus que les gens de la paroisse.

Car il existait un véritable tribunal populaire à L'Ancienne-Lorette, qui se livrait à l'examen du comportement des différents paroissiens afin de séparer l'admissible de l'inadmissible. Le jury se composait de toutes les commères de la localité. Si ces personnes plutôt sévères ne la condamnaient pas, cela ne pouvait tenir qu'à un effort constant de sa mère pour noircir la partie adverse.

— Je vais m'en tenir à ce que nous avons décidé.

Pourtant, Suzanne prit son temps pour essuyer et replacer les couverts. Elle tint également à faire ses adieux aux plates-bandes qu'elle avait entretenues. À la fin, elle dit au revoir à ses parents et monta dans la voiture. Le courage lui manquait pour renier l'engagement pris devant le psychologue.

Chapitre 6

À quatre heures, Louis entendit la Renault 12 entrer dans la cour. Après avoir voulu se lever pour aller ouvrir, il arrêta son geste. Qu'elle se débrouille seule. Pourtant, quand la portière se referma, il quitta son siège pour se précipiter vers la porte.

— Tu arrives tard, dit-il en la découvrant sur le perron.

— Avions-nous convenu de l'heure de mon arrivée ?

Suzanne lui présentait le même visage que lors de leurs rencontres à deux avec le psychologue, une mine disant : « J'aimerais être ailleurs. »

— Non. Je suppose que j'avais simplement hâte de te revoir.

La jeune femme fronça les sourcils. Quand ils s'étaient quittés le jeudi précédent, le climat n'était pas au beau fixe entre eux. À moins que la petite scène de jalousie et ses avances un peu grossières aient été l'expression de son amour.

— Il en reste une dans la voiture, je suppose.

Louis désigna la valise dans sa main.

— La plus grosse est toujours dans le coffre.

— Je reviens tout de suite.

Dans la maison, la jeune femme eut une petite grimace en voyant l'état du salon. Cependant, lorsqu'elle posa son bagage sur son lit, l'absence de moutons de poussière lui parut de bon augure. Elle entreprit de mettre ses sous-vêtements dans la commode. Quand Louis lui apporta la seconde valise, il lui dit :

— Écoute, je n'ai pas eu l'occasion de faire l'épicerie, il ne reste pas grand-chose dans le frigo. Tu comprends, sans la voiture...

Suzanne résista difficilement à l'envie de lui faire remarquer que fréquemment, elle s'était arrêtée chez Steinberg en rentrant en autobus le soir, pour terminer le trajet à pied avec un sac dans les bras.

— Alors nous pourrions aller manger au restaurant ce soir. Ce serait aussi une façon de souligner ton retour.

Si le retour de Suzanne n'entraînait ni épanchements, ni promesses, ni même une bise, Louis se rendait bien compte que sa présence dans la maison le soulageait.

— Pourquoi pas. Je suppose que tu as souvent pris tes repas à l'extérieur, tu ne dois pas avoir les moyens de m'inviter dans un grand hôtel. Nous pourrions nous contenter du Marie-Antoinette.

Son époux se troubla un peu. S'agissait-il d'une allusion à ses excursions à l'Hôtel Classique le printemps précédent ?

— Bonne idée. Maintenant, je vais aller ramasser mon journal.

Pendant les vingt minutes qu'elle consacra à remettre ses affaires à leur place, Suzanne essaya de passer en revue ses émotions. Après la scène dans la voiture, elle s'était attendue à une réception plus hostile. Là, son mari paraissait mal à l'aise, mais disposé à fournir un effort – un petit effort – pour se montrer aimable.

De plus, il avait réussi à garder la maison dans un état raisonnablement convenable. Cependant, en allant à la salle de bains, elle remarqua à la fois l'odeur de « propre » et les taches jaunâtres à l'arrière des toilettes. Comment diable un homme arrivait-il à uriner à côté d'une cuvette aussi grande ?

La fin de l'après-midi se passa dans le salon, dans un silence quasi complet. Aucun des deux n'osait demander :

« Qu'as-tu fait de ton été, finalement ? » Si le sujet venait à être abordé, ce serait quand leurs rapports seraient redevenus harmonieux.

Juste avant de partir pour le restaurant, Suzanne ouvrit la porte du frigo en disant :

— Autant nous assurer que nous aurons de quoi déjeuner demain. Nous arrêterons au Perrette, en revenant.

Finalement, le souper ne se passa pas si mal. Tous les deux se privèrent d'évoquer le passé ou les félicités conjugales à venir. Ils s'en tinrent à des sujets peu susceptibles d'entraîner un dérapage : les inscriptions étaient à la hausse tant à la faculté de droit qu'au département d'histoire, Louis avait donné un cours aux étudiants de troisième année la semaine précédente, et le lendemain, ce serait un séminaire pour ceux de deuxième.

À cet égard, ce fut moins une conversation qu'un monologue. Le travail d'une secrétaire, fût-elle du doyen, n'intéressait pas vraiment un professeur. Parfois, des commentaires entendus dans les couloirs sur des procès au sujet un peu scabreux lui valaient l'attention de Louis.

Dès huit heures, ils étaient de retour à la maison, devant le téléviseur. L'émission *Les beaux dimanches* était particulièrement verbeuse ce soir-là, aussi ils s'entendirent pour écouter *Cléopâtre* au canal 4. Voilà un peu plus d'une heure que le film était commencé, mais tous les deux connaissaient assez l'histoire pour reprendre le fil. Originalement, le film durait plus de quatre heures. *Ciné Choix*, l'émission où on le présentait, en durait trois, desquelles il fallait encore soustraire les nombreuses réclames publicitaires. Toutefois, malgré toutes ces amputations totalisant plus d'une heure, il demeurait possible de suivre le récit.

Quand vint la musique annonçant *Regards sur le monde*, Louis quitta son fauteuil en disant :

— Maintenant, je vais au lit.

— Je te rejoins.

Elle entendit le bruit du robinet du lavabo, celui de la chasse d'eau, et à nouveau celui du lavabo. « À quoi s'attend-il, maintenant ? », se demanda Suzanne.

Elle n'aurait pas dû s'inquiéter du scénario, son mari demeurait totalement prévisible pour certaines choses. À peine couchée, elle sentit sa main sur son ventre et sa bouche sur la sienne. Elle s'attendait à des retrouvailles de ce genre ; le contraire aurait suscité bien des inquiétudes chez elle. Rapidement et sans surprise, après avoir subi la petite agitation, elle entendit quelques grognements.

Ensuite, Louis bafouilla un « Bonne nuit » et se tourna sur le flanc, le visage vers la fenêtre. Suzanne se glissa hors du lit pour se rendre à la salle de bains pour une toilette sommaire. Malgré l'usage de la pilule, elle n'aimait pas garder sa semence dans son corps. Comme si c'était une saleté.

C'était là le mariage vers lequel elle était revenue.

Après cette nuit de retrouvailles, à l'heure du déjeuner, Suzanne s'assit à table, songeuse et fatiguée. Il lui avait fallu deux heures pour s'endormir. Pourtant, c'était Louis qui se permettait de faire la grasse matinée.

Elle plaçait son couvert dans le lave-vaisselle quand elle le vit apparaître, vêtu d'un vieux short.

— Écoute, commença-t-il, je pense que nous pourrions nous entendre pour mieux utiliser l'auto. J'ai un cours ce soir. Prends-la pour aller au travail, moi j'utiliserai l'autobus en début d'après-midi. À la fin de la journée, ce serait gentil de ta part de revenir en transport en commun et de laisser la Renault dans le stationnement. Je la prendrai pour rentrer, à dix heures.

La surprise laissa la jeune femme muette un moment, puis elle convint :

— Oui, je crois que ce serait une excellente idée.

Jusque-là, il avait considéré que c'était « sa » Renault, comme elle était « sa » femme. Elle n'en profitait que si leur horaire coïncidait. Maintenant, il faisait comme s'il s'agissait d'une auto « conjugale », et non plus seulement la sienne.

— Je reviens dans une minute, tu ne dois plus avoir de billets pour l'autobus.

À son retour, il en déposa une demi-douzaine dans le plat en céramique où se trouvaient déjà un peu de monnaie et les clés. Après un passage à la salle de bains, elle en glissa un dans son sac et quitta la maison en lui disant au revoir. Cet accès plus facile à la voiture était-il le premier signe d'une relation plus équilibrée ? Après tout, cela devait commencer quelque part.

Quand elle arriva au bureau, son premier souci fut de regarder le programme de la journée de son patron.

Celui-ci se pointa à son tour en la saluant et en s'informant de sa fin de semaine. Suzanne eut envie de lui dire qu'elle était revenue au domicile conjugal. L'aurait-il félicitée, comme on le faisait avec une nouvelle mariée ? Il venait tout juste de s'enfermer dans son bureau quand le téléphone sonna.

— Madame Gervais, vous avez une minute ?

La voix lui parut familière, mais elle ne l'identifia pas tout de suite.

— Oui, bien sûr…

— Guy Lévesque à l'appareil. Vous allez bien ? Je veux dire, ça s'est bien passé, hier ?

— Oui, plutôt.

Est-ce que ces thérapies s'accompagnaient d'un service après-vente ? Les usages dans ce domaine ne lui étaient pas familiers.

— Je tenais à vous dire que si jamais ça se complique pour vous, je vous recevrai en consultation. Vous seule.

— J'espère arriver à me débrouiller, maintenant. D'ailleurs, peu après notre dernière conversation, je suis allée acheter le livre *Open Marriage*. Comme il trône dans votre bureau, je me suis dit que j'en tirerais sans doute profit.

— Si vous faisiez la même chose avec tous les livres que je possède, je ne sais pas si vous seriez édifiée. Mais celui-là peut, en effet, vous être utile. Beaucoup de gens ont sur lui une opinion tranchée, sans jamais l'avoir lu. Quant aux autres, la plupart du temps, ils n'ont retenu que le dernier chapitre portant sur la liberté sexuelle dans le couple. Comme si les autres n'existaient pas.

— Vous voulez parler de ceux sur la liberté, l'égalité et la croissance personnelle ?

— Oui. Et il y a aussi celui sur la confiance en soi. Une confiance assez grande pour vous permettre de ne jamais accepter ce que vous trouvez inacceptable.

Après avoir largement outrepassé son rôle avec l'époux, il considérait devoir en faire autant avec l'épouse.

— J'aurais beaucoup aimé entendre ça dans votre bureau.

— Dans mon bureau, j'étais au service du couple Gervais. Une fois ce travail accompli, je vous donne un conseil d'ami, tout en ajoutant que j'aurai une oreille attentive si vous souhaitez me revoir en tant que professionnel. Seule. Là-dessus, je vous souhaite une bonne journée.

Elle demeura muette un bref instant, au point où elle se demanda s'il avait entendu son « Merci » avant de raccrocher. Ensuite, elle contempla le téléphone. Que voulait-il lui conseiller, finalement ? La même chose que dans son bureau, en fait. Clarifier sa pensée, savoir ce qui importait vraiment. Et parler à un avocat, au lieu d'accepter n'importe quoi.

Lévesque avait tenu à équilibrer ses messages. En même temps, il se demandait s'il avait bien rempli le mandat confié par le bureau du personnel, qui avait payé la moitié de ses honoraires. Car ces gens-là souhaitaient seulement contrôler les crises existentielles des employés pour maintenir leur productivité.

Ce lundi, Monique se présenta chez Diane en fin d'après-midi. Heureusement, elle ne s'extasia pas sur la couleur des électroménagers et la longueur des poils du tapis *shag*.

Son hôtesse récidiva avec sa recette fétiche – une boîte de thon mêlée à du riz frit –, puis elles prirent place de part et d'autre de la table.

— Tu en as parlé à Benoît ?

Inutile de préciser le sujet des confidences. L'auteur du geste indélicat ne se souvenait probablement pas de l'incident. Son état d'ébriété évident pouvait le laisser supposer en tout cas. Toutefois, il hantait toujours l'esprit de Monique.

— Pour qu'il débarque à l'université pour venger l'honneur de sa femme ?

— Tu pourrais au moins avoir son soutien moral.

— Son soutien se traduirait par la proposition que j'arrête mes études pour renouer avec le secrétariat.

— Pourtant, il se montrait favorable, non ?

— Mais s'il conclut que cela peut être risqué, il le deviendra beaucoup moins. Là, le geste était particulièrement méprisant. Mais il faut être très naïf pour s'imaginer que mes fesses étaient plus à l'abri quand j'étais secrétaire. Tu te souviens du gars qui possédait une société d'importation ?

Diane acquiesça d'un geste de la tête. Ses bureaux étaient situés rue Saint-Pierre, dans la Basse-Ville.

— Quand je devais lui faire signer quelque chose, il fallait que je me mette tout près de lui. Et c'était inévitable… pendant qu'il signait de la main droite, sa gauche montait sous ma jupe. Quand je me suis plainte, il m'a dit que si je portais une jupe pas plus large qu'une ceinture, c'est que je voulais que ça arrive : "Alors joue pas à l'agace avec moé !"

De petite taille, Monique avait profité de cette mode pour donner l'impression d'avoir de longues jambes. S'il s'agissait d'une mise en marché de ses charmes, ce n'était certainement pas pour attirer la main velue d'un petit gros empestant la cigarette et puant de la bouche. Cela avait mis un terme à sa carrière dans l'importation.

— Ça, c'est leur façon de nous chasser du marché du travail, continua-t-elle, ou de l'université, pour rester entre eux. À force de nous écœurer...

De son côté, Diane croyait plutôt que ces vieux adoraient avoir de la chair fraîche à reluquer ou à tripoter. Ils aimaient les jeunes secrétaires et les étudiantes naïves. Après ça, Monique plaida pour changer de sujet. Ressasser un épisode désagréable ne faisait que prolonger son malaise.

En soirée, les deux femmes rejoignirent Jacques et Jean-Philippe pour un séminaire portant sur l'histoire des Amériques. Comble de malheur, il s'agissait du même local que le jeudi précédent, dans l'aile B du De Koninck. Monique chercha une place de l'autre côté de la table, tout en se ménageant un point de vue sur la porte. On ne la prendrait plus par surprise.

Les «Amériques» se limiteraient aux États-Unis et au Canada de l'immédiat après-guerre. Dès la distribution du plan de cours, le charme de Louis Gervais opérait sur la clientèle. Il adoptait volontiers une attitude adolescente, renforcée par l'air poupin de son visage, les cheveux un peu longs, ondulés, les jeans et la chemise dont deux boutons demeuraient ouverts. Le tutoiement, les sourires généreusement distribués participaient aussi à cet effet. Tout pour dire: «Je suis l'un des vôtres, pas l'un des leurs.»

«C'est totalement l'opposé du personnage de Claude Hamelin», se dit Jacques. L'un jouait le rôle de l'ascète entièrement voué au savoir, désireux de garder les communications au niveau de la raison et éradiquant de son discours ce qui pouvait être perçu comme un trait d'humour. Et l'autre était le prof avec qui aller prendre une bière pour refaire le monde. Pour les jeunes femmes, le scénario se prolongeait un peu en soirée et se terminait souvent par un: «Chez toi ou chez moi?»

Mais au-delà de la représentation théâtrale, le contenu du cours demeurait conventionnel, sans aucune trace d'interprétation novatrice. Jacques regrettait beaucoup sa méconnaissance de la langue anglaise, et des écrits des auteurs américains. Car il ne doutait pas de l'existence d'un *textbook* dont le professeur reprenait le contenu sans aucune adaptation, transformant l'action d'enseigner en un exercice de mémoire pour restituer la pensée d'un autre.

À la pause, Brigitte y alla de quelques battements de cils, et d'une petite phrase:

— Louis, je ne suis pas certaine d'avoir bien compris...

Pendant ce temps, la plupart des étudiants sortirent dans le couloir. Monique retrouva son calme quand elle vit la porte de Buczkowski fermée.

— Avant ce soir, je n'accordais pas tellement de crédit à ces histoires de phéromones, dit Diane quand ils se furent éloignés du local, pour chercher un peu de discrétion. Mais là, dans cette classe, j'ai vu la chimie opérer.

— Elles semblaient toutes sur le bord de tomber en pâmoison, renchérit Monique. Au point de devoir faire une petite lessive en revenant à la maison.

Jacques mit un moment avant de comprendre l'allusion.

— "Louis, Louis, Louis...", continua-t-elle en donnant à sa voix un ton juvénile.

— C'est la troisième fois que je la vois faire la même chose avec un professeur, fit remarquer Jacques.

— Pas tout à fait la même chose, dit Diane. Dans les autres cours, la téteuse se manifestait. Là, c'était la petite fille pâmée sur le Pierre Lalonde du département.

Se reconnaissant une indécrottable ignorance à ce sujet, Jacques préféra arrêter là ses commentaires. Heureusement, Norbert Sénécal venait vers eux, fournissant l'occasion de changer de sujet.

— Celui-là ne devrait pas nous causer d'insomnie, ricana-t-il.

Car les exigences paraissaient très raisonnables. Un professeur proche de ses étudiants ne faisait pas en sorte de se trouver dans l'obligation de donner une mauvaise note.

— Mais qu'est-ce que c'est que ça ? demanda Diane en regardant sa main.

Le jeune homme la leva pour lui montrer une pipe de maïs. Littéralement, c'était un fourneau taillé dans un épi.

— Ma pipe. C'est original, non ?

— Tu veux ressembler à Jambe-de-bois ?

Le personnage des *Belles Histoires* avait la même.

— Comme je n'ai pas le charme de notre nouveau professeur, c'est une façon de me démarquer. En plus, dans un département où des étudiants font des mémoires de maîtrise sur les différents types de portes de grange de la Beauce, c'est une occasion de mettre notre patrimoine en valeur. La prochaine fois, elle sera en plâtre.

Il restait dans le thème des *Belles Histoires* : le curé Labelle faisait un usage immodéré de cet article particulièrement fragile. À une trentaine de pas, ils virent les étudiants entrer dans le local. Ils en avaient encore pour soixante-quinze minutes de sourires charmeurs et de battements de cils énamourés.

Renouer avec l'enseignement procurait un plaisir particulier à Louis Gervais. C'était la possibilité de vérifier si son charme opérait toujours. Son grand sourire, sa familiarité, sa connaissance des derniers succès de la musique populaire – il était entré dans la salle en chantonnant *Pour un instant*, d'Harmonium – lui permettaient d'offrir un enseignement plutôt superficiel tout en se donnant une allure de grand intellectuel.

Et les jeunes filles en fleur ! Si au sein du programme elles représentaient un tiers de l'effectif, dans ses cours, la proportion atteignait au moins la moitié. Le très court trajet de la porte jusqu'à son siège à la table lui permit de dresser un premier inventaire. Les tailles fines, les fesses soulignées par des jeans ou parfois par des pantalons plus habillés, la ligne des soutiens-gorge arachnéens sous les T-shirts ou les chemisiers, deux boutons détachés de certains de ces derniers laissant voir un peu de dentelle.

En distribuant les plans de cours lui-même, il se donnait une vue en contre-plongée sur les poitrines. Ses goûts ne le portaient pas vers l'opulence, de ce côté. Ni vers l'expérience. À trente ans passés, Monique et Diane n'avaient aucune chance d'attirer son attention. Et dans le lot des jeunes filles, il y en avait toujours au moins une résolue à lui faire de l'œil. Dans ce cours, Brigitte jouait ce rôle à la perfection : châtaine, les cheveux courts, de taille moyenne... et des yeux ! C'était certainement sa caractéristique la plus remarquable. Ils étaient grands avec des iris d'un bleu rappelant la fleur du même nom, et un cercle noir sur le pourtour extérieur.

Des yeux si beaux qu'ils faisaient oublier le nez et le menton un peu trop pointus.

Juste avant la pause, il avait entendu :

— Louis...

Elle était assise à sa gauche, pas immédiatement à ses côtés toutefois : il y avait une chaise vide entre eux. Le professeur se déplaça pour se rapprocher.

— Oui, je peux t'aider ?

— Nous devrons faire une présentation orale et remettre un travail écrit ?

C'était indiqué en termes très clairs à la première page du plan de cours, à la rubrique « Évaluation ». La jeune femme réussit à le retenir durant au moins la moitié de la pause. Puis, à la fin du séminaire, alors que les étudiants se dispersaient, elle revint à la charge :

— Louis, pourquoi le plan Marshall s'appelle-t-il le plan Marshall ?

— Écoute, je dois rentrer. Le mieux serait que tu viennes me voir à mon bureau cette semaine. Téléphone-moi. Tu pourras laisser un message, si je ne suis pas là.

Brigitte admit que, compte tenu de l'heure, ce serait une bonne idée. Aussi, quand Louis arriva à la maison, le téléjournal de dix heures trente à Radio-Canada commençait à peine.

— Tu arrives tôt ! dit Suzanne.

— Le cours se termine un peu avant dix heures. S'il n'y avait pas les étudiants désireux de se faire remarquer en posant des questions inutiles, je serais revenu encore plus tôt. Je t'apporte quelque chose à boire ?

Chapitre 7

Au moment où Jacques Charon se présenta devant la porte de l'amphithéâtre où se déroulerait le second cours d'histoire des États-Unis, il eut l'impression de voir une apparition : un jeune homme aux cheveux très longs et à la barbe atteignant sa poitrine. Le Christ. Mais sa tenue – une tunique et un pantalon ample, sans doute de lin tissé de façon artisanale – rappelait la dernière mode du seizième siècle. Une faluche noire complétait le tout.

L'énergumène s'approcha, tout sourire, la main tendue, une formalité peu fréquente entre étudiants. Impossible de la refuser sans paraître grossier.

— Le cours de Robitaille est difficile ? demanda-t-il.

— Il est aussi aimable qu'un vieil oncle, mais je le soupçonne d'être très exigeant.

L'autre fit une petite grimace. Il allait s'éloigner quand Jacques demanda :

— Ton nom, c'est Michel de Nostredame ?

Cet hurluberlu ressemblait vraiment aux gravures représentant Nostradamus.

— Comment as-tu deviné ?

— Je suis devin...

— Bravo ! Mon prénom est effectivement Michel.

Pour Francine Robitaille, le spleen de l'épouse perdue en banlieue si souvent évoqué dans les médias était bien réel. L'époux quittait sa maison de Beauport plusieurs matins de la semaine avec la voiture « conjugale » afin de se rendre à l'Université Laval. En réalité, il s'agissait de la sienne, puisque c'était lui qui faisait les paiements mensuels. Comme pour la maison et les meubles.

Cela signifiait que sa femme devait rester à la maison ou utiliser les transports en commun. Toutefois, en dehors de l'heure de pointe, le service vers Québec demeurait lacunaire. Cela pouvait toujours aller quand il s'agissait de se rendre dans les magasins de la rue Saint-Joseph, mais l'Université Laval et les grands centres commerciaux de Sainte-Foy demeuraient trop éloignés, à moins de partir avec son mari et de revenir avec lui, une fois sa journée de travail terminée. C'est ce qu'elle avait fait le jeudi 11 septembre, exactement une semaine après la petite fête du département d'histoire.

Quand Alfred Robitaille s'arrêta entre les pavillons De Koninck et Bonenfant, il chercha son porte-document sur la banquette arrière en disant :

— Tu peux passer me prendre ici à une heure trente ?

— Ça pourrait être à onze heures trente, dès la fin de ton cours, si tu préfères.

— Non, j'ai des choses à régler.

L'homme se pencha pour poser ses lèvres sur la joue de son épouse, puis il descendit afin d'aller donner son cours d'histoire américaine. Francine se glissa jusque derrière le volant, puis elle se dirigea vers le boulevard Laurier. La Place Sainte-Foy se trouvait tout près, mais les boutiques n'ouvriraient pas avant dix heures. Avec presque deux heures à tuer, elle alla au restaurant Marie-Antoinette.

Elle prit un exemplaire du *Journal de Québec* près de la caisse et se laissa ensuite guider vers une table. Il était juste assez tard pour que le gros des clients venus déjeuner ait commencé à se disperser. Cela lui permit de se trouver près de la vitrine. Une tasse de café apparut bientôt sous ses yeux.

À dix heures, elle reprit l'auto pour aller se stationner près du magasin Eaton. Quelques minutes plus tard, elle occupait une table à la cafétéria, pour demander de nouveau un café, que cette fois elle ne boirait pas. C'était l'une de ces situations où l'absence de moyens de transport lui pesait le plus. Pour une rencontre avec une amie qui durerait une heure, deux tout au plus, elle en passerait au moins deux fois plus à tuer le temps.

Dans l'amphithéâtre, Jacques Charon put bientôt saluer ses camarades habituels. Il ne les avait pas vus depuis le séminaire avec Louis Gervais, le lundi précédent. Robitaille paraissait en grande forme et de bonne humeur. En tout cas, il avait beaucoup de matière à passer. Ils étaient environ quatre-vingt-dix étudiants dans la salle, ils purent noircir ensemble plus de cinq cents pages de notes.

À la pause, les quatre amis ne quittèrent pas leur siège. Bientôt, Nostradamus s'approcha pour dire à Jacques :

— Tu avais raison… Et c'est trop pour moi.

— Dans ton cas, c'est un cours hors programme ?

L'autre acquiesça de la tête. Cela ne pouvait manquer, autrement ils l'auraient vu dans certains autres cours.

— N'essaie pas celui de Claude Hamelin, en sociologie. C'est pareil, le visage souriant en moins.

— Je vais aller écouter la seconde partie du cours de littérature auquel je suis inscrit. Allez, bonne chance avec la suite.

Ses amis regardèrent l'hurluberlu s'éloigner.

— C'était qui, ce gars ? demanda Diane en riant.

— Tu ne le reconnais pas ? C'est Nostradamus. Il y a eu une télésérie sur lui.

— Sérieusement, qui c'est ?

— Je ne sais pas.

Jacques rapporta son étonnante conversation du matin.

— C'est un hippie venu tout droit d'une commune, commenta Monique.

Ces « communes » s'établissaient d'habitude dans des maisons décrépites achetées pour trois fois rien à la campagne. Jacques en connaissait deux, l'une à Manseau et l'autre dans une paroisse voisine. Plusieurs de ces petites communautés se donnaient des missions artistiques, musicales surtout, mais aussi dans divers artisanats. Leurs membres portaient des cheveux interminables – et une longue barbe pour les hommes –, et s'habillaient de la façon la plus fantaisiste possible.

— Un vrai hippie, continua-t-elle. Je suppose que là où il habite, il y a six femmes et six hommes qui vont d'un lit à l'autre, et douze enfants dont personne ne connaît l'identité du père.

En tout cas, dans le rang du Petit-Montréal, les cultivateurs tenaient des discours courroucés sur ces hippies venus de la ville. « Ils couchent avec n'importe qui, n'importe quand », se plaignaient-ils. Mais au moment d'accomplir leur devoir conjugal, ils rêvaient sans doute de ces jeunes filles avec de grandes robes de cotonnades, des bijoux de pacotilles, et une moralité un peu moins étriquée que celle de leur épouse. Une rêverie un peu alimentée par *La vraie nature de Bernadette*, le film de Gilles Carle où Micheline Lanctôt payait de sa personne pour faire plaisir à un vieux cultivateur gros et chauve, parmi de nombreux autres.

— Si c'est comme ça, commenta Jean-Philippe, je me demande ce que je fais ici.

— Toi et moi devons être de bons catholiques, répondit Jacques.

Jusqu'à la fin de la pause, les deux femmes continuèrent à parler de la liberté sexuelle dans les communes, multipliant les questions aux deux garçons, comme si, du fait de leur âge, ils savaient ce qui se passait dans ces endroits.

Bientôt, Francine aperçut la silhouette de Marielle Van Doesberg dans l'entrée de la cafétéria du magasin Eaton. La jeune femme s'approcha en souriant. Comme toujours, elle apprécia la mince silhouette, les cheveux blonds et la jolie démarche. « La chanceuse ! J'aimerais avoir son âge… », songea-t-elle. Pourtant, seulement sept ans les séparaient. La blonde en avait trente, et elle, trente-sept. Toutefois, après trois grossesses, les années de différence entre elles comptaient double.

— Je suis contente de te voir, dit-elle en se levant.

L'habitude des Européennes de se faire la bise l'intimidait – ce n'était pas encore entré dans les mœurs, au Québec –, pourtant elle s'exécuta.

— Moi aussi. Tu as pu trouver quelqu'un pour garder ton plus jeune ?

— Le dernier a eu six ans cet été, donc il a commencé l'école la semaine dernière. Et ta fille ?

— Je l'ai laissée chez une voisine, je la reprendrai en retournant à la maison.

Une serveuse vint prendre la commande. Quand elles furent seules à nouveau, Francine dit :

— Tu as de la chance de vivre à Québec. Il te suffit de prendre un autobus, et tu te retrouves ici en une dizaine de minutes.

Marielle habitait un bel appartement dans une rue perpendiculaire au boulevard Laurier.

— Vous ne deviez pas vous rapprocher ?

— J'ai rêvé de me rapprocher, mais Alfred a sorti le grand livre dans lequel il tient son budget, comme s'il dirigeait une petite entreprise. Il a mis une heure à m'expliquer qu'avec l'hypothèque à un taux de dix pour cent et demi, nous avions de la chance de pouvoir nous payer un bungalow à Beauport. Parce qu'avec un demi-centième de plus, nous pourrions nous retrouver à Saint-Émile.

— Où est-ce ?

— À mes yeux, presque aussi loin que la Belgique.

Marielle eut un rire bref.

— Jean répète que c'est de la folie de donner de l'argent à un propriétaire, mais comme il n'est pas encore agrégé...

— Oh ! Je sais bien qu'Alfred a raison. Mais cela signifie que je ne peux même pas me chercher un travail.

— Tu travaillerais ?

— Au cours des dernières années, des treize dernières années très précisément, pour quatre-vingt-dix pour cent de mes conversations, j'ai eu un enfant comme interlocuteur, mon mari pour neuf pour cent. Et tous les autres êtres humains représentent un pour cent ! Tu vois, Alfred n'est pas le seul dans la maison à pouvoir tenir des statistiques.

— Quel genre d'emploi aimerais-tu avoir ?

— Je ne sais pas. Tu sais, le cours classique ça paraît bien, mais nous n'apprenions rien de vraiment utile.

— Le cours classique ?

— J'ai passé huit ans à faire du latin. Normalement, après ça, on va à l'université, mais pour une femme à l'époque, c'était quasi impossible.

— Qu'aimerais-tu faire ?

Francine haussa les épaules.

— Qu'est-ce que je pourrais faire, plutôt. Vendeuse, serveuse... En fait, n'importe quelle fille qui a terminé l'école secondaire en secrétariat peut trouver mieux que moi.

Ce qui lui paraissait une grave injustice : en comparaison, ces filles ne connaissaient rien. Plus précisément, elles ne connaissaient pas le latin.

— Quand je me mets à rêver, continua-t-elle, je me vois propriétaire d'un café. On y trouverait un assortiment de thés, des sandwichs, des desserts. Tu sais, une place où iraient les intellectuels. Je pourrais les inviter à laisser des livres pour les autres clients. J'ai même un nom en tête, le Mille-Feuilles.

Comme sa compagne ne répondait pas, elle ajouta :

— Pour les livres et les desserts…

— J'avais compris.

Francine se sentit ridicule. C'étaient des rêves de petite fille, rien de plus. Son malaise était si évident que sa compagne tendit la main pour la poser brièvement sur la sienne.

— C'est un beau projet, je serais cliente.

— Plus jeune, j'ai aussi déjà rêvé du prince charmant. Tu as vu Alfred. Je ne veux pas dire... Il est très bien, je n'en voudrais pas d'autre. Mais...

— Toutes les filles rêvent d'un prince. Le mien essaie de jouer au mousquetaire.

Sur le campus, seuls les futurs avocats portaient les cheveux très courts. En sciences humaines, tout le monde les avait longs, plusieurs même jusqu'aux épaules, d'autres jusqu'aux omoplates. Mais sur plus de six cents professeurs sur le campus, seul Jean Van Doesberg arborait une mouche sous sa lèvre inférieure.

Les deux femmes avaient assez évoqué leurs fantasmes pour la journée. Francine entendit se consacrer à ceux des autres pendant un moment.

— J'ai répété à Alfred ce que tu m'as dit au sujet d'Aline et de sa présence aux *Tannants*. Il a feint la plus grande indifférence.

— Je n'aurais pas dû te dire ça, ce n'était pas bien.

— Que veux-tu dire ?

— Jeanne m'a dit que je racontais ça parce que Jean songeait à se présenter comme directeur.

Jeanne Jaumain était l'épouse du professeur d'histoire de l'Antiquité. À ce moment, Francine comprit que c'était très probablement la vérité, et qu'en répétant cette histoire, elle avait eu l'air d'une sotte. Alfred n'allait certainement pas voter pour un gars capable de faire campagne de cette façon.

De nouveau, mieux valait changer de sujet.

— Quand nous avons quitté le party, la semaine dernière, j'ai dit à Alfred que la femme de Louis Gervais avait l'air de bien s'entendre avec Aubut. Il m'a fait une drôle de réponse. Quelque chose comme : "Si un dixième de ce qui se dit sur Gervais est vrai, alors elle fait bien de regarder ailleurs." Tu comprends ce que ça veut dire ?

— Tu ne sais pas ? Il court après tout ce qui porte un jupon. Aucune collègue, aucune employée n'est à l'abri de ses tentatives de séduction. Tu savais que la nouvelle secrétaire de Robert était déjà partie ?

Francine fit signe que non d'un geste de la tête.

— Après un an seulement. D'après ce que Jean m'a dit, il ne la lâchait pas. Je ne peux pas te dire exactement ce qui s'est passé, mais elle s'est envolée à la première occasion.

— Tu dis qu'il court après tout le monde ?

— Si c'est ce que tu veux savoir, moi aussi j'y ai eu droit.

« Mais il ne court pas après moi ! » Non pas que cet homme lui fît envie, mais penser qu'elle était la seule à échapper à ses efforts ne pouvait la réjouir. Les exploits de Louis Gervais firent les frais de la conversation pendant quelques minutes encore, puis Marielle regarda sa montre en disant :

— Je dois y aller, j'ai dit à la voisine que je reprendrais Florence avant le dîner.

Le personnel administratif de la faculté de droit bénéficiait d'une petite salle où aller se réfugier à la pause ou pendant l'heure du dîner. Suzanne Gervais avait pris l'habitude de fermer la porte des locaux du décanat et de manger à son bureau quand le doyen était sur les lieux. Une manière de se tenir à sa disposition.

En son absence, elle allait toutefois rejoindre ses collègues pour faire la conversation. Certains jours, quatre membres du personnel pouvaient y être. D'autres fois, elle était seule. Ce jeudi, elle trouva une autre secrétaire de son âge plongée dans un livre familier : *Open Marriage*. En rougissant, celle-ci s'empressa de le glisser sous un numéro du *Soleil*.

— Je l'ai lu aussi, dit-elle en souriant. Inutile de le cacher.

Cette admission ne rassura pas totalement sa collègue. Certainement pas assez en tout cas pour qu'elle reprenne sa lecture. Suzanne mangea d'abord sa salade en parlant de la pluie et du beau temps. Mais en refermant son *tupperware*, elle demanda :

— Qu'est-ce que tu penses de ce livre ?

— Je ne sais pas trop, commença l'autre. Pour ma mère, une fille commence par obéir à son père, ensuite, elle doit se trouver un mari pour porter ses enfants, les torcher et les élever. Finalement, sauf pendant l'année où elle se cherche un fiancé, toute sa vie, elle fera semblant qu'un seul homme existe sur terre.

— Ma mère pense la même chose… Elle a eu cinq grossesses, mais elle a pu en mener trois à terme.

Ce qui signifiait que ses parents avaient trouvé un moyen d'espacer les enfants. S'ils avaient laissé faire la nature, il y aurait eu une douzaine de grossesses, mais pas nécessairement plus d'accouchements. Condom ou abstinence ? Poser la question aurait provoqué une crise d'apoplexie.

— Quand elle entend que des gens peuvent pratiquer le mariage *open*, dit sa collègue, elle fait son signe de croix en disant : "Mon doux Jésus, où s'qu'on s'en va !"

Le ton tira un sourire à Suzanne. Ce genre de réaction lui était familière.

— Mais la vie a changé, insista son interlocutrice. Regarde.

Elle prit le cahier D du *Soleil* et alla directement à la page de l'horaire des cinémas.

— *Sexe à crédit*, commença-t-elle à lire, *Y a pas de mal à se faire du bien*, *Un amour comme le nôtre*, *Emmanuelle*, *La chatte sans pudeur*, *La main de ma sœur* – celui-là parle du sexe en groupe – et *Théorème*. Là-dedans, un gars arrive dans une famille et il couche avec le père, la mère, le fils, la fille et la bonne.

Suzanne aussi avait feuilleté le journal. En définitive, chaque fois qu'une femme entrait dans une salle de cinéma avec son mari, elle avait de bonnes chances de voir celui-ci s'extasier sur des seins et des fesses dénudés. Cependant, d'autres productions lui semblaient plus menaçantes : on annonçait que *Scènes de la vie conjugale* d'Ingmar Bergman serait bientôt diffusé. De quoi donner le coup de grâce à des mariages chancelants. Et tout récemment, dans le même ordre d'idées, il y avait eu *Pour le meilleur et pour le pire* de Claude Jutra.

Dire que quinze ans plus tôt, les gens bien n'osaient même pas prononcer le mot « divorce ».

— C'est sûr que maintenant, on n'a pas toujours droit à la finale : "Ils furent heureux et eurent beaucoup d'enfants", conclut Suzanne.

— Tu as vu le film *Armes mortelles* avec Chesty Morgan ? Dans le *Soleil*, l'encart pour annoncer le film donnait les mensurations : 73-32-36. De là le charmant prénom de Chesty.

— Non ! Ce serait courir le risque de développer des complexes, dit-elle en riant.

Son propre tour de poitrine n'atteignait même pas la moitié de celui de Chesty. Sa collègue avait bien démontré que le cinéma n'encourageait pas la fidélité conjugale. Toutefois, elle ne répondait pas vraiment à sa question.

— Alors, que penses-tu du livre ? insista Suzanne.

— Les temps ont changé, beaucoup de femmes demeurent sur le marché du travail après le mariage, nous vivons de plus en plus longtemps et la pilule permet de choisir le bon moment pour avoir des enfants.

Sa collègue avait aligné tous les arguments évoqués par les partisans d'un mariage moderne, ouvert. Elle conclut :

— Alors si tout le reste va bien, peut-être qu'on accorde trop d'importance à l'exclusivité sexuelle… Mais moi, je dois être vieux jeu. J'ai un mari et je veux le garder juste pour moi. Bon, maintenant, je dois retourner travailler.

Elle se leva, enveloppa son livre dans son journal et quitta la pièce. Suzanne fit la même chose un peu plus tard, songeuse. Une génération plus tôt, toutes les femmes cherchaient auprès de conseillers spirituels la façon de mener une vie vertueuse, contre la promesse de félicités éternelles dans l'au-delà. Maintenant, c'était dans les derniers succès de librairie qu'on cherchait la recette pour des félicités immédiates.

Tout cela pour être dans le vent, libéré. Mais pouvait-on être heureux dans ce mode de vie ?

Alfred Robitaille se tenait sur le trottoir entre les pavillons De Koninck et Bonenfant quand Francine arriva à une heure trente. Quand il fit mine de monter du côté passager, elle offrit :

— Tu veux conduire ?

— Non, pas du tout.

Ils se dirigeaient déjà vers le nord pour prendre l'autoroute conduisant à Beauport quand Alfred demanda :

— Vous avez eu du plaisir à jaser ?

— Oui, même si je me sens toujours un peu sotte devant elle.

En disant cela, elle pensait à son gentil fantasme : posséder un café appelé le Mille-Feuilles.

— Voyons, qu'est-ce que tu racontes ? Tu n'as aucune raison de te sentir sotte !

— Ces femmes élevées en Europe, qui sont allées dans de bonnes écoles, ne perdent pas une occasion d'évoquer à mots couverts leur supériorité culturelle… commença-t-elle.

— Ça ne t'intrigue pas, tous ces professeurs belges, anglais et français qui quittent leur Olympe culturel pour venir ici ? Et jamais personne ne fait le trajet en sens inverse. Ils savent ce qu'ils gagnent en immigrant, et nous, nous savons ce que nous perdrions en allant là-bas.

— Nos diplômes ne valent pas les leurs, avança Francine.

— Ils aiment nous le faire croire. Mais quand on lit les thèses produites là-bas, ça permet de nuancer pas mal. Mon diplôme vient d'une belle université américaine. Je pourrais enseigner aux États-Unis, mais pas à Louvain. Jamais ils ne m'embaucheraient. Eux, ils enseignent ici, mais pas à Louvain. Ils portent un jugement avec leurs pieds. En venant ici, ils nous disent que le Québec leur offre plus que ce qu'ils auraient jamais là-bas.

Prononcés lors d'une assemblée départementale, ces mots auraient fait rugir. Pourtant, les statistiques migratoires étaient éloquentes.

Après un long silence, Francine confia :

— Je suis mal à l'aise d'avoir répété ce que Marielle racontait au sujet d'Aline Robert et des *Tannants*. Aujourd'hui, elle regrette d'avoir parlé de ça.

— Je ne sais pas de qui venait cette stratégie électorale, mais ce n'est pas la meilleure façon de faire de la politique. Parce que tous les profs qui ont quelqu'un dans leur famille qui écoute cette émission voteront pour Robert.

Chapitre 8

L'horaire d'un médecin spécialiste était irrégulier et imprévisible. Aussi Diane devait-elle être toujours disponible pour profiter des occasions de voir son mari. Le samedi 20 septembre, elle se trouvait avec lui au restaurant Le Fiacre, boulevard Laurier. L'endroit respectait le goût du jour avec l'entrecroisement de poutres au plafond, les fauteuils « capitaines » autour des tables carrées, les nappes rouges et les luminaires rustiques. C'était un décor à la mode à une époque où les maisons campagnardes, les meubles anciens et l'artisanat sous toutes ses formes faisaient recette. On pouvait commander n'importe quoi à ce restaurant, à condition que ce soit préparé avec du bœuf.

— Il y a longtemps que nous n'avons pas mangé à l'extérieur, fit remarquer Diane.

— Tu sais ce que c'est… Les gens n'arrivent pas à se discipliner assez pour faire des infarctus du lundi au vendredi, entre neuf heures et cinq heures.

— Ce n'était pas un reproche. Je disais simplement que ce genre d'activité me manque. En fait, c'est toi qui me manques.

— À moi aussi, tu me manques. Au moins, grâce à tes études, tu as de quoi t'occuper… D'ailleurs, voilà plus de deux semaines que les cours sont commencés. Ça se passe bien ?

— Oui, infiniment mieux que l'an dernier. C'est comme n'importe quoi, il faut se donner le temps de s'habituer.

— Je comprends. Je ne garde pas un bon souvenir de ma première année.

Pendant tout le premier service, les difficultés des nouveaux venus sur les campus firent l'objet de la conversation. C'est en coupant son filet mignon que Diane raconta la mésaventure de Monique.

— Et elle veut retourner là ? Et toi aussi ?

— Honnêtement, tu vas me dire que tu n'as jamais vu un médecin mettre la main aux fesses d'une infirmière ?

— Elles veulent toutes en épouser un.

— Moi aussi, je voulais en épouser un. Considères-tu que n'importe lequel de tes collègues aurait pu faire la même chose avec moi ?

— Ça n'a rien à voir !

— Quand les infirmières ne se présenteront plus à l'hôpital à cause de tes collègues qui ne savent pas vivre, on en reparlera. Pour être franche, je trouverais plus simple de laisser les femmes étudier ou travailler, tout en s'assurant qu'elles n'ont pas de satyre aux fesses.

— Tu penses vraiment que ce film vaut la peine d'être vu, même s'il date de quelques années ? demanda Suzanne.

— Au cinéma Cartier, ils ne passent que des vieux films. Ç'a été un grand succès et un des comédiens a eu un oscar.

La jeune femme protestait en vain. La décision d'y aller avait été prise la veille, et déjà ils étaient dans le petit hall de la maison, prêts à partir. Peu après, Louis stationnait dans la cour du concessionnaire des automobiles Renault, rue De Maisonneuve. L'endroit lui rappelait sa première sortie avec Jacinthe Couture, plusieurs mois plus tôt. Surtout que sa femme posa à peu près la même question que sa maîtresse d'alors :

— Tu crois que c'est prudent de laisser la voiture à cet endroit ?

— Puisque tous les mois la banque retire de l'argent de mon compte pour payer la Renault, je suppose que ça me donne le droit d'occuper un petit espace dans la cour, une fois de temps en temps.

Après avoir marché quelques dizaines de verges, ils se retrouvèrent au bout de la file d'attente s'allongeant devant le cinéma Cartier. Suzanne regarda l'affiche : on présentait bien *Bob et Carole et Ted et Alice*, un succès américain de 1969. Soudain elle entendit :

— Bonsoir, monsieur Gervais !

En se retournant, la femme vit deux jeunes hommes.

— Bonsoir ! dit le professeur en tendant la main.

Puis il se tourna à demi vers sa femme :

— Jacques a été mon assistant de recherche l'été dernier, maintenant il est dans mon cours du lundi. Jean-Philippe aussi.

Louis ajouta à leur intention :

— Suzanne, ma femme.

Il y eut des échanges de « Bonsoir » et l'inévitable question quand on ne sait pas quoi dire :

— Vous venez souvent ici ?

— Toutes les semaines, dit Jacques.

— Et moi juste un peu moins souvent, ajouta Jean-Philippe.

— C'est vrai que la programmation est intéressante, commença Louis. Les cinémas plus commerciaux se contentent de présenter les derniers succès comme *Jaws*, sans s'intéresser aux films de répertoire.

Les deux étudiants en convinrent aisément, tout en songeant que leur présence tenait beaucoup plus au prix des billets qu'à leur amour des films d'auteur. Quand il serait possible de voir le dernier grand succès commercial de Steven Spielberg à rabais, aucun des deux ne bouderait son plaisir.

Après cela, ils demeurèrent silencieux. Louis Gervais était habitué à pérorer devant une classe. Sauf pour séduire une ingénue, il ne maîtrisait pas l'art de la conversation. Heureusement, les spectateurs du film précédent sortirent de la salle et très bientôt ceux du prochain purent entrer.

— Il a une charmante femme, murmura Jean-Philippe au moment de s'asseoir.

— Je partage ton avis, dit son ami. Son ancienne conquête l'était aussi, et la prochaine le sera sans doute.

— Pardon ?

Jacques fit entendre un rire moqueur.

— L'hiver dernier, pendant qu'on faisait la queue devant cette salle, il est passé avec la plus jeune secrétaire du département accrochée à son bras. Et je ne pense pas que ses apartés avec Brigitte à la pause ou après le cours se limitent à un intérêt pédagogique.

— C'est plutôt idiot de sa part. On ne peut pas dire que sa femme perd à la comparaison avec l'une ou l'autre.

Suzanne aurait aimé entendre ces paroles dans la bouche d'un garçon de vingt et un ans. Cela aurait levé certains de ses doutes.

Un peu plus loin, Suzanne dit :

— Il flotte une petite odeur, non ?

— C'est probablement l'odeur des chips, du Coke, de la poussière, et sans doute d'autre chose…

— J'aurais peut-être mieux fait de ne pas poser la question, répondit-elle.

La projection commença très vite, montrant d'abord une jolie voiture sport roulant sous le soleil de Californie, puis les activités d'un groupe de croissance personnelle où les thèmes de l'honnêteté et de la franchise prévalaient. À l'égard de soi-même – de ses désirs, de ses envies –, et des autres. L'un des personnages principaux, Bob, mit cet enseignement en pratique dès son retour à la maison : il confessa une aventure extraconjugale à sa femme Carole.

« Ça n'a pas d'importance, dit-il en guise d'excuse, c'était seulement physique. Ça ne diminue en rien mon amour pour toi. » Suzanne comprit à ce moment que sa présence dans cette salle ne tenait pas au hasard : c'était comme un complément au livre *Open Marriage*.

La liberté n'allait pas à sens unique : Bob eut bientôt l'occasion d'exprimer son désarroi face à une aventure de Carole avec son entraîneur de tennis, avant de convenir que là aussi, c'était seulement physique. L'histoire devint un peu plus complexe quand s'exprima le désir d'une « partie à quatre » avec Ted et Alice. Le film se termina sur une scène intrigante : d'abord Ted, Carole, Bob et Alice assis l'un près de l'autre dans un lit, puis les deux couples quittant l'hôtel.

« Non, ce n'est plus comme dans le livre », songea Suzanne en sortant de la salle. Il ne s'agissait pas d'un homme et d'une femme cherchant les aventures chacun de son côté, pour rentrer ensuite dans un foyer aimant, mais de vivre sa sexualité en groupe. Que dans ce film ce soit avec de véritables amis rendait-il la chose plus acceptable ?

Après le film, Jean-Philippe et Jacques s'empressèrent de monter dans l'autobus qui s'arrêtait au coin de la rue Saint-Cyrille.

Ce fut assis à l'arrière du véhicule que le premier demanda :

— Tu crois qu'ils l'ont fait ?

Parce que dans le film, on les voyait bien se déshabiller et s'embrasser pour les retrouver ensuite tous les quatre assis dans le lit, immobiles.

— Je suppose que tu choisis la réponse qui te tente. Quand ils sortent de l'hôtel, ils sourient. C'est peut-être parce qu'ils sont satisfaits d'avoir baisé ensemble ou parce qu'ils sont contents de ne pas l'avoir fait.

Compte tenu des tergiversations des deux couples, les deux versions s'avéraient tout à fait plausibles.

— Ça, c'est un film, dit Jean-Philippe, mais dans la vraie vie, ça arrive…

Jacques eut un fou rire.

— Si j'avais une blonde, je pense que j'aurais envie de la garder pour moi plutôt que de la partager avec le voisin.

— J'ai lu un article à ce sujet dans le *Petit Journal*, souligna encore Jean-Philippe.

— Comme il y a beaucoup de films, et même des études scientifiques qui abordent le sujet, ça doit exister. Difficile de croire que ce sont seulement des fantasmes.

Après un repas trop riche, et deux bouteilles de vin – la seconde tout de même toujours à moitié pleine à la fin du repas –, les Chénier rentrèrent aux Jardins Mérici. La conversation avait connu des moments de tension, mais l'ivresse aidant, les différences de perception à propos de la place des femmes dans la société avaient cédé le pas à une certaine excitation.

Compte tenu de l'horaire chargé du professionnel, les samedis soir demeuraient les plus propices à des retrouvailles intimes. Ces nuits-là, il était possible de faire durer le plaisir : aucun des deux ne devait se lever de bon matin afin de se rendre au travail ou à l'université.

Au moment d'entrer dans l'appartement, Diane mit en marche le magnétophone branché sur la chaîne hi-fi. Le ruban pourrait distiller du jazz pendant les deux prochaines heures. Ce style de musique la mettait en train pour la pratique de certaines activités. D'ailleurs, Robert réagit immédiatement :

— Tu me donnes quelques minutes ? Le temps de prendre une douche.

Ce serait la seconde de la journée, une délicate attention. Il ne s'attarda pas, bientôt elle put lui succéder en prenant bien garde de ne pas se mouiller les cheveux. Après s'être essuyée, elle humecta son doigt de parfum pour s'en mettre un peu à certains endroits de son anatomie. Avec cette odeur pour seul vêtement, elle le rejoignit dans la chambre. Les ébats ne s'étirèrent pas très longtemps, une conséquence des agapes, sans doute.

Quand la jeune femme revint vêtue de sa nuisette, après un passage dans la salle de bains et l'arrêt de la musique, elle trouva Robert étendu sur le dos, les yeux au plafond.

— Je repensais à ce que tu m'as raconté, à propos de l'université. Tu n'as pas à endurer ça…

Diane vint le rejoindre, sans dire un mot. Pourquoi diable lui avait-elle raconté ça ? Monique s'était montrée plus sage en se taisant face à son mari.

— Je comprends que tu ne peux pas rester ici à ne rien faire. Mais si nous avions des enfants, tu ne chercherais pas à te désennuyer.

Tromper son ennui. Après plus d'un an à l'université, en plus de ses cours au cégep, Robert considérait toujours que ses études ne servaient qu'à meubler son temps libre. Et il abordait la question après avoir fait l'amour, comme si se livrer à une activité sexuelle devait la ramener à son rôle premier : porter des enfants et les élever.

— Je ne pense pas que ce serait très responsable de ta part de faire des enfants alors que tu prends des cours de pilotage.

Il fit comme s'il n'avait pas entendu. Il dit plutôt :

— En plus, tu ne rajeunis pas. Plus le temps passera, plus ça deviendra dangereux.

— Je ne t'ai jamais caché que je ne veux pas d'enfant, et tu as toujours paru être du même avis.

— Je vieillis moi aussi. Tout ce travail pour devenir médecin… Il faudrait bien que quelqu'un en profite.

Comme elle ne répondait pas, Robert allongea le bras pour éteindre sa lampe de chevet en disant :

— Bon, nous n'avons pas à régler cette question tout de suite. Dors bien.

Pendant leur retour à la maison, la veille, Louis et Suzanne avaient un peu discuté du film. Tous les deux avaient convenu que Nathalie Wood – Carole, dans le film – avait un très beau visage et était vraiment bien faite. À ce sujet, les quelques scènes en bikini ou en sous-vêtement ne laissaient pas vraiment de doute.

— La pilosité d'Elliot Gould me faisait penser à un chimpanzé, remarqua Louis. Un peu comme Pierre Aubut. Rien de trop excitant pour la pauvre Nathalie Wood.

Il avait abordé les caractéristiques pileuses de son collègue devant le psychologue, au cours d'un petit accès de jalousie. Suzanne enregistra l'information avec plaisir.

— Je ne suis pas certaine de ça, murmura-t-elle. Entre lui et un homme dont la poitrine ressemble à celle d'un petit garçon, le choix est facile.

Elle eut un éclat de rire avant d'ajouter :

— Les *shaggy* ne sont pas à la mode que sur les planchers. Regarde les hommes dans les publicités de tes *Playboy*.

La remarque fit taire Louis. À une époque où le port de la moustache et de la barbe était généralisé, et où des hommes laissaient entrevoir une généreuse pilosité en gardant quelques boutons de leur chemise défaits, il ne pouvait montrer autre chose que des pectoraux totalement glabres.

Une fois à la maison, il s'efforça de montrer toute sa virilité avec une partie de jambes en l'air particulièrement enthousiaste, au point que sa femme soupçonna que l'image de Carole demeurait inscrite dans sa mémoire. Elle se vengea un peu en pensant à Elliot Gould.

Ce ne fut que le lendemain matin en déjeunant que Louis revint sur le sujet :

— Qu'as-tu pensé de ce film, finalement ?

— Je me suis demandé si tu ne m'adressais pas un message en m'emmenant le voir. Parce que le propos de ce film, tu l'as abordé devant le psychologue : ce que tu as fait avec cette secrétaire, ce n'était que physique, ce n'était pas un engagement affectif, et cela ne remettait pas en cause notre relation. Es-tu en train de proposer que nous vivions des aventures chacun de notre côté ?

Le changement de ton, au moment de prononcer le mot « aventures », devait faire office de guillemets.

— C'est vrai, ce n'était que physique. Jamais je n'ai désiré te quitter pour elle. En plus, depuis juin, tu sais que je suis resté fidèle, même pendant les mois où j'étais seul.

Comme si une abstinence de trois mois touchait à l'héroïsme. Suzanne doutait que ce fût vrai, mais elle n'avait aucun moyen de le vérifier.

— Mais pour moi, ce n'est pas naturel… Et tu ne m'as pas répondu vraiment, reprit la jeune femme. Tu as passé l'été à parler de tes besoins, des exigences de ta nature, de ta liberté de les satisfaire. Alors, je te repose la question : m'as-tu emmenée voir ce film pour me suggérer de satisfaire mes envies de mon côté ?

— Le ferais-tu ?

La question méritait réflexion. À vingt ans, elle se trouvait moderne. Cela signifiait accepter quelques privautés prémaritales avec celui qu'elle aimait, même aller jusqu'au bout, pour ensuite se marier et mener une existence assez semblable à celle de sa mère. Bien sûr, avec plus de sorties, une vie sociale riche et des discussions intimes. Ce que le docteur Lionel Gendron présentait comme la recette du bonheur conjugal dans ses livres, depuis *L'adolescente veut savoir* à *La mariée veut savoir*, en passant par *Le sexe et la femme mariée*.

Dans son esprit, mariage et exclusivité sexuelle devaient aller ensemble.

— Jusqu'à aujourd'hui, je ne l'ai pas fait, et je n'ai rien fait pour que ça arrive.

C'était une réponse ambiguë à souhait, mais Louis trouva encourageant qu'elle ne se mette pas à crier : « Jamais ! »

— Je pense que ce qui fait peur, dans une situation de ce genre, c'est la pensée que l'autre trouve un partenaire qui le satisfasse mieux. Je te dis : “C'était juste physique avec elle”, et tu penses : “Mais ce sera peut-être plus avec la prochaine.”

Il touchait là à la principale raison de sa résistance. Pour qu'une union dure, il fallait arrêter de chercher une nouvelle partenaire. Autrement, tôt ou tard, il y en aurait une plus satisfaisante. Ne serait-ce qu'à cause du piquant ajouté par la « nouveauté ».

Elle hocha la tête pour lui donner raison.

— Mais si ça devenait un projet de couple ? Si nous cherchions ensemble des personnes mariées qui tiennent autant que nous à faire durer leur union et à protéger leur famille ?

— Coucher à droite et à gauche, c'est un projet de couple ?

— Pimenter notre vie, vivre des expériences et en parler ensuite, c'en est un. Les gens qui font ça disent ne s'être jamais aussi bien entendus au niveau sexuel et affectif.

— Tiens, tu discutes de ça avec tes collègues tous les jeudis ? Avant ou après la réunion du département ?

Le ton était assez moqueur pour l'amener à se raidir.

— Je me suis documenté. J'ai passé des semaines à chercher ce qui avait été écrit là-dessus. Pour mieux me comprendre et mieux te comprendre, aussi.

— Très bien. Admettons que nous sommes Bob et Carole. Qui joue le rôle de Ted et Alice ? Tu as des amis comme ça ?

En réalité, elle ne connaissait pas d'amis à son mari, tout comme elle-même n'en avait plus vraiment. Maintenant, ils n'avaient que des « connaissances ».

— Tu sais bien que non. D'ailleurs, ce n'est pas conseillé de faire ça avec des amis. Car avec des gens que l'on fréquente régulièrement, des liens peuvent se développer.

Ouvertement dans les articles de *Playboy*, à mots couverts dans les magazines féminins, on appelait ça *Swinging* ou *Swapping*. Swigner, en francisant le mot.

— Ce n'est pas conseillé… Quelqu'un te conseille ?

— Attends une minute.

Son mari quitta la pièce pour revenir presque aussitôt avec un livre à la main. Il le déposa devant elle en disant :

— J'ai lu un article qui en parlait, je l'ai fait venir grâce aux Presses de l'Université Laval.

Depuis le début de cette conversation, ils n'avaient plus touché à la nourriture et le café refroidissait. Suzanne lut sur la page de garde du livre : *Group Sex. A Scientist's Eyewitness Report on the American Way of Swinging*. Il avait été publié quatre ans plus tôt par un universitaire, Gilbert D. Bartell, détenteur d'un doctorat. Louis était si fier d'en détenir un, comme si c'était un sésame pour accéder à la vérité.

— Tu sais, moi, lire en anglais...

— Voyons, tu te débrouilles bien. Pour les trente premières pages, tu auras souvent besoin du dictionnaire. Ensuite, ça ira.

— Je vais essayer. Mais vraiment, je préférerais en entendre parler par quelqu'un qui sait ce dont il s'agit.

— Tu es d'accord ?

Elle jeta sur son mari un regard amusé.

— Pour essayer de le lire ? Je ne m'engage même pas à dépasser la page dix.

Louis devait être très satisfait de l'avoir entraînée aussi loin, car spontanément, il se leva pour commencer à desservir. Suzanne voulut mettre sa bonne volonté à l'épreuve :

— Si tu t'occupes de la vaisselle, je vais commencer tout de suite.

Il ne protesta pas quand elle marcha vers le salon avec le livre dans les mains. D'abord, elle l'écouta rincer les assiettes sous le robinet, puis les mettre dans le lave-vaisselle. Mais très vite, son attention fut captée par le récit d'un professeur d'anthropologie américain qui découvrait la présence du *spouse-swapping*, l'échange de partenaires, qui curieusement devenait souvent, mine de rien, le *wife-*

swapping – l'échange d'épouses : un concept bien différent. Elle était si absorbée qu'elle sursauta quand elle entendit :

— J'ai terminé. Que veux-tu que nous fassions cet après-midi ?

— N'importe quoi, sauf regarder un film où on voit des poitrines et des fesses féminines. Je suis même prête à affronter *Jaws*.

— Je ne sais pas si tu aimerais, il y a plein de gens en maillot de bain dans ce film… En plus, il fait beau. Pourquoi ne pas rouler jusqu'à Baie-Saint-Paul et manger dans un petit restaurant qui donne sur la rivière du Gouffre ?

— Tu ne trouves pas ça loin ?

— Une heure pour y aller, quelques heures au restaurant, une autre heure pour revenir.

Suzanne devina que la conversation porterait sur le jour où ils auraient les moyens d'acheter un chalet là-bas. Il tenterait de faire miroiter un projet commun un peu plus orthodoxe que les rencontres coquines entre des couples de banlieue.

Chapitre 9

Pour un troisième lundi, Louis suggéra à sa femme de prendre l'auto pour se rendre à l'université le matin – il la reprendrait pour rentrer en fin de soirée. Tant de bonne volonté intriguait Suzanne, au point où, en actionnant le démarreur, elle se demanda si une maîtresse ne venait pas le rejoindre en matinée.

Pourtant, les deux semaines précédentes, elle avait eu bien des heures – de son arrivée à six heures, jusqu'à celle de son mari pendant les nouvelles de fin de soirée – pour trouver les preuves dans sa maison. Un cheveu ou même un poil qui ne serait pas de la même couleur que les siens, la trace d'un verre sur la table de chevet de son côté du lit, quelque chose qui n'était pas à sa place dans la salle de bains.

À la fin, elle en venait à s'en vouloir d'afficher une pareille méfiance. Après des mois de solitude, peut-être avait-il vraiment changé. D'un autre côté, difficile de donner le bon Dieu sans confession à quelqu'un qui, sans ciller, lui proposait de *swigner*.

Quand elle fut partie, Louis commença par regarder où sa femme en était rendue de sa lecture du livre de Bartell. Le signet se trouvait à la page cinquante-deux. Elle y avait consacré toute sa soirée la veille. Comme il l'avait prédit, au début, elle avait progressé à grand renfort de dictionnaire, pour ensuite s'en passer. Après tout, il ne fallait pas tellement longtemps pour maîtriser le vocabulaire de l'échangisme. Après sa petite enquête, il s'enferma dans la chambre lui servant de bureau afin de travailler un peu. Faire le chien savant en pérorant pendant trois heures sans consulter ses notes représentait tout de même un effort de mémoire.

Ensuite, après avoir dîné, Louis alla se planter à l'arrêt d'autobus. Au moment de descendre Place d'Youville, tout de suite, il repéra sa destination : un sexshop rue Saint-Jean. Il n'était pas un habitué de ce genre d'endroit, mais au cours de l'été, il y avait trouvé de quoi meubler sa solitude. Ou satisfaire sa curiosité.

L'employé derrière le petit comptoir le suivit des yeux de la porte jusqu'au présentoir des revues. Si à l'heure du dîner les clients se succédaient, au début de l'après-midi, les amateurs se faisaient rares, d'autant plus que la saison touristique était terminée.

À l'université, Louis s'affichait sans pudeur comme un séducteur de toutes jeunes femmes, mais il craignait qu'un collègue ne le surprenne à cet endroit. Il n'y avait que les perdants et les pervers qui fréquentaient un sexshop pour ensuite feuilleter une revue d'une main.

Tout de même, il s'attarda sur les titres et sur les couvertures. *Playboy* ou *Penthouse* étaient vendus partout, inutile de fréquenter un sexshop pour les trouver. Mais à cet endroit, des publications montraient des gens le faisant « pour vrai », des photographies prises en gros plan en témoignaient. Il s'attarda suffisamment longtemps pour que l'employé propose :

— Nous avons aussi des films, si vous avez un projecteur huit millimètres.

Ce que les connaisseurs appelaient des *stag movies*. Des années plus tôt, on les trouvait dans les bordels ou d'autres établissements louches mais discrets. Maintenant, n'importe qui pouvait les commander dans une revue américaine. Ce n'était pas légal d'expédier ça au Canada par le courrier, alors les douaniers, les policiers et même les employés des postes passaient pour avoir les meilleures collections.

— Non, ça ne m'intéresse pas. En réalité, je cherchais la revue *Kindred Spirits*.

Ce qui pouvait se traduire par *alter ego*, ou âmes sœurs. Mais dans un commerce de ce genre, ce titre désignait plutôt des personnes ayant les mêmes attirances sexuelles.

— Connais pas.

— C'est américain. La meilleure revue pour trouver des gens désireux de faire des échanges de partenaires.

Tout en parlant, Louis passait du statut de pervers ordinaire à celui d'un homme «libéré». Pourtant, le commis ne parut pas impressionné.

— Pas besoin de magazine spécialisé pour ça. Tenez, j'ai ici le *Petit Journal* de cette semaine. Il y a une page réservée par une agence de rencontres de Montréal, Panorama.

Tout en parlant, le jeune homme s'était plié en deux pour récupérer l'hebdomadaire sous son comptoir. Il avait visiblement l'habitude de consulter cette publication, car il trouva tout de suite la bonne page, puis il mit l'index sur une petite annonce. Louis prit le journal pour lire:

Âgé de 29 ans, je me cherche une compagne

Orsainville - Divorcé et maintenant libre, j'ai 29 ans, je mesure 6' et je pèse 170 lb. Je suis mince, de belle apparence, gentil, doux, compréhensif, sérieux et distingué. Mes cheveux sont noirs et courts, et mes yeux sont bruns. Je voudrais rencontrer une jeune femme de 20 à 33 ans, sérieuse, féminine, jolie et libre de tout préjugé. Que vous soyez célibataire, séparée ou divorcée, je veux vous rencontrer. Mon but : partager avec vous les joies de la vie, faire du sport, des voyages, organiser des soirées intimes, des échanges de partenaires et des sorties de groupe. S'il y a compatibilité, nous pourrons refaire notre vie à deux. Pas d'aventurières d'un soir, svp.

On pouvait donc *swigner* et mépriser les *one night stands*.

— J'ignorais que des annonces de ce genre se trouvaient là-dedans, commenta Louis.

— Tout le monde y trouve son compte. Les enfants pour les bandes dessinées, les madames pour les recettes, les monsieurs pour les articles sur les chars. Pis ça.

L'employé pointa quelques autres annonces. Une jeune femme à la recherche de couples pour une expérience à trois. Il y avait aussi un jeune homme voulant vivre la même expérience. À trois, cela pouvait être bien, du moment où il y avait un seul membre masculin.

— Ça ne fait tout de même pas beaucoup de propositions.

— Vous pensez que c'est si fréquent ? demanda le commis.

Il paraissait sceptique.

— Il n'y a rien de mieux ?

Dans certaines petites publications américaines, les couples joignaient la photo de l'épouse pour attirer les volontaires.

— Vous pouvez toujours écrire à l'agence qui publie dans ce journal et demander les coordonnées des cent cinquante personnes qui s'annoncent. Ça coûte vingt-cinq piasses. Moi, je peux vous fournir la liste la plus récente pour cinquante. Ça vous évite le trouble de la commander et d'attendre de la recevoir par la poste.

En fait, il offrait plus de discrétion en s'accordant une forte commission. Les facteurs pouvaient connaître l'entreprise, donc identifier les personnes ayant des idées de ce genre. Une information qu'ils pouvaient utiliser à mauvais escient. Un peu plus de trente cents par annonce, ce n'était pas si cher. Pourtant, il hésitait. Le commis comprit son dilemme.

— Dans le journal, ce sont peut-être des farceuses, des timides qui ne répondront jamais à votre lettre, des laiderons. Les listes sont plus *safe*. Pis vous avez pas à écrire au journal en mettant de l'argent dans l'enveloppe, pour attendre la réponse ensuite. Ça vient avec les adresses des personnes, et une fois sur deux, leur numéro de téléphone.

— Vous devriez vous recycler dans la vente de voitures.

— Je me dis ça aussi. Ça doit payer plus que le salaire minimum. Ma liste, c'est pas une dépense, mais un investissement dans les loisirs pour les prochaines années.

Louis se doutait en effet qu'il existait un effet boule de neige. Selon le livre de Bartell, une fois les premiers échangistes rencontrés, le bouche-à-oreille prenait le relais.

— D'accord. Quand je serai parti, verrouillez et commencez la tournée des commerces qui payent mieux qu'ici. Avec votre talent...

— Pour le conseil, je vous laisse mon numéro du *Petit Journal* en prime, fit le jeune homme avec un clin d'œil.

— Vous prenez Chargex ?

Par souci de discrétion, il aurait préféré payer comptant, mais il n'avait pas la somme sur lui. Bientôt, il quittait le sexshop avec quelques feuillets soigneusement pliés dans la poche de son veston, et le *Petit Journal* sous le bras.

Louis se sentait comme un enfant qui attend de déballer ses cadeaux de Noël à son retour de la messe de minuit. Cependant, l'idée que dans l'autobus quelqu'un lise par-dessus son épaule le retint. Ce ne fut qu'une fois dans son bureau qu'il examina ses achats. D'abord pour constater que le commis n'avait pas menti : pour vingt-cinq dollars, l'agence de rencontres promettait effectivement d'envoyer les coordonnées de cent cinquante personnes par la poste. Ces annonces devaient être un peu plus coquines, car elles ne se trouvaient pas dans l'hebdomadaire.

Finalement, à moins que les adresses et les numéros soient bidon, il avait fait une bonne affaire. La première page du document portait simplement les mots « Agence Panorama ». La seconde alignait des annonces sur deux colonnes. La publication était faite avec de bien petits moyens : des feuilles dactylographiées, photocopiées et agrafées ensemble. Certaines des annonces – la moitié, au premier coup d'œil – venaient certainement de prostituées. Dans ce cas, il y avait une photographie, prise avec un Polaroïd, qui montrait une poitrine plus ou moins ample. Évidemment, photocopier une photo ne donnait pas un très bon rendu, mais on voyait l'essentiel. Ce type d'annonce venait toujours avec une précision : « Pour hommes généreux ». Photo en moins, on trouvait également des annonces formulées de la même façon dans le *Petit Journal*.

Le professeur passa très vite sur ces propositions, qui n'étaient qu'une autre forme du racolage dans les rues pour fins de prostitution. L'idée de payer pour coucher avec quelqu'un lui semblait absurde. Tant de femmes le faisaient pour rien.

Les annonces relatives à l'échangisme – pour des *threesomes*, des *foursomes* – s'accompagnaient parfois de la photographie d'un couple ou alors seulement d'une femme. Dans ce cas, il n'y avait aucune nudité, mais des dames en maillot. En théorie, le client savait à quoi s'attendre. Dans les faits, la photo pouvait dater de plusieurs années ou représenter une personne non incluse dans l'échange.

L'effet fut immédiat sur Louis. C'est avec une solide érection qu'il parcourut ces pages. Apprendre qu'il existait un couple échangiste à Mont-Joli ne lui sembla d'abord d'aucune utilité. « D'un autre côté, ils ne doivent pas recevoir beaucoup de propositions. C'est sans doute une réponse affirmative assurée pour quiconque acceptera de se rendre jusque-là. » Car la dame ne lui parut pas du tout vilaine. Tout de même, il décida de consacrer d'abord son attention aux candidats habitant dans un rayon de moins de trente milles. Puis un mot parut s'illuminer au milieu de la quatrième page : Sillery. Non seulement ce couple se trouvait à distance de marche de l'université, mais pour autant que la photocopie d'une photo permettait d'en juger, l'homme et la femme paraissaient avoir moins de quarante ans. Ils étaient minces, et la femme était blonde, bien faite et assez grande.

> *Couple marié, instruit, éduqué, intéressé par les arts, les voyages, les bons vins et les bons restaurants, désire se lier d'amitié avec un couple compatible, ou avec une femme seule. Elle cinq pieds six pouces, cent vingt livres ; lui cinq pieds dix pouces. D'abord, nous pourrons nous rencontrer dans un endroit public afin de faire connaissance. Nous jugerons alors s'il convient d'aller plus loin.*

Suivaient des prénoms, Normand et Madeleine, et un numéro de téléphone.

— C'est peut-être un canular, murmura le professeur.

Au lieu de se construire un château en Espagne, Louis voulut en avoir le cœur net. Avec une certaine nervosité, il prit le téléphone et composa les sept chiffres très vite, comme pour s'empêcher de changer d'idée. Il entendit la sonnerie résonner.

— Allô ? fit une voix.

— Je parle bien à Madeleine ?

— Oui.

— J'ai vu votre prénom dans une publication de l'Agence Panorama.

Il y eut un silence si long qu'il s'attendit à ce que cette femme mette fin à la conversation. Pourtant, elle finit par dire :

— Mon mari s'occupe de ça, mais présentement, il est absent.

— Pouvez-vous me dire quand il sera là ?

— En soirée. N'importe quel soir cette semaine, mais à partir de huit heures.

— Ce soir, je travaille, mais demain, ou plus probablement mercredi, je téléphonerai de nouveau.

— Vous travaillez le soir ?

— Le lundi soir seulement.

— Qu'est-ce que vous faites dans la vie ?

Louis eut la forte impression que cette dame voulait déjà s'assurer de sa « compatibilité ». Les habitants de Sillery ne frayaient peut-être pas avec des ouvriers affectés au *shift* du soir.

— Je suis professeur à l'Université Laval.

— Oh ! Je vois. Rappelez, Normand sera heureux de vous parler.

Louis comprit avoir passé la première étape du processus de sélection. Son interlocutrice raccrocha après un souhait de « Bonne journée ». Il lui sembla qu'elle susurrait, mais cela tenait sans doute à son imagination.

Monique avait longtemps profité de l'amabilité de Diane pour se rendre à l'université. Maintenant, les jours où toutes les deux avaient cours en même temps, elle faisait le trajet de Charlesbourg jusqu'aux Jardins Mérici, pour ensuite monter dans la Mustang. Parfois, elles prenaient un repas ensemble avant de partir.

Le lundi 22 septembre, c'est à table en mangeant son éternel riz frit accompagné d'une boîte de thon que Diane rapporta sa dernière conversation avec son époux:

— Tu avais raison à propos de Robert. Mine de rien, samedi dernier, il a évoqué le fait que je vieillissais, que le temps pressait de fonder une famille.

— Tous les hommes font ça. Ils ne se gênent pas pour reprendre les discours des religieuses qui dirigeaient les écoles ménagères, des curés et de tous les prêcheurs improvisés: les femmes sans enfants ne sont pas de vraies femmes, mais des monstres qui refusent de suivre leur nature.

— Nous sommes noyées dans les écrits des hommes désireux de nous enseigner notre vraie nature, reconnut Diane. Des curés jusqu'aux psychanalystes.

Les premiers définissaient la normalité en fonction d'une interprétation des textes religieux, les seconds en regard de théories souvent fumeuses.

— Que vas-tu faire?

Diane mit un moment avant de répondre.

— Il ne m'a pas ordonné d'arrêter la pilule. Je pense que s'il avait la gentillesse de partir pour un congrès pendant une semaine, je saisirais l'occasion pour me faire faire une ligature des trompes.

Beaucoup de médecins se questionnaient sur les effets à long terme de l'utilisation de la pilule, des histoires circulaient sur l'inefficacité du stérilet, les mousses spermicides étaient censées donner un goût affreux, ce qui décourageait certaines caresses, et les hommes craignaient que la vasectomie ne ruine leur virilité. Chez les femmes, une solution aussi définitive qu'une ligature connaissait une popularité croissante. Cela permettait de passer outre aux longues discussions avec le partenaire.

Après une pause, Diane concéda :

— Évidemment, puisque Robert est médecin, il y a un risque qu'il l'apprenne. Comme dans tous les milieux, les commérages sont nombreux dans le sien.

Un développement qui serait du plus mauvais effet sur la relation au sein du couple. Faire en sorte de ne pouvoir avoir des enfants, pour ensuite laisser croire à Robert que « la nature ne le voulait pas », serait une trahison pire que le cocufier.

— Le secret professionnel…

— Penses-tu que ça pèse plus lourd que la complicité entre gars ?

— J'ai lu dans *Le Soleil* qu'une femme venait d'ouvrir un cabinet dans la Haute-Ville.

Le risque d'une indiscrétion serait certainement moins grand, dans ce cas. À moins que la solidarité entre médecins prenne le pas sur celle entre femmes. Après tout, celles-ci étaient formées par des hommes, pour travailler ensuite dans des milieux d'hommes.

— Bon, finit par dire la brune en se levant pour aller placer son assiette et son couvert dans le lave-vaisselle, il ne faut pas faire attendre notre bel adolescent.

Car à sept heures, elles avaient un cours avec Louis Gervais.

La photo de très mauvaise qualité avait permis à Louis de trouver cette femme plutôt désirable. La belle voix lui avait fait croire à une jolie personne. Une heure après avoir raccroché, son imagination gambadait encore, et il demeurait excité. Comme un adolescent qui rêvait à son premier amour.

Puis la raison reprit le dessus. Procéder à un échange de partenaires avec des gens habitant tout au plus à trente minutes à pied de son lieu de travail comportait certains risques. D'abord, l'homme pouvait être un collègue. Ils étaient plusieurs centaines de professeurs à travailler sur le campus et nombre d'entre eux vivaient à Sillery.

Ensuite, si l'expérience tournait mal, Suzanne et lui risquaient de les croiser au centre commercial, en faisant l'épicerie, en allant au cinéma ou au restaurant. Et se faire identifier comme *swigneur* pouvait avoir des conséquences sur sa carrière.

Cela dit, depuis le bill omnibus, ce qui se passait dans une pièce fermée entre adultes consentants ne pouvait plus engendrer d'accusations criminelles. D'un autre côté, si cela se savait, quelques grenouilles de bénitier clameraient qu'un professeur devait donner l'exemple par son comportement privé. D'ailleurs, un enseignant du primaire ou du secondaire pouvait toujours perdre son emploi si son attitude écorchait la morale dominante. Mais à l'université, on n'enseignait pas à des enfants, ce genre de situation ne se produisait plus.

À la fin, Louis avait réussi à se rassurer : croiser ces gens pouvait être embarrassant, mais pas représenter une menace pour sa vie professionnelle. À cet égard, son aventure avec Jacinthe s'avérait sans doute plus risquée.

À sept heures moins le quart, Louis récupéra son porte-documents pour aller donner son séminaire. Au moment de s'engager dans l'aile B, il eut une pensée pour les beaux yeux de Brigitte.

Quand Monique et Diane entrèrent dans le local, Jacques et Jean-Philippe occupaient déjà leur siège habituel.

— Alors les garçons, qu'avez-vous fait en fin de semaine ? demanda Diane.

— Nous nous sommes familiarisés avec des mœurs qui ne sont pas celles de nos campagnes, commença Jean-Philippe.

— C'est un peu vague, dit la brune.

Louis tendit l'oreille. Les deux étudiants feraient-ils allusion à sa présence au Cinéma Cartier ? Puis il se trouva ridicule : un professeur allait voir une comédie de mœurs, un film où on ne voyait pas même la pointe d'un sein. Qui pourrait penser qu'il n'y allait pas pour rire un bon coup, mais plutôt pour convaincre sa femme de participer à sa prochaine aventure ?

— Nous sommes allés voir un film sur l'échangisme, précisa Jacques.

— Celui avec Nathalie Wood ? demanda Monique.

Il acquiesça de la tête.

— Il paraît qu'elle a fait une fortune avec ce film, avança Monique. Au lieu d'accepter un cachet, elle a pris un pourcentage des recettes.

— Je ne connaissais pas vraiment les autres comédiens, sauf un peu Elliot Gould, à cause de sa pilosité, dit Jacques.

« Tiens, lui aussi a remarqué », songea Louis.

— Les deux autres ont tout de même tourné beaucoup de films, dit Diane.

— Alors il faut croire que les brunes et les poilus me laissent un souvenir plus durable que les blondes et les glabres.

Jacques avait dit ça avec un sourire, Diane étant aussi brune qu'on pouvait l'être.

— Enfin, quelqu'un qui a du goût !

Et peut-être pour qu'il ne se fasse aucune idée, elle ajouta :

— Mon mari aussi a un côté ours noir.

Ce fut ce moment que Louis choisit pour dire :

— Maintenant, nous pouvons commencer. Cette semaine, je veux vous parler du développement des moyens de production de l'industrie américaine pendant la Seconde Guerre.

« Tiens, tiens, songea Jacques, le petit bout marxisant obligé. » Le marxisme était dans l'air du temps, comme le patrimoine, le nationalisme et le mariage *open*. À neuf heures trente, Louis Gervais avait à peu près épuisé le contenu prévu à son cours. Peut-être avait-il parlé plus vite que d'habitude.

— Bon, ce soir, nous terminerons plus tôt. Alors ne m'en voulez pas si bientôt, je vous mets en retard.

Si cela se produisait, ils lui en voudraient sans doute un peu. Sauf Brigitte, évidemment. Celle-ci attendit que le local soit à peu près vide avant de dire :

— Louis, si je peux prendre une petite minute de ton temps...

— Non, pas ce soir, je dois rentrer.

Elle posa sur lui ses grands yeux où se lisait la déception.

— Mais voilà ce que je te propose. Si tu es sur le campus mercredi, nous pourrions aller manger à la cafétéria. Tiens, je t'inviterai.

— Oui, je serai à l'école ce jour-là.

À l'école, comme une enfant. Il l'imagina avec l'accoutrement des élèves des ursulines. En réalité, Brigitte n'avait aucun cours le mercredi. Elle viendrait juste pour cette rencontre.

— Dans ce cas, le mieux serait de se retrouver vers onze heures quarante-cinq, au pied de l'escalier, au Pollack.

Elle hocha la tête, visiblement émue.

— Alors, bonne fin de soirée.

Il se dirigeait déjà vers la porte quand elle répondit :

— Bonne nuit, Louis.

Le ton lui tira un sourire.

Mais impossible de s'attarder. Ce soir-là, le professeur entendait avoir une conversation sérieuse avec sa femme à propos d'un couple de Sillery.

Chapitre 10

Quand Louis Gervais entra dans sa maison de Sainte-Foy, il entendit une voix venue du salon :

— Tu rentres tôt.

— Pas tant que ça.

— Le *Téléjournal* n'est pas encore commencé.

Il n'osa pas dire : « Je suis tellement excité à l'idée de te parler de notre prochaine aventure ! » À la place, ce fut :

— Veux-tu que je t'apporte quelque chose à boire ?

— Non, merci.

Pour lui, ce serait une bière. Lorsqu'il prit place dans son fauteuil, le bulletin de nouvelles commençait, justement. Aussi, il retarda un peu le moment de « la » conversation. De toute façon, il cherchait encore la bonne façon de lui présenter la chose.

Quand un commentateur commença à parler des Nordiques de Québec, il se leva pour baisser le son de l'appareil avant de demander :

— As-tu déjà lu le *Petit Journal* ?

— Quelques fois. Très rarement, en fait.

— Attends-moi un instant.

Il alla rapidement dans son bureau pour prendre l'hebdomadaire dans son porte-documents.

— Spontanément, on pense que les histoires d'échanges entre couples sont des inventions de journalistes ou de producteurs de films désireux d'attirer les spectateurs, mais quelqu'un au bureau m'a fait remarquer ceci.

En prenant un crayon dans sa poche, il encercla quelques annonces de l'Agence Panorama, avant de déchirer la feuille et la lui tendre.

Je suis jeune et jolie, et je veux vous rencontrer
Montréal – Je suis une jeune fille de 24 ans, jolie et très affectueuse. Je mesure 5'5" et je pèse 110 lb. J'aimerais rencontrer occasionnellement des couples, des hommes ou des femmes qui voudraient devenir mes amis et m'aider financièrement. J'ai hâte de vous rencontrer. Je laisse mon numéro de téléphone à votre disposition.

Après avoir lu cette annonce à haute voix, Suzanne le regarda et dit :

— C'est de la prostitution.

— C'est un jugement sévère. Toutes les filles qui acceptent de sortir avec un garçon s'attendent à ce que ce soit lui qui paye. Tiens, dans mon cours j'ai deux femmes de trente ans environ. Elles n'ont pas d'enfant, et elles perdent leur temps à l'université aux frais de leur mari. D'autres dans leur situation courent les magasins.

Donc, à ses yeux, toutes les femmes finissaient par monnayer leurs charmes. Suzanne enregistra que pour Louis, une épouse devait gagner sa vie ou enfanter. Il ne serait pas du genre à vouloir la garder à la maison à ne rien faire.

— Ce n'est pas la même chose.

— Pourquoi ? Cette fille veut peut-être simplement se faire payer des études, et elle n'a pas de mari pour le faire.

Un peu plus bas dans la colonne, elle vit une seconde annonce un peu différente.

Je cherche un couple âgé de 35 ans ou moins
Montréal – Âgée de 23 ans, je mesure 5'7" et je pèse 135 lb. Je voudrais devenir l'amie d'un jeune couple libéré et large d'esprit. Les femmes et les hommes seuls sont aussi invités à me téléphoner.

Cette fois, aucune allusion à la générosité.

— C'est toujours une femme qui cherche un couple ? Je ne suis pas lesbienne.

— Parfois, c'est un homme qui cherche un couple, et je ne suis pas homo. Je t'ai parlé de *spouse-swapping*. Regarde celle du gars d'Orsainville, et s'il te plaît, ne me parle pas du zoo.

Le livre de Bartell se trouvait sur une table basse, le signet maintenant à peu près à la moitié. Elle maîtrisait certainement tout le vocabulaire anglais relatif aux échanges de couples, maintenant.

Cette fois, Suzanne se livra à une lecture silencieuse.

— On dirait un gars qui se cherche une femme juste pour faire de l'échangisme, dit-elle. Il est question de personnes comme ça, dans le livre. Mais spontanément, je trouve que ça ressemble à un canular.

Louis esquissa un sourire. Elle ne disait pas : « Non, jamais je ne ferais ça. » Il jugea donc que ce n'était pas perdu d'avance. Il chercha la petite liasse de feuillets maintenant passablement fripés dans la poche intérieure de sa veste. À nouveau, il chercha la bonne page, encercla une annonce et lui tendit le document.

Suzanne examina d'abord la mauvaise reproduction de la photographie, et dut ensuite admettre qu'elle trouvait une certaine classe à ces gens. Ils lui rappelaient Bob et Carole, dans le film. Puis elle lut :

— Sillery. Couple marié, instruit, éduqué, intéressé par les arts, les voyages, les bons vins...

Sa lecture à haute voix se prolongea jusqu'aux prénoms assez communs pour être plausibles : Normand et Madeleine. Des gens de Sillery. Tout le monde n'était pas riche dans cette petite ville, mais ceux-là mentionnaient des loisirs compatibles avec un certain train de vie.

— Je continue de croire que ça tient d'une mauvaise blague.

Louis expliqua où il avait trouvé ce document, sans préciser l'importance de la commission empochée par le commis. Il ajouta toutefois :

— Moi aussi, je me méfie de ce genre de publicité. Alors pour être certain, j'ai téléphoné. Madeleine m'a répondu.

Cette fois, Suzanne eut l'impression que la tête lui tournait.

— Comme ça, sans m'en parler… dit-elle d'une voix blanche.

— Nous en avons parlé hier. Je n'ai pas voulu te faire perdre du temps, j'ai tenu à m'assurer que c'était sérieux.

— Tu as tout organisé. Alors, la partie de jambes en l'air, c'est pour quand ?

Le ton cassant rappelait un peu celui qu'elle adoptait dans le bureau du psychologue, au moment de lui rappeler ses trahisons.

— Tu as lu dans le livre comment ça se déroule, ce couple reprend le même scénario : pour la première rencontre, ce sera en terrain neutre. Ensuite, nous décidons de poursuivre ou pas. Tu n'as pas de raison de t'inquiéter encore, ils nous trouveront peut-être totalement sans intérêt.

« Parce que je suis moche, comparée à elle », songea tout de suite Suzanne. Ou parce qu'elle n'était qu'une petite secrétaire. Ils se présentaient comme un couple éduqué, mais sa formation en secrétariat, acquise au Cégep de Sainte-Foy, n'en faisait pas une personne instruite.

— Qu'avez-vous manigancé ?

— Une seule chose : téléphoner à Normand mercredi prochain, à huit heures.

Devant les sourcils froncés de sa femme, il dut reprendre les précisions de Madeleine quant au moment de contacter son époux.

— J'ai pensé que tu pourrais écouter avec le second appareil, suggéra-t-il. Si ça ne clique pas, on arrêtera ça là.

« Et nous tenterons notre chance avec les gens de Mont-Joli », songea-t-il. Dans son livre, Bartell évoquait des échangistes qui parcouraient six cents milles juste pour une conversation dans un bar.

— Et si ça clique ?

— Nous nous rencontrerons dans un lieu public. Je te demande d'accepter de poursuivre l'expérience jusque-là. Si tu ne veux pas aller plus loin avec eux, je respecterai ton choix. Et dans ce cas, tu décideras si nous essayons avec un autre couple.

Pour une fois, elle aurait un droit de veto. Louis voyait déjà son petit rendez-vous avec Brigitte comme un plan B intéressant.

À la fin, elle acquiesça sans grand enthousiasme.

Quand tous les deux se retrouvèrent au lit, Suzanne repoussa les efforts de rapprochement de son mari avec fermeté : « Non, pas ce soir. » La pensée que ce projet pourrait se réaliser le maintenait dans le même état d'excitation depuis l'après-midi, le devoir conjugal lui aurait permis de le soulager. Il eut quand même la délicatesse de ne pas insister.

Une heure plus tard, la jeune femme gardait les yeux bien ouverts. Le livre de cet anthropologue, après la lecture de celui du couple O'Neil, la laissait perplexe. Se pouvait-il que ces gens aient raison : faire « ça », sans se cacher, serait moins susceptible de briser un ménage que les histoires clandestines ? Et Bartell ajoutait : sans se cacher, et ensemble. Enfin, tout de même de façon discrète ; l'échangisme pouvait faire scandale. Elle n'osait pas penser à la réaction de son entourage s'il le savait.

À sa grande surprise, Suzanne constatait non seulement qu'elle souhaitait rencontrer ce couple, mais qu'elle voulait passer ce premier examen : être jugée désirable par cet homme instruit et cultivé. Louis avait montré un brin de jalousie pendant le party au département d'histoire, à propos d'une conversation totalement innocente. Si ce Normand daignait la trouver désirable, cela suffirait-il à ramener son mari volage ?

Son rôle de femme trompée ne l'avait pas vraiment surprise. Ces choses-là arrivaient sans cesse. Peut-être aurait-elle enduré et gardé le silence si Louis s'était contenté d'une simple aventure. Mais cette histoire s'était étalée sur des semaines avec une accumulation de mensonges.

Et si c'était elle qui trouvait cet étranger attirant ? Ce genre de retournement de situation la maintint réveillée.

Mercredi, Louis arriva un peu en retard au pied de l'escalier menant à la cafétéria. En entrant dans le pavillon Pollack, il prit plaisir à voir la mine déçue de Brigitte. « M'a-t-il oubliée ? », se demandait-elle sans doute. Fin septembre, elle portait un pantalon bleu de tissu synthétique – polyester et viscose, sans doute –, une veste assortie et une chemisette blanche. Jolie. Une aventure avec elle serait sans doute moins complexe que s'engager dans le *wife swapping*. Mais moins excitant, peut-être.

Quand elle le vit enfin, son sourire trahit son soulagement.

— Je m'excuse, je suis un peu en retard, dit-il en s'approchant.

— Non, non, pas vraiment.

« Une femme prend-elle l'initiative de tendre la main, dans des circonstances semblables ? », se demanda-t-elle. Les règles de la bienséance apprises à l'école lui paraissaient bien dépassées, maintenant. Elles ne disaient rien sur l'attitude à adopter quand on acceptait un rendez-vous avec un professeur marié.

Il mit bientôt fin à son dilemme :

— Pour me faire pardonner, je t'emmène au Cercle.

— Le Cercle ?

— Un restaurant pour les profs et leurs invités. Viens.

Il prit son bras juste au-dessus du coude afin de la conduire vers un autre escalier. L'endroit paraissait toujours aussi austère : c'était une grande salle éclairée par des néons. Un serveur les conduisit jusqu'à une table. Pendant un moment, ils regardèrent le menu.

— Je ne sais pas trop quoi choisir.

Quand il disait « Je t'invite », voulait-il vraiment dire « Je paierai » ? Alors dans ce cas, mieux valait le laisser commander. C'était un peu comme pour tendre la main : les règles devenaient floues.

— Moi, je vais prendre du poisson. D'habitude, c'est un bon choix, ici.

— Alors je vais prendre la même chose.

— Avec du vin blanc ?

Brigitte acquiesça d'un geste de la tête. Louis s'amusait à reprendre exactement la même conversation, en passant d'une fille à l'autre.

— C'est vraiment la cafétéria des professeurs ?

— Comme ils font le service aux tables, les exploitants appellent ça un restaurant. Mais avec ce décor, on dirait une cafétéria.

— J'en vois quelques-uns.

Sa tête paraissait posée sur un pivot tellement elle tentait de repérer des visages familiers.

— J'ai un cours avec celui-là le vendredi matin, dit-elle en regardant en direction de Pierre Aubut.

Lui aussi avait décidé d'inviter un étudiant, Jacques Charon.

— Et de ce côté-là, c'est un de mes patrons, dit Louis. Le vice-doyen de la faculté des lettres et des sciences humaines : Marc Samson.

— Quelqu'un d'important ?

— Assez pour que j'aille le saluer. Tu m'attends un instant ?

Brigitte n'avait pas vraiment le choix. Évidemment, Louis aurait très bien pu rester assis à sa place : aucun vice-doyen n'avait une importance suffisante pour nécessiter des ronds de jambe. Toutefois, la jeune femme avec lui méritait d'être vue de plus près.

— Samson, dit-il en approchant la main tendue, comment vas-tu ?

Dans le regard de son collègue, il lut : « Fous le camp ! » Ainsi, ce vice-doyen n'était pas en train de conseiller une étudiante sur son choix de cours. Une très belle jeune femme, d'ailleurs. Il regretta de ne pas l'avoir dans sa classe.

— Ça va, dit-il en se levant pour lui serrer la main. Toi, tu fais connaissance avec tes étudiants de cette session…

Le sous-entendu n'échappa pas à Louis.

— La base de ma pédagogie : maintenir des relations harmonieuses avec ma clientèle.

D'une façon pas du tout discrète, le professeur regardait en biais la toute jeune brunette qui tenait compagnie à son supérieur. Celui-ci n'allait toutefois pas la lui présenter.

— Bon, alors je te souhaite un excellent appétit. Et à vous aussi, mademoiselle.

Louis inclina la tête pour la saluer, puis retourna à sa table. Un serveur avait déjà déposé un seau contenant de la glace et une bouteille de vin. Brigitte portait justement le verre à ses lèvres. Elle réagit comme une élève prise en défaut:

— Il m'a demandé de goûter, même si je lui ai dit que je n'y connaissais rien.

Et pour se donner un peu de contenance, elle en avait vidé plus de la moitié.

— Il est bon?

— Euh... Je crois.

Ses joues prenaient une jolie teinte rose. Louis prit son verre à son tour.

— Tu as raison.

Il remplit le verre de la jeune fille. Elle quitterait sans doute les lieux un peu pompette. Un serveur apporta les assiettes, la conversation porta un moment sur le poisson. Brigitte avait vidé un second verre quand Louis demanda, en le remplissant à nouveau:

— Alors, quelque chose t'échappe encore dans le contenu du cours?

L'ironie un peu lourde fit passer ses joues au cramoisi. Pendant un instant, elle bafouilla des questions sur le contenu de l'exposé du lundi précédent. Louis fit un effort pour lui répondre, puis à la fin, il renonça:

— Brigitte, je te soupçonne de prendre prétexte de ces questions sur le cours pour être avec moi.

La jeune fille déposa sa fourchette. Un instant, il craignit que son malaise n'entraîne une fuite précipitée. Il continua:

— Et moi je te réponds parce que j'apprécie ta compagnie. Alors si tu veux, nous allons oublier l'augmentation de la consommation de masse aux États-Unis dans les années cinquante et parler d'autre chose.

D'un mouvement de la tête, elle accepta. Et pour se donner du courage, elle prit encore un peu de vin.

En se présentant à la porte du Cercle, Jacques s'était arrêté un moment pour examiner les lieux. Dans les films, les cercles universitaires se trouvaient d'habitude dans de vieilles bâtisses au revêtement de pierre parfois agrémenté de lierre, avec des fenêtres quadrillées de plomb, et de nombreux petits coins dans la salle à manger pour favoriser les têtes à têtes.

Celui-là était éclairé comme une salle de chirurgie.

Cela lui convenait très bien, il n'avait aucune envie d'une conversation romantique avec Pierre Aubut. Avec sa tignasse et sa barbe, son pantalon de velours côtelé brun et sa chemise à carreaux, impossible de le manquer.

Le professeur l'aperçut, il lui adressa un geste de la main.

— Tu n'as pas eu de mal à trouver, j'espère.

— Comme je soupe dans la cafétéria voisine tous les soirs, si je me perdais, ce serait inquiétant.

Sans doute parce qu'ils ne voulaient pas perdre leur après-midi à cause des traînards, les serveurs se manifestaient toujours très vite. Tous les deux prendraient une bière avec du bœuf. Déjà, Jacques avait repéré Louis Gervais en compagnie de Brigitte. Diane et Monique avaient eu raison en signalant que le charme du professeur adolescent opérait sur certaines étudiantes.

— Es-tu prêt à regarder ça en mangeant ? demanda Aubut en sortant un texte de son porte-documents.

Jacques reconnut le fruit de son travail de l'été précédent.

— Allons-y.

Tout de suite, l'étudiant vit des annotations sur chacune des pages. Voilà trois semaines que Pierre avait hérité du projet de recherche de Louis Gervais. Il avait eu le temps de passer tout son travail au crible.

— Pour commencer, qui était ce Verreau ?

— Le directeur du Collège de Sainte-Thérèse. Ensuite, il a dirigé l'École normale catholique de Montréal.

Le professeur prit la réponse en note. Jacques se félicita : son excellente mémoire lui permettait de donner une impression de compétence. Pendant tout le repas, du coin de l'œil, il observa les deux étudiantes présentes dans la salle. Si des professeurs s'amusaient à chercher leur plaisir parmi la clientèle, ils prenaient également le risque de le faire sous les yeux de nombreux spectateurs. Ou peut-être aimaient-ils s'afficher avec leurs conquêtes. Tout de suite, il songea aux hommes qui paradaient avec un chevreuil ou un orignal attaché sur le capot de leur voiture à Manseau.

Pendant une quarantaine de minutes, Louis s'amusa à faire perdre pied à Brigitte, alternant les compliments comme « Tu as de si beaux yeux » et des questions un peu intrusives sur sa vie privée : « D'où viens-tu ? As-tu eu de nombreux amoureux ? En ce moment, tu ne vois personne ? Comment est-ce possible pour une aussi jolie fille ? »

Elle répondait par des sourires, des rires un peu embarrassés, les yeux baissés et les joues rougissantes, le tout entrecoupé de petites gorgées de vin. L'alcool dissipait ses inhibitions, aussi bientôt elle demanda :

— Es-tu marié ?

— Ça fera bientôt cinq ans.

La déception se lut sur le visage de la jeune femme. Évidemment, il ne portait pas son alliance. « Pour ne pas la perdre », avait-il expliqué à Suzanne.

— Nous formons ce qu'on appelle un couple ouvert. Tu sais ce que ça veut dire ?

Brigitte n'en était pas certaine. Elle risqua :

— Vous pratiquez l'amour libre ?

— L'amour est toujours libre, sinon ce n'est pas de l'amour. Nous essayons de ne pas confondre le sentiment de propriété et l'engagement véritable. Tu comprends ?

Elle battit des cils et hocha la tête. Louis aurait aimé lire dans ses pensées, voir comment elle se représentait ce genre d'existence. Cela devait être un collage des films, des articles de magazine consacrés aux vedettes et des reportages sensationnalistes à la télévision. L'existence des gens libérés de toute la répression moralisatrice de la génération précédente devait la fasciner.

— Bon, je pense que tu as répondu à toutes mes questions, conclut Pierre Aubut.

Il avait commandé une seconde bière mais Jacques avait préféré s'abstenir : mieux valait garder la tête froide. Après avoir remis les documents dans son sac, le professeur demanda :

— Tu as aimé faire ça ?

— Beaucoup. Ça nous permet de connaître plus intimement des gens qui, autrement, demeureraient seulement des noms alignés dans des livres d'histoire. Dans sa correspondance, Chauveau aborde tous les aspects de sa vie. Je n'ai pas reproduit l'ensemble de ses lettres. La plupart parlent de sa femme, de ses enfants et de ses problèmes d'argent.

— Je comprends.

Tout en parlant, du coin de l'œil, Jacques voyait Sylvie-Nicole, la si charmante étudiante en archéologie, parler avec enthousiasme à un homme qui pouvait avoir quarante ans. Elle s'exprimait de façon animée, mais aussi écoutait attentivement, assise sur le bout de sa chaise comme pour s'approcher de son interlocuteur et boire ses paroles.

— D'ailleurs, j'aimerais bien obtenir un emploi du même type, l'été prochain. Avec vous, si possible.

Chercher du travail demeurait difficile pour lui. Il se faisait l'impression de demander la charité.

— C'est dans plusieurs mois…

Très précisément il restait sept mois avant la fin de la session d'hiver.

— Plus tôt je serai fixé, mieux ce sera.

— Tu sais comment ça marche pour les professeurs ? Actuellement, nous sommes tous en train de préparer des demandes de subvention. L'argent reçu sert essentiellement à payer des salaires. Le tiers de ces démarches auront du succès. Si c'est mon cas, je penserai à toi.

Aubut ne pouvait pas s'engager plus avant, aussi Jacques devrait faire part de sa disponibilité à ceux, parmi les professeurs, qui avaient la meilleure opinion de lui. Encore au premier cycle, il avait l'avantage de coûter moins cher. Toutefois, ces postes d'assistant devaient servir à financer les études des étudiants de second et troisième cycle. Ils seraient les premiers candidats choisis.

— Dans ce cas, je ferai brûler quelques lampions pour votre succès.

Louis avait utilisé sa carte Chargex pour régler l'addition, comme si semer des preuves de ses infidélités ajoutait à son excitation. Pour descendre l'escalier, il passa son bras autour de la taille de l'étudiante. Si quelqu'un lui reprochait cette audace, il pourrait toujours plaider que Brigitte risquait de perdre pied au moment de descendre l'escalier. Visiblement, elle n'avait pas l'habitude du vin.

Le professeur appréciait la finesse de la taille sous sa main. Un instant, il imagina qu'elle faisait partie des jeunes femmes qui plaçaient une annonce dans le journal afin de trouver un couple dans le but de partager des moments de plaisir. L'idée de passer la nuit avec cette étudiante et Suzanne l'excitait au plus haut point. Il les imaginait enlacées, dans toutes les positions de l'amour saphique. Pourrait-il convaincre sa femme de se livrer à cette activité juste pour satisfaire son envie de jouer au voyeur ?

En bas de l'escalier, il lui dit :

— Je vais te laisser ici.

Même si Brigitte désirait se rendre à la bibliothèque, située tout près du De Koninck, mieux valait ne pas se déplacer avec une jeune étudiante pas tout à fait à jeun.

— Mais nous pourrions répéter l'expérience, si tu en as envie.

— Oui, ce serait avec plaisir.

— Alors à lundi.

Elle rejetait la tête vers l'arrière, prête à donner ses lèvres. Cependant, même s'il aimait jouer avec le feu, les gens étaient trop nombreux à aller et venir à cet endroit. Il se contenta de lui caresser la main furtivement. Quand il s'éloigna, la jeune femme ne put dissimuler tout à fait sa frustration. Il ne lui avait même pas demandé son numéro de téléphone.

Jacques Charon n'eut pas besoin du bras du professeur Aubut pour descendre l'escalier. Quand ils furent au rez-de-chaussée, ils se serrèrent la main, puis se quittèrent. Plutôt que de rentrer tout de suite à sa chambre, l'étudiant se dirigea vers les toilettes les plus proches.

Quand il en sortit, il vit Sylvie-Nicole au pied de l'escalier. Elle tenait son compagnon par le bras tout en se plaçant contre lui. Sylvain avait évoqué une histoire entre elle et un vice-doyen. Ça devait être lui.

Chapitre 11

Quand Suzanne vint le rejoindre au rez-de-chaussée du De Koninck, pendant un moment, Louis l'imagina au lit avec Brigitte. Une image si claire que durant tout le trajet vers la Renault 12, il tint son porte-documents devant lui afin de dissimuler son érection.

Sa femme ne remarqua rien tellement elle avait la tête ailleurs. En s'asseyant côté passager, elle dit :

— Je ne suis pas arrivée à penser à autre chose, aujourd'hui. Je risque de me retrouver au chômage, si ça continue comme ça.

L'homme craignit de la voir tout remettre en question.

— Ton patron t'a fait une remarque ?

— Mon patron se contente de dire : “Quelque chose ne va pas, madame Gervais ?”

— Ce gars-là est trop gentil pour ne pas avoir une idée derrière la tête.

Pourtant, jamais elle n'avait rien senti d'équivoque dans leurs rapports. Après avoir parcouru la moitié du chemin vers la maison, il demanda :

— Pour ce soir, es-tu toujours partante ? Je veux dire pour le coup de téléphone…

— Tout ce que tu fais, c'est de téléphoner, non ? répondit-elle. Ça ne nous engage à rien.

Donc, elle tenait à poursuivre encore un peu cette aventure. Arrivés à la maison, ni l'un ni l'autre ne se sentaient en appétit.

— Nous pourrions commander quelque chose après, suggéra-t-elle.

Il se déclara d'accord.

Suzanne prit un verre de vin et s'installa dans le salon devant la télé sans pouvoir vraiment s'intéresser aux informations. Aucun des deux n'avait envie d'échanger des banalités, ni d'aborder le sujet de leur préoccupation.

Un peu avant huit heures, Louis expliqua :

— Décroche le téléphone ici, et mets ton doigt sur la fourche. Tu le lèveras très lentement quand tu m'entendras parler et tu poseras ta main sur le micro. Moi, je vais dans mon bureau.

Assis devant sa table de travail, Louis surveilla les aiguilles de sa montre. Exactement à huit heures, il décrocha le téléphone et composa le numéro du couple de Sillery. Quand il entendit « Allô », il commença :

— Je parle à Normand ?

À ce moment, il perçut un bruit sur la ligne. Suzanne venait de se joindre à eux.

— Oui, c'est moi.

— Louis à l'appareil. J'ai parlé à votre femme lundi dernier. Nous avons lu votre annonce dans la publication de l'Agence Panorama. Pour nous, c'est la première fois, précisa-t-il.

— C'est ce que j'ai compris. Et ça s'entend à votre ton.

— Je suppose que la seconde fois, les gens montrent plus d'assurance.

L'autre eut un rire très bref.

— Ça dépend de la profondeur de leur sentiment de culpabilité. Pour certains, c'est insurmontable, ils prennent la fuite dès le premier rendez-vous.

« Comme le fera sans doute Suzanne », songea Louis.

— Pour ce rendez-vous, ça fonctionne de quelle façon ?

— Où habitez-vous ?

— À Sainte-Foy. J'y travaille aussi.

— Madeleine m'a dit ça. Vous connaissez certainement l'Auberge des Gouverneurs, boulevard Laurier. Nous pourrions y souper dimanche prochain. Chacun paye son addition.

— Nous y serons.

Lorsqu'il accepta la rencontre, Louis craignit d'entendre sa femme protester à l'autre bout du fil. Cela allait plus rapidement qu'il ne l'avait imaginé. Pourtant, elle demeura silencieuse.

— Comment pourrons-nous vous reconnaître ?

— Vous avez notre photo, non ?

Même s'il s'agissait d'une photocopie de mauvaise qualité, Normand considérait qu'un beau couple comme le sien était reconnaissable entre mille.

— À quelle heure ?

— Six heures trente ?

À ce moment, la tête de Louis tourna tout de même un peu.

— D'accord.

— Je veux être certain que nous nous comprenons bien. Vous pourrez vous retirer n'importe quand, si ça ne vous convient pas.

— C'est ce que j'avais compris.

— C'est tout aussi vrai pour nous. Après ce souper, nous pouvons décider de ne pas aller plus loin.

— Bien sûr.

Après ça, les « Au revoir » s'avérèrent un peu froids. Quand il revint dans le salon, Louis commenta :

— Tu l'as entendu ? C'est bien un richard de Sillery, le genre qui regarde les gens de Sainte-Foy de haut.

— Je pense plutôt qu'il se demande toujours si je suis baisable. Et Madeleine, si toi tu l'es.

— Oh !

Évidemment, compte tenu de ses succès féminins, jusque-là, jamais Louis n'avait imaginé qu'une femme puisse résister à son charme.

— Ça te convient pour dimanche ? dit-elle.

— C'est ce que nous avions décidé, non ?

Maintenant, après avoir entendu cette voix prétentieuse, Suzanne doutait de passer l'examen. S'engageait-elle toujours là-dedans pour sauver son ménage ? Ou son ego ?

— On commande du poulet ? demanda-t-il en décrochant.

La configuration du club des vieux garçons changeait sans cesse, au gré de la rencontre d'une jeune fille par l'un ou l'autre de ses membres.

Toutefois, le noyau du groupe s'en tenait toujours au scénario établi dès la première année : après avoir soupé à la cafétéria, quelques-uns se retrouvaient au sous-sol du pavillon Parent, autour de la table de billard. Encore une fois, Jacques attendait son tour, assis à une table avec Jean-Philippe.

— Les choses paraissent si bien aller pour lui, remarqua Jean-Philippe en jetant un coup d'œil en direction de Martial.

Sa présence à cet endroit n'était due qu'à celle de Sylvie-Nicole. Le couple, si mal assorti aux yeux de tous les autres, se tenait un peu à l'écart. La conversation entre eux paraissait animée.

— Tu m'as dit qu'elle s'intéressait à un vice-doyen, rappela Jacques.

— J'ai répété ce que Sylvain m'a raconté.

— Ce midi, elle se livrait au même jeu avec un vieux, au restaurant des profs. Le genre à occuper un poste semblable.

Bientôt, Jacques cessa ses commérages pour prendre son tour à la table de billard. Il vit les deux étudiants quitter les lieux ensemble. Après une défaite rapide, il alla à son tour prendre l'ascenseur du bloc D pour regagner sa chambre. Au moment d'en sortir, il entendit rire à sa droite. Sylvie-Nicole était appuyée contre le chambranle de la porte de Martial.

— Là, je soupçonne que tu veux me saouler, disait la jeune femme.

— Voyons, c'est du cidre ! Du Saint-Antoine-Abbé.

— Oui, mais il ne me faut pas grand-chose pour perdre la tête.

Un bref instant, le regard de la jeune femme se porta sur Jacques. Il n'eut pas de mal à comprendre le message : « Vas-tu cesser de nous espionner ? »

— Bonsoir, dit-il.

Puis il se dirigea vers sa chambre.

Jeudi matin, comme toujours, Jacques fut l'un des premiers à se présenter dans l'amphithéâtre pour le cours de Robitaille. Peu après, Norbert Sénécal vint s'asseoir à la place d'ordinaire occupée par Diane.

— As-tu pensé au sujet de ton travail de session ? demanda-t-il.

C'était la corvée habituelle imposée par les professeurs : un travail d'une quinzaine de pages à remettre en décembre.

— Les Know Nothing. Comme nom de mouvement politique, ça me semble amusant.

Il s'agissait d'un groupe désireux de mettre fin à l'immigration des catholiques aux États-Unis, lors du siècle précédent.

— Et toi ? demanda Jacques.

— Un peu la même chose, mais de l'autre côté de la clôture. Les émigrants canadiens-français aux États-Unis.

Quand Diane arriva, Norbert se leva en disant :

— Je te laisse ta place.

— Je peux rester debout une minute. Tu as choisi le sujet de ton travail ?

Puisque chacun devait le remettre au professeur ce jour-là, c'était le seul objet de conversation. Sauf une exception. Josiane Bessette, une étudiante, s'approcha pour demander à Jacques :

— Tu y as pensé ?

— Bien sûr. Tiens, le voilà.

Il sortit le livre de Benoîte Groult de son sac pour le lui tendre.

— Je te le rapporte la semaine prochaine.

— Ne te sens pas coupable si c'est la suivante. Je ne le relis pas si souvent.

Elle le remercia d'un sourire et regagna sa place.

— As-tu vraiment lu ça ? demanda Diane, soupçonneuse.

— Évidemment, je l'ai lu.

— Ça lui a d'ailleurs valu une longue conversation avec une journaliste, commenta Sénécal. Bon, voilà le prof.

Une minute plus tard, tout le monde occupait son siège habituel. Ce ne fut qu'à la pause que Diane put satisfaire sa curiosité.

— Alors tu lis *Ainsi soit-elle* ?

— Je l'ai lu. Et toi ?

— Je lis tout ce qui concerne la situation des femmes... mais je n'ai pas encore lu celui-là. Ce n'est pas en librairie depuis très longtemps. Et c'est quoi cette histoire de journaliste ?

— Aglaé Cloutier-Picard. Elle est inscrite dans le cours de Hamelin, le mercredi matin. Elle m'a vu lire ce livre, nous en avons parlé un moment.

— La fille de Radio-Canada ? Qu'est-ce qu'elle fait dans ce cours ?

— La même chose que moi, je suppose. Elle désire se cultiver un peu.

— Une grande blonde n'a pas besoin de se cultiver. Elle serait à la télévision même si elle était idiote.

— Si je ne te connaissais pas mieux, je dirais que tu es une affreuse sexiste.

Diane demeura un instant songeuse, puis murmura :

— Je suis juste jalouse. Maintenant, je vais aller fumer.

Vendredi, Jacques se présenta un peu en retard pour le souper. Comme ses lectures se prolongeaient souvent dans la nuit, il avait pris l'habitude de s'étendre pour une sieste d'une heure en fin d'après-midi. Cette fois, ce fut pour deux heures. Une impression de déjà-vu s'imposa dès son arrivée au De Koninck. Martial Boisleau descendait l'escalier menant à la cafétéria au moment où Sylvie-Nicole s'y engageait. Il entendit distinctement :

— Martial ! Ça fait longtemps que je t'ai vu. Tu vas bien ?

La réponse vint après une hésitation :

— Oui.

— Tu as été absent ? Tu as voyagé ?

Il l'assura que non. Jacques aurait pu le confirmer à la jeune femme. Les déplacements de cet étudiant se limitaient à aller chez ses parents à peu près toutes les semaines, du vendredi soir au dimanche après-midi. Sous prétexte de ne pas bloquer le chemin aux autres, elle se plaça une marche plus haut que lui, contre le mur. Le visage du jeune homme se trouvait juste à la hauteur de ses seins.

— Qu'est-ce que tu regardes ? fit-elle d'une voix minaude.

— Rien, rien, dit Martial, visiblement embarrassé.

— Je pense que tu es un petit coquin.

À la fin, Jacques décida de s'éloigner. Il se dirigea vers un tableau d'affichage placé près de la porte et feignit de se passionner pour les petits cartons utilisés pour annoncer des chambres en location, des livres et des autos à vendre. La vitre qui les protégeait faisait office de miroir, ce qui lui permit de voir Martial quitter les lieux après quelques minutes.

Il s'était tellement attardé que les derniers morceaux de poisson restant à la cafétéria étaient petits et secs. Au moins, l'employée en mit deux dans son assiette. Inévitablement, les frites seraient froides. Bientôt, il se dirigea vers Jean-Philippe, toujours à table, assis en face de Sylvie-Nicole.

— Je ne croyais plus te voir, dit le premier au moment où il prenait place.

— Je me suis endormi.

— Seul ou avec d'autres ? demanda la jeune femme en lui adressant un sourire moqueur.

— Avec Guy Rocher. Il me fait souvent cet effet-là.

Elle arqua les sourcils, intriguée.

— Je ne savais pas...

— C'est un sociologue de l'Université de Montréal. Je lis un de ses livres.

— Ah ! Vous êtes tellement sages, les gars en histoire.

— Ça c'est vrai, dit Jean-Philippe en se levant. Maintenant, je dois retourner étudier.

Il s'éloigna rapidement. La jeune femme revint à la charge :

— Tout de même, c'est vrai. Sortez-vous parfois tous les deux ou vous passez votre temps à étudier ?

— Oui, nous sortons. Nous allons voir des films. La dernière fois, c'était *Bob et Carole et Ted et Alice*.

— C'est le titre ou le générique ?

— Le titre.

— Ça ne me dit rien.

— C'est sur des gens beaucoup moins sages que nous.

Sylvie-Nicole eut un rire bref, comme pour dire : « Personne n'est plus sage que vous. » Plutôt que de voir sa vie passée en revue, Jacques demanda :

— C'est sérieux, entre toi et Martial ?

Comme elle fronçait les sourcils, il précisa :

— Je vous ai aperçus tout à l'heure, dans l'escalier.

— Si tu as des vues sur lui, je suis désolée.

Elle en revenait au même sous-entendu, inévitable quand on était trop sage. Jacques préféra contre-attaquer.

— C'était qui ce gars, mercredi midi au Cercle ? Et pour te rassurer, non, il ne m'intéresse pas plus que Martial. Mais toi, lequel préfères-tu ?

Le sourire disparut du visage de la jeune femme, ses yeux noirs devinrent très durs. Elle se leva sans rien ajouter et alla s'asseoir à l'autre bout de la salle.

Comme s'il souhaitait mieux disposer sa femme pour l'activité du lendemain, Louis avait proposé qu'ils aillent voir un film au cinéma Midi-Minuit rue Saint-Joseph. Il s'agissait de l'ancien cinéma Impérial reconverti dans les « films de sexe ».

— Alors, à quel chef-d'œuvre me convies-tu ce soir ? s'enquit Suzanne au moment où la voiture s'engageait vers la Basse-Ville.

— *Les fantaisies sexuelles d'un couple libre*. C'est la version française d'un film américain, *Is There Sex After Marriage*.

— C'est un documentaire subtil sur notre vie conjugale ?

— Non. Ce qui m'a attiré, c'est le commentaire qui accompagnait l'annonce : "Ses fantaisies érotiques étaient si intenses qu'elles sont devenues réelles."

Évidemment, l'objectif final était de réaliser les fantasmes de Louis. Celui-ci se stationna rue Notre-Dame-des-Anges, puis ils se dirigèrent à pied vers le cinéma. À une autre époque, cette salle se spécialisait dans les reprogrammations. Quand un film avait eu du succès dans la Haute-Ville, il était ensuite mis à l'affiche dans la Basse-Ville pour quelques semaines encore.

L'histoire se révéla navrante de stupidité : un couple de banlieusards un peu obsédés par « la chose » profitait des conseils d'amis bien intentionnés pour s'émanciper sexuellement. À l'histoire invraisemblable s'ajoutait la présence d'un réalisateur venu du domaine de la porno, et d'une vedette seulement remarquable par la taille phénoménale de sa poitrine : Candy Samples.

En rentrant à la maison, Suzanne demanda :

— Crois-tu vraiment que ce genre de niaiserie m'aidera à me mettre en appétit pour demain ?

— J'espère juste que ça ne t'a pas découragée.

— Et des seins gros comme des bidons, ça t'excite ?

— Honnêtement, pas du tout.

À cet égard, il disait tout à fait vrai : Suzanne, Jacinthe et Brigitte pouvaient en témoigner.

Chapitre 12

Dimanche soir, Jacques se présenta un peu plus tôt que d'habitude à la cafétéria, car il souhaitait assister à la première représentation du Ciné Campus. Il se retrouva en tête à tête avec Martial.

— Où sont les autres ? demanda-t-il en prenant la chaise en face de lui.

— Ils sont dans leur famille. Certains arriveront bientôt. Quel est le film, ce soir ?

— *Le temps d'une chasse*. C'est une production de l'Office national du film qui date de trois ans.

Pendant quelques minutes, la conversation porta sur le film. Puis Jacques demanda :

— Depuis le début de la session, je t'ai vu quelquefois avec Sylvie-Nicole. Elle te plaît ?

— C'est la plus belle fille que j'ai vue dans ma vie, s'empressa de répondre Martial.

— Et elle et toi, vous sortez ensemble ?

— Je ne sais pas. En tout cas, elle se montre très gentille.

— Je l'ai vue aller dans ta chambre. Ça arrive souvent ?

Vivement, il secoua la tête.

— Tu l'invites quelque part, parfois ?

— Je n'ose pas.

« Lui et moi, nous devrions former un club », songea Jacques. Mais un club de quoi ? De timides ? De complexés ?

D'idiots ? Sa petite soirée avec Pauline datait tout de même de plus de six mois.

— Le pire qui puisse t'arriver, c'est qu'elle te dise non.

— Je ne veux pas risquer ça, fit Martial, un peu effaré. Autrement...

Après un refus, il devrait prendre ses distances. Alors que maintenant, il pouvait rêver à sa guise. Cela ressemblait à quelqu'un qui achetait des billets de loterie, tout en prenant bien garde de regarder les résultats du tirage. Bientôt, Jacques se leva en disant :

— Bonne soirée. Je vais voir si la chasse est bonne.

En tout cas, les critiques de ce film de Francis Mankiewicz étaient excellentes.

Comment s'habillait-on pour s'engager dans un échange de couples ? Louis avait très rapidement réglé la question :

— Nous n'allons pas aux noces, avait-il dit en sortant de la chambre vêtu d'un pantalon de velours côtelé noir et d'une chemise sport. Ces gens nous prendront comme nous sommes.

— Tu vas au moins mettre une veste, j'espère.

— Celle en tweed ?

— Pour te donner l'allure de Ryan O'Neil dans *Love Story* ?

Cela lui parut être une bonne idée. Suzanne lui avait toujours trouvé cette ressemblance, avec sa tignasse bouclée blond foncé et son sourire Pepsodent.

— Et moi, je dois ressembler à Ali McGraw ?

— Pourquoi pas. Un collant, une jupe à carreaux, un chandail à col roulé. Pour bien leur faire sentir que nous sommes plus jeunes qu'eux.

— Et follement amoureux.

Les derniers mots exprimaient tout son dépit. Des amoureux qui souhaitaient coucher avec de parfaits inconnus. Puis elle reprit :

— Tu es sérieux ? Je n'aurai pas l'air idiote ?

— Si nous voulons jouer sur un thème, allons-y à fond. Tu as encore ta jupe à plis ?

— Oui, la rouge avec des carreaux. Si je rentre toujours dedans.

Les événements de l'été l'avaient fait maigrir un peu, alors elle lui allait parfaitement.

Tout juste après six heures, ils montèrent dans la voiture pour se rendre boulevard Laurier, au coin de l'avenue Lavigerie. L'Auberge des Gouverneurs était de taille relativement modeste. Elle avait été construite une dizaine d'années plus tôt. En se dirigeant vers la salle à manger, Suzanne demanda :

— Quel est son nom de famille ?

Louis s'arrêta tout net.

— Je ne sais pas.

— Si nous n'arrivons pas les premiers, il sera difficile de le dénicher. En plus, je suppose qu'il ne connaît pas le tien.

À l'entrée de la salle, Louis dit au maître d'hôtel :

— Des amis nous attendent...

— Vous êtes Louis ? Suivez-moi.

L'employé paraissait afficher un petit sourire narquois. À l'évidence, ces gens ne rencontraient pas des candidats pour la première fois. Un instant plus tard, ils se retrouvèrent devant un couple dans la mi-trentaine. Ils se levèrent. Louis retrouva spontanément son rôle de séducteur. C'est avec son meilleur sourire qu'il tendit la main en disant :

— Madeleine, je suis heureux de faire votre connaissance.

Elle murmura un « Enchanté » amusé. Puis il enchaîna :

— Normand !

Le prénom devait faire office de formule de politesse.

— Je vous présente Suzanne.

Depuis un moment, ils se soumettaient à un examen à peine discret.

— Asseyons-nous, dit Normand.

Ils occupaient une petite table carrée. Les hôtes étaient placés face à face, les nouveaux venus se retrouvèrent dans la même position. Ainsi, chacun aurait un membre de l'autre couple à ses côtés. Une disposition qui favoriserait éventuellement les apartés.

Un serveur arriva pour prendre les commandes, puis il s'esquiva. C'est en plaçant sa serviette sur ses genoux que Normand déclara :

— Il conviendrait sans doute de nous tutoyer, je pense.

— Oui, bien sûr.

Il s'adressait à Louis, mais ses yeux ne quittaient pas Suzanne. Évidemment, elle aussi l'observait. À cinq pieds dix, il n'était pas exceptionnellement grand. Mince, bien proportionné, il portait un complet de toile de bon goût, une chemise blanche, une cravate. Ses cheveux courts et ses traits réguliers en faisaient un bel homme. Aucune candidate à l'échangisme ne devait s'enfuir en criant.

— Donc, vous êtes professeur à l'Université Laval, intervint Madeleine.

— Oui, en histoire américaine. Et vous ?

Son regard se portait sur Normand. Si ce dernier voulait transformer cette réunion en examen pour faire partie d'un club sélect, Louis imposerait la réciproque.

— Je suis médecin. Je suis attaché au Centre hospitalier de l'Université Laval.

Exactement le genre de personne susceptible d'habiter à Sillery.

Madeleine était l'épouse d'un médecin, elle n'avait pas besoin d'un autre statut. Quant à Suzanne, personne ne semblait désirer connaître le sien. Lorsque le repas fut sur la table, on en vint au vif du sujet.

— Cette idée d'échangisme... vous la partagez tous les deux ? demanda Madeleine.

En réalité, la question s'adressait à l'épouse. L'intérêt de l'homme allait de soi. Cela se lisait dans ses yeux, de toute façon.

— Oui, répondit-elle faiblement.

— Vous êtes vraiment mariés ?

— Oui, bien sûr.

— Si ma femme se montre un peu insistante à ce sujet, expliqua Normand, c'est que des gens essaient de se faire passer comme mari et femme juste pour accéder à notre groupe. Certains hommes viennent même avec des prostituées. Nous voulons nous en tenir à des couples légitimes, autrement, le risque est trop grand de voir des ménages détruits.

Suzanne acquiesça d'un mouvement de la tête. Le livre de Bartell évoquait ce souci.

— Nous sommes bel et bien mariés, intervint Louis. Ce sont les aventures extra-conjugales qui amènent les divorces, je cherche à les éviter.

Pourtant l'échangisme paraissait bien étrange comme manière de souder les ménages. Le repas, le vin, l'hôtel firent les frais de la conversation pendant un moment, puis Louis demanda, cette fois tout bas :

— Ça se passe de quelle manière ? Je veux dire, les rencontres... Au cinéma ou dans les livres, on voit tellement de choses.

— Parce qu'il se passe toutes sortes de choses. Des couples amis qui se rencontrent une fois par mois dans un sous-sol jusqu'aux orgies romaines impliquant plus de cent personnes.

Suzanne demeura un moment bouche bée. Pour la première fois depuis le début de ce souper, elle eut envie de se sauver en courant. Madeleine remarqua son désarroi, aussi elle ajouta :

— Rassurez-vous, nous préférons éviter ces excès. Retrouver à répétition le même couple, c'est comme vivre dans les communes de hippies. Ces gens-là devraient partager la même demeure pour éviter les frais. Les orgies, c'est le meilleur moyen d'attirer les journaux, et peut-être même la police.

— La police ? réagit Suzanne. Ce n'est pas légal ?

— Depuis le bill omnibus, ce qui se passe dans une maison privée entre adultes ne concerne pas la police, intervint Normand. Mais on ne se réunit pas à cent dans une maison privée. Ça se passe dans des hôtels, et dans ce cas, c'est flirter avec une accusation de tenir une maison de débauche.

En d'autres mots, un bordel. Toutefois, c'est un échange d'argent qui caractérisait d'abord la prostitution. Madeleine apporta encore sa contribution à la conversation :

— Ces grands rassemblements sont aussi la meilleure manière de répandre les maladies vénériennes.

Cette fois, le regard de Suzanne se porta sur son mari. Comment échappait-il à la contamination ? Sans doute en les choisissant très jeunes et inexpérimentées.

— Alors, le scénario ? demanda Louis.

— Des gens tiennent des réceptions chez eux, avec deux ou trois couples. Quatre, tout au plus. Ça dépend de la taille de la demeure. Au début, ça ressemble à une réunion mondaine. Et à un moment dans la soirée, les gens se dispersent.

Suzanne haussa les sourcils. Cela ne ressemblait certainement pas aux réunions mondaines dont il était question dans les journaux.

— Et qui se disperse avec qui ? demanda encore Louis.

— Nous aimons laisser le hasard décider en jouant à la bouteille.

— La bouteille ? s'exclama Suzanne.

Elle avait joué à ça déjà, dix ans plus tôt.

— Mais là, les deux personnes désignées par le sort ne se limitent pas à s'embrasser.

— Il y a aussi des numéros dans un chapeau, ajouta Normand. Ou alors les clés des maisons dans un bol. Les femmes les choisissent les yeux bandés. Dans ce cas, les couples repartent dans leurs maisons, au lieu de demeurer chez les hôtes.

La jeune femme imaginait une scène grotesque : le sort la mettant dans les bras d'un être repoussant. Madeleine tendit la main pour la mettre sur la sienne.

— Évidemment, personne n'est obligé d'aller avec quelqu'un qui lui déplaît, mais tu imagines à quel point un ego peut être blessé, dans ce cas. C'est pour ça que nous sommes très sélectifs, quand nous faisons les invitations. Pour l'âge, le statut matrimonial... et toutes les autres caractéristiques.

Cela ne rassura Suzanne qu'à demi. Heureusement, Normand prit l'initiative de faire porter la conversation sur d'autres sujets. Les films à l'affiche et les spectacles au Grand Théâtre. Serge Guétary s'y produirait bientôt.

Au moment de se quitter, ils échangèrent des poignées de main dans le hall de l'hôtel.

— Je vous contacte bientôt, dit le médecin.

Ce n'est qu'à cet instant qu'il donna son nom de famille, Tellier. Louis en fit autant.

Dans la voiture, le couple Gervais demeura silencieux. Une fois à la maison, Louis se servit une bière et versa un porto à sa femme. Assise dans le salon, ce fut Suzanne qui s'exprima d'abord.

— Quelle étrange soirée.

— Un peu guindée.

— Comment cela pourrait-il se passer autrement ? Avec le même ton que pour discuter du choix de rideaux, il était question de l'organisation d'une orgie.

Elle démontrait sa mauvaise volonté, car si l'orgie avait été évoquée, c'était pour en rejeter le principe. D'ailleurs, Louis se chargea de le lui rappeler :

— Ils ont décrit une réception entre quelques couples. C'est juste qu'à un moment donné, ça se transforme en divers… tête-à-tête, précisa-t-il en souriant.

Le silence pesa dans la pièce, puis il dit :

— Tu ne me diras pas que cet homme manque de charme…

— Il m'a fait penser à monsieur Hudson, dans *Maîtres et Valets*.

— Hudson ?

— Le majordome.

La comparaison tira un éclat de rire à son mari.

— Tu exagères. Si tu lui ajoutes vingt ans, il ferait un Richard Bellamy très passable.

Le patron de Hudson, dans la même émission. Quant à Suzanne, elle ne se voyait pas du tout en lady Bellamy.

— Réponds-moi franchement, si tu tirais les clés de ce gars dans un chapeau, tu refuserais de le suivre chez lui ?

Ce soir-là, Suzanne aurait plutôt volontiers regardé *Les beaux dimanches* à la télévision, pour peut-être se coucher un peu plus tôt si son mari se trouvait d'humeur à batifoler plus longuement que d'habitude. Cela lui aurait suffi, comme activité. Dans cette affaire, l'initiative ne lui appartenait pas.

— Comme tu paraissais apprécier Madeleine, je serais malvenue de refuser son mari.

— Elle n'est tout de même plus très jeune.

— Elle doit avoir cinq ans de plus que toi, d'après moi. Honnêtement, tu oserais écorcher son ego ?

— Non. Mais rien n'indique que le sort nous réunira.

— Sauf s'ils font ça à deux couples.

— Je veux que tu me répondes franchement, dit-il. Comptes-tu aller à leur prochaine réception ?

— J'irai, seulement je demeure déterminée à ne pas accepter n'importe quel accouplement.

Ce n'était pas un oui enthousiaste, mais il devrait s'en contenter. Elle déposa son verre sur la table et se leva en disant :

— Tu sembles oublier un détail : peut-être qu'ils ne nous inviteront jamais à l'une de leurs réceptions.

Quand elle fut partie, Louis termina tranquillement sa bière. Il devait avouer que si Normand Tellier ne donnait pas de nouvelles, il se sentirait terriblement vexé.

Dans une belle maison de plain-pied rue De Marillac, à Sillery, Madeleine retourna dans le salon, vêtue d'une jolie robe d'intérieur en soie bleue.

— Je t'ai aussi versé un cognac.

— À ce moment de la soirée, c'est un peu fort, mais je vais le boire pour t'empêcher de prendre les deux.

Elle le rejoignit sur le canapé.

— Il s'est rendormi ?

Quand ils étaient rentrés chez eux, la gardienne leur avait signalé que Simon, leur fils, avait vomi son souper. La mère était allée lui lire une histoire avec l'espoir qu'il se rendorme bien vite.

— Oui. Après un demi-verre de Vichy et les *Trois petits cochons*. Je soupçonne que notre petite voisine force un peu sur les desserts. Je vais lui parler.

Dans cette maison, il convenait d'user, sans jamais abuser. Après une gorgée, elle demanda :

— Alors, que penses-tu de Jenny ?

— Jenny ?

— Jennifer Cavilleri, alias Ali MacGraw.

Il eut un sourire.

— C'est vrai qu'elle lui ressemble… et elle a le même côté ingénu.

— Tu ne m'as pas répondu.

— Oui, elle m'a plu, admit-il. Même son petit côté fleur bleue. Toutefois, je la devine un peu craintive.

— Mais tu sauras l'apprivoiser. Tu as un véritable talent pour ça.

La déclaration était venue avec un sourire en coin. Moitié moqueur, moitié complice.

— Et Oliver ?

— Oh ! Celui-là doit toujours être en chasse. Je suppose qu'il s'imagine que je me languis déjà de lui.

— Ça te tente ?

— Tu ne vas pas m'en priver ?

Tous les deux semblaient tenir pour acquis que ces nouveaux allaient aboutir dans leur lit.

— Samedi prochain ? proposa-t-il.

— Je suppose que ma mère voudra prendre les enfants chez elle.

— Elle ne dit jamais non, remarqua le médecin.

Après une pause, il demanda encore :

— Pour cette première fois, ils seront là en spectateurs, tu crois ?

— Autrement, ce sera risquer une crise de nerfs. Peut-être qu'il serait opportun que je parle à Suzanne en tête à tête, pour la rassurer.

Convaincre la jeune épouse de participer à une réception, c'était aussi la conquérir, comme l'emmener au lit. Madeleine aimait jouer ce rôle.

Quand Louis Gervais arriva à l'université au milieu de l'après-midi le lendemain, comme d'habitude, il passa par le secrétariat afin de prendre son courrier. Puisqu'il ne se présentait pas tous les jours au travail, plusieurs lettres s'étaient accumulées. Sur celles-ci, il vit un rectangle de papier rose, celui qu'utilisaient les secrétaires afin de signaler des appels. Il lut : « Le docteur Tellier souhaite que vous l'appeliez chez lui à huit heures. »

Pourtant, il savait que tous les lundis, il donnait un cours. C'est un peu contrarié qu'il monta jusqu'à son bureau. Cet homme voulait lui faire sentir qu'il menait le jeu. Mais il se calma rapidement : au moins, Tellier ne tardait pas à lui faire part de sa décision. Cela témoignait donc de son enthousiasme.

À sept heures, au moment de commencer son séminaire, il annonça :

— La pause aura lieu un peu avant huit heures, ce soir. Je dois donner un coup de fil urgent.

À l'autre bout du local, Diane donna un coup de coude à Jacques, pour lui désigner Brigitte du regard. Celle-ci paraissait déjà se morfondre.

À huit heures moins dix, Louis Gervais libéra ses étudiants. C'est deux marches à la fois qu'il grimpa jusqu'à son bureau. À huit heures pile, il composa le numéro de Tellier. Le médecin décrocha tout de suite.

— Normand, c'est moi !

— Bonsoir Louis ! Je voulais savoir si vous pourriez venir chez moi pour une petite réception, samedi prochain…

Louis chercha à étouffer un peu son enthousiasme. Il avait l'impression d'être accepté dans un cercle très exclusif.

— Oui, avec plaisir.

— De ta part, je n'en doute pas. Mais ta femme me paraissait plutôt... hésitante.

— Au contraire, à notre retour à la maison hier, elle avait l'air dans d'excellentes dispositions.

— Parfait. Alors voici comment ça se passe avec les nouveaux. Ils viennent à la réception, prennent un verre, font la conversation et à dix heures, ils s'en vont. Enfin, peut-être pas à dix heures précises, mais avant que les choses ne deviennent intimes. S'ils sont toujours intéressés, au rendez-vous suivant, ils peuvent rester aussi longtemps qu'ils le désirent.

Ainsi, il s'agissait d'une probation, pas vraiment d'une admission dans ce petit cercle.

— Je t'assure que Suzanne est... commença Louis.

— C'est la règle, et pas seulement pour ta femme. En ce qui concerne Suzanne, je pense que le mieux serait que Madeleine lui parle. Elle travaille bien à la faculté de droit ?

Il avait donc pris ses informations. Peut-être que quelques collègues universitaires faisaient partie de ce milieu.

— Oui. C'est la secrétaire du doyen.

— Ne lui en parle pas tout de suite, attends que Madeleine lui ait annoncé la nouvelle.

— D'accord. Maintenant, je dois te laisser. J'ai une classe pleine de jeunes esprits avides de savoir qui m'attend.

— Ah ! Le cours du lundi. Madeleine me l'avait dit, mais je n'y ai pas pensé. Excuse-moi. À bientôt, Louis.

Après avoir raccroché, le professeur demeura un instant immobile dans son fauteuil. Oui, Suzanne pouvait encore tout faire échouer. Il retourna dans le local un peu plus tard que prévu. Quand il reprit sa place, il entendit un murmure :

— J'espère que tout va bien, Louis.

Brigitte. À la fin du séminaire, elle s'incrusta quelques minutes afin de lui donner l'occasion de lui fixer un autre rendez-vous. À sa grande déception, il n'en fit rien.

Dans le couloir, Monique commenta :

— J'ai l'impression qu'avant la fin de la session, un bon soir, ils ne reviendront pas après la pause, ces deux-là...

— L'odeur de la chair fraîche fait cet effet-là aux hommes de plus de trente ans, dit Diane.

En arrivant au rez-de-chaussée, les quatre amis s'arrêtèrent dans le hall afin de se dire au revoir. Jacques en profita pour demander, un sourire en coin :

— Ta remarque de tout à l'heure s'applique-t-elle aussi aux femmes de plus de trente ans ?

— Le problème, dit Diane, c'est que peu de femmes se trouvent en position d'autorité avec le monopole de la parole pendant les quarante-cinq heures d'un cours. Du moins, assez longtemps pour marquer de jeunes esprits.

— En tout cas, dans le cas des secrétaires, ça n'arrive pas, intervint Monique. Quand elles ont dépassé vingt-deux, vingt-trois ans, elles se marient et restent à la maison. Là-dessus, bonsoir les garçons !

Alors que son amie s'éloignait, Diane se tourna à demi pour jeter un regard amusé sur Jacques. Puis après un bonsoir, elle força le pas pour la rejoindre. « Elle ne m'a pas vraiment répondu », songea-t-il. En rentrant au pavillon Parent, Jean-Philippe demanda :

— Tu comprends pourquoi Gervais laisse les plus jeunes bouche bée, et les plus vieilles, jalouses ?

— Tu connais bien la nature féminine ! En tout cas, mieux que moi. Parce qu'avant que tu le dises, je n'avais pas fait ce constat.

Les deux femmes avaient commencé à souligner à grands traits le charme du professeur, et la réaction des étudiantes, dès le premier jour.

— Pourtant, ça saute aux yeux, rétorqua son ami. Tu comprends pourquoi il a autant de succès, toi ?

— Il pense qu'il est beau, qu'il a un beau sourire, qu'il est intelligent.

— Mais il est beau, il a un beau sourire et il est intelligent !

— Ce qui n'a vraiment aucune importance. L'important, c'est qu'il le croie si fort qu'il arrive à le faire croire aux autres.

Chapitre 13

À son retour de l'université, la veille, Louis avait posé un curieux regard sur sa femme. Craignant un peu la réponse, elle n'avait pas osé demander pourquoi. Tout s'éclaira quand, le lendemain matin au bureau, elle décrocha le téléphone pour entendre une voix féminine :

— Suzanne Gervais ?

— Oui, c'est moi.

— Ici Madeleine.

La voix paraissait toute douce, particulièrement affable.

— Oh ! Bonjour.

— Bonjour. Je peux te parler un moment ?

Ce tutoiement laissait toujours Suzanne un peu perplexe. Une fausse familiarité entre inconnues, seulement parce que l'une coucherait peut-être avec le mari de l'autre. Et vice-versa.

— Oui, mais je risque d'interrompre notre conversation pour prendre un appel sur une autre ligne.

— D'accord. Est-ce qu'il te l'a dit ?

Devant le silence de son interlocutrice, Madeleine précisa :

— Normand a demandé à Louis de me laisser te l'annoncer d'abord... Vous êtes tous les deux invités à une réception samedi prochain. Chez nous.

Cette fois, le silence fut plus long encore. Convenait-il de dire : « Oh ! Merci, je suis si heureuse ! »

— Il est prévu que vous partirez avant que ça commence pour de vrai. Tu comprends ? La première fois, c'est toujours affreusement intimidant. Il est préférable d'y aller une étape à la fois afin de vous faire une idée de la faune présente. Et ensuite...

— ... il faut passer à l'action.

Heureusement, le téléphone sonna juste à ce moment. Le temps de prendre un rendez-vous pour son supérieur et Suzanne revint :

— Oui, cette façon de faire convient certainement mieux.

— Alors je peux compter sur vous ? Je veux dire sur toi et Louis ?

— Lui avec plus d'enthousiasme que moi, tout de même.

— C'est ce que j'avais compris. Écoute, voudrais-tu que nous en parlions entre nous ? L'intérêt des hommes va de soi, j'aimerais te parler de ce qu'une femme peut y trouver.

— Je travaille toute la semaine.

— Je sais, et moi j'ai les enfants. Pourquoi pas samedi, en matinée ?

— D'accord pour samedi en matinée.

— À la cafétéria de chez Eaton dès l'ouverture ?

— Je serai là. Mais maintenant, je dois te quitter.

— Oui, je comprends.

Elles raccrochèrent sur un « Au revoir ». Ensuite, Suzanne s'appuya contre le dossier de sa chaise et poussa un long soupir. Elle ressentait beaucoup d'anxiété mais aussi, à sa grande surprise, une réelle excitation.

Après son cours d'histoire américaine, le jeudi suivant, Jacques se dirigea vers la bibliothèque de premier cycle avec le projet d'y passer l'après-midi en compagnie de milliers de livres.

Cependant, il commença par s'arrêter à la cafétéria pour acheter le curieux mélange vendu en fontaine sous le nom de Coke et chercha une table à l'écart afin de manger son sandwich. Il était penché sur la dernière édition du *Fil des événements* quand il entendit :

— J'ai ton livre.

Il leva les yeux pour voir Josiane Bessette debout devant lui. Elle fouilla dans son sac et lui tendit *Ainsi soit-elle*.

— Ah ! Merci, dit-il en le prenant. Tu veux t'asseoir ?

La jeune femme avait également son lunch.

— Qu'en as-tu pensé ?

— Ça m'a totalement déprimée. Être une femme est une vraie malédiction.

— Les choses sont en train de changer...

— Je présume que quand je serai une grand-mère, tout ira bien.

Dans son état d'esprit, mieux valait changer de sujet, aussi elle demanda :

— Il se passe de grandes choses sur le campus ?

— Sur le campus, je ne sais pas. Au Ciné Campus, on présentera *La Gammick* dimanche prochain.

— Connais pas.

— C'est de l'ONF. C'est une histoire de tueur à gages. Quelque chose comme *Le parrain* des pauvres. Je compte y aller.

Les producteurs n'auraient sans doute pas apprécié cette façon de présenter leur œuvre.

— Après ce que tu viens de dire, pourquoi y vas-tu ?

— Je vois ça comme un devoir patriotique, je suppose. Je vais voir tous les films québécois.

Avec un ricanement, il continua :

— Même des films comme *Bulldozer*, *Taureau* et *Les corps célestes*. Si tu veux te faire ta propre idée, tu peux venir aussi.

— Pourquoi pas… C'est à quelle heure ?

— Sept heures ou neuf heures trente, au choix.

— Je préfère la seconde représentation.

— D'accord. Nous pourrons nous rejoindre à la porte.

Samedi matin, Suzanne se leva déjà fatiguée à cause d'une nuit à peu près sans sommeil. De ses deux rendez-vous, elle ne savait trop lequel la stressait le plus. Elle quitta la maison à neuf heures trente pour se stationner peu après à proximité du magasin Eaton.

Madeleine Tellier était tout aussi ponctuelle, alors les deux femmes se rencontrèrent à la porte de la cafétéria. Bientôt, elles furent assises de part et d'autre d'une petite table, devant un café et des toasts.

Après des échanges sur le temps qu'il faisait, ce fut Madeleine qui aborda le sujet de leur rencontre :

— Tu seras là ce soir ?

— Je ne crois pas avoir vraiment le choix. Autrement, mon mari va renouer avec ses aventures.

— Ça commence toujours de cette façon. Monsieur fantasme, propose gentiment, mais la menace est là : c'est ça, ou une aventure, ou un divorce. Cependant, une fois que c'est commencé, le pouvoir change de mains.

Suzanne eut un rire chargé d'autodérision.

— Moi, du pouvoir...

— Viens habillée comme dimanche dernier, tous les hommes baveront d'envie.

— C'est seulement un personnage de film.

— C'est une fille susceptible d'inspirer l'amour le plus profond. Ce qui ne leur arrivera plus jamais, et ils le savent. Mais je ne te cacherai pas que ta popularité durera jusqu'à ce qu'une plus jeune arrive.

C'était l'histoire de son mariage, avec un homme qui, pendant les quarante prochaines années, serait toujours au milieu d'étudiantes âgées de vingt ans.

— Un règne plutôt court.

— Que tu pourras prolonger en allant toujours à des rencontres où tu seras la plus jeune. Quand tu auras soixante ans, j'en aurai soixante-dix.

Cette fois, le rire de Suzanne résonna franchement. Madeleine continua :

— Maintenant, parlons de nos maris. Ça commence toujours à cause de leurs fantasmes, mais rapidement, ils deviennent très inquiets. Ce sont des êtres fragiles. Imagine Arthur...

— Arthur ?

— Ou Antoine. Donc, Antoine vient avec Germaine. Germaine se retrouve dans une chambre avec... Arthur. Et même s'il est dans une autre pièce, il entend Germaine gémir de plaisir comme elle n'a jamais gémi avec lui. Une réalité cruelle lui éclate au visage : il est nul au lit et jamais elle ne le lui a dit. Et là, non seulement il ne peut plus nier, mais les autres personnes présentes le savent aussi.

Avec Louis, elle ne gémissait pas souvent. Lui, il la soupçonnait sans doute d'être frigide.

— Tous les maris deviennent un peu inquiets quand leur femme peut comparer, conclut Madeleine.

— Je continue de trouver ça très intimidant.

— C'est normal. Nous avons été élevées par des mères canadiennes-françaises... Pardon, il faut dire québécoises maintenant. Et par des religieuses. Enfin, je présume que c'est ton cas aussi.

Suzanne hocha la tête. À l'école primaire seulement. Ensuite, cela avait été un mélange de religieuses et de laïques dans une école publique.

— Alors il faut assumer notre rôle : nous marier vierges et nous extasier sur les prouesses de nos maris. Toutes leurs prouesses, pas seulement au lit. Et faire semblant que nous ignorons leurs fredaines.

Le ton de Madeleine était devenu cassant. Elle continua :

— Peux-tu imaginer combien les infirmières du CHUL sont jolies ?

— Je sais. Moi, tous les jours, je vois défiler des dizaines d'étudiantes en droit âgées entre vingt et vingt-trois ans.

Madeleine acquiesça d'un geste de la tête. Les vêtements très seyants de ces étudiantes valaient certainement les uniformes des infirmières.

— Il y a aussi un autre sujet d'inquiétude pour ces messieurs. Les plus jeunes d'entre eux, les plus en forme, jouissent deux fois entre dix heures du soir et le lendemain matin. Les autres, une fois ou pas du tout. Pour les femmes, il n'y a aucune limite : cinq, dix orgasmes. Surtout si elles s'amusent entre elles. Évidemment, les regarder excite les hommes au plus haut point. D'un autre côté, ils comprennent que pour le plaisir, ils ne sont pas du tout indispensables.

— Oh ! Pour moi, les femmes, jamais…

— Je connais le refrain. "Non, jamais." Après c'est "Je veux bien regarder." Ensuite vient "Je me laisse faire, mais je ne le fais pas". À la fin, il n'y a plus aucune protestation… Bon, maintenant, je dois rejoindre mes enfants.

Elle allait se lever quand Suzanne l'arrêta :

— Tu as des enfants, et tu fais... ça ?

— Où est le rapport ? Toutes les mères font ça, que ce soit avec leur seul mari ou avec d'autres. Toutes les deux, nous avons été trompées par nos hommes. Mais qui se demande s'ils sont dignes d'être pères ?

— Je m'excuse.

Heureusement, Madeleine l'excusa. Sinon cela aurait été de mauvais augure pour la soirée à venir.

Quand un intellectuel – Jacques s'attribuait de plus en plus cette étiquette – désirait apprendre une nouvelle langue, le mieux était de se trouver de gros livres portant sur un sujet passionnant, publiés dans celle-ci. Pour lui, ces sujets étaient nombreux, mais la sexualité figurait en tête de liste. À cause de son âge et de ses appétits frustrés. Ces lectures ne seraient peut-être pas utiles pour passer l'examen d'anglais requis pour l'admission à la maîtrise, mais sa culture générale s'enrichissait.

Ces dernières semaines, son intérêt se portait sur les travaux de William. H. Masters et Virginia E. Johnson. Les fameux Masters & Johnson, dont chacune des publications se vendait à des millions d'exemplaires partout dans le monde. Dès 1966, un ouvrage paraissait sur les réactions sexuelles des êtres humains. Ils avaient pu décomposer le coït en quatre étapes : une phase d'excitation, un plateau, l'orgasme et la « résolution ».

Le livre suivant de Masters et Johnson avait porté sur les difficultés sexuelles, et le plus récent sur le plaisir comme lien entre les amoureux. Il les avait lus aussi. Et en plus des informations proprement dites sur le sujet éminemment sérieux qu'était la sexualité, la méthode de ces chercheurs l'intéressait. Tout bonnement, ils avaient posé des senseurs ici et là sur les corps de centaines d'hommes et de femmes, et avaient filmé les copulations en gros plan. Les assistants de recherche dans ce domaine s'amusaient plus que ceux en histoire. De là les conclusions incontestables – et décevantes, quand on était un homme – sur les orgasmes : les femmes les accumulaient l'un à la suite de l'autre, une performance impossible à atteindre pour leurs compagnons.

Ces films dépassaient certainement en intérêt ceux présentés au Midi-Minuit et au Pigalle, les deux cinémas « spécialisés » de la Basse-Ville. Peut-être les verrait-on en salle, un de ces jours.

Ce samedi après-midi, Jacques s'intéressa plutôt à un sous-produit de ces recherches : les mémoires de Valerie Scott, une thérapeute sexuelle embauchée par Masters et Johnson afin de traiter les dysfonctions sexuelles de neuf clients. Elle agissait comme « épouse de remplacement ». C'est-à-dire qu'elle jouait le rôle d'épouse lors de séances, pour les guider à petits pas vers une sexualité épanouie.

« Je me demande bien si elle m'aiderait à effacer les effets néfastes que mes parents ont eus sur moi », se demanda-t-il. Quand ce sujet venait le hanter, surtout la nuit, il se rassurait toujours de la même façon : quand il serait professionnellement installé, il oublierait le chemin du Petit-Montréal et toutes les conséquences de ses dix-huit années passées là-bas.

Comme le lui avait conseillé Madeleine durant leur rencontre du matin, à nouveau Suzanne incarna l'héroïne du film *Love Story*. Louis considéra que la recommandation le concernait aussi, il renoua donc avec la veste de tweed et le pantalon de velours côtelé.

Quand elle le rejoignit dans le salon, son visage trahissait tellement de trac que son mari lui dit :

— Nous pouvons toujours nous décommander. Il suffit d'un coup de fil.

— Non, nous ferons comme convenu.

Louis ne paraissait pas vraiment plus rassuré.

— Partons tout de suite, proposa-t-elle.

— Ce n'est pas très loin d'ici, et je ne me vois pas arriver à l'avance.

— Nous nous stationnerons donc un peu à l'écart pour marcher dans le quartier. Ça fera baisser la tension.

Ils devaient se présenter rue De Marillac à huit heures. Louis passa lentement devant la maison, un plain-pied avec un revêtement de pierre en façade et un garage du côté gauche.

— Tu as vu sa voiture ? commenta Louis. Une Volvo 244. C'est beaucoup d'argent pour pas grand-chose.

— Oui, mais toi, tu es au-dessus de ça. Les intellectuels, c'est le cerveau, pas le clinquant. Alors tu as une Renault.

L'ironie le piqua bien un peu. Déjà, elle se comportait comme la reine de la soirée.

Ils étaient en avance d'une quinzaine de minutes, aussi il continua à rouler pour faire le tour du quartier. Quand ils furent de retour devant la maison, Louis connaissait un peu mieux Sillery. Cela lui permettrait de rêver au jour où les salaires des professeurs augmenteraient. En pesant sur la sonnette, Louis montrait un visage crispé. Il y eut le « ding-dong », puis quand Madeleine ouvrit, il retrouva son sourire adolescent.

— Entrez, dit la maîtresse des lieux, nous vous attendions.

— Nous ne sommes pas en retard ? dit Suzanne.

— Pas du tout. Les invités les plus importants se présentent toujours un peu plus tard que les autres.

Un instant, la visiteuse chercha le sarcasme dans le ton, pour n'en détecter aucun. L'importance se mesurait donc vraiment à la fraîcheur de la chair. Leur hôtesse portait une longue robe légère allant jusqu'au mollet, et très clairement rien dessous. À l'automne 1975, la mode semblait hésiter entre la mini, la midi et la maxi. Les pointes des seins marquaient le tissu. Madeleine faisait un peu vamp.

Quand ils furent dans la maison, elle précisa :

— Je vais vous montrer où se trouve la salle de bains. C'est le seul endroit du rez-de-chaussée ouvert aux invités. Les autres pièces sont privées. En particulier les chambres de mes enfants. Ils sont chez ma mère jusqu'à demain.

Les visiteurs purent tout de même entrevoir un grand salon aux meubles modernes, une cuisine suréquipée et une salle à manger meublée de verre, d'acier et de cuir. Suzanne eut l'impression que ce décor obéissait aux recommandations d'une revue spécialisée. Tout de même, en voyant l'équipement sanitaire couleur lilas de la salle de bains, elle eut du mal à maîtriser son fou rire.

— Il y en a une autre en bas, mais quand on est huit dans la maison...

Ainsi, ils avaient invité trois couples.

— Maintenant, allons les rejoindre.

Madeleine s'engagea la première dans l'escalier. Au sous-sol, la décoration s'avéra totalement ringarde : les murs étaient couverts de bardeaux, des filets de pêche pendaient au plafond et des cages à homard servaient de base à des tables basses. C'était si résolument quétaine que cela devenait presque charmant.

Normand quitta un futon pour venir vers eux, la main tendue.

— Suzanne ! Louis ! Je suis content de vous recevoir chez nous. Je vous présente les autres et je vous sers à boire.

Deux autres couples occupaient aussi des futons. Hormis des tables où mettre les verres et les cendriers, c'étaient les seuls meubles, avec en plus une étagère sur laquelle se trouvaient des disques et une chaîne stéréo. Pendant un instant, Suzanne imagina tout ce beau monde occupé à baiser dans cette pièce. Elle ne retint pas du tout les noms des autres participants à cette petite soirée. Elle garda simplement en mémoire que l'un des hommes était mince, l'autre plutôt grassouillet. Ce dernier avait une femme mince, le premier une femme rondelette. Ce genre d'échange permettait donc à chacun d'élargir son spectre d'expériences.

Normand lui apporta un verre, elle reconnut l'odeur de la vodka. Elle prit une gorgée. Au moins, il n'avait pas forcé la note. Ensuite, elle se retrouva assise sur un futon en compagnie de son hôte et du monsieur plutôt enveloppé, alors que Madeleine et une autre femme encadraient Louis.

— La fin de l'été a été très agréable, n'est-ce pas ? demanda Normand.

— Oui, il a fait très beau.

— Moi, j'me rappelle pas d'une aussi belle température début octobre.

Cet homme un peu enrobé, Suzanne s'en rendrait compte, approuvait toujours son hôte, quoi qu'il dise. Il devait craindre de ne plus être invité s'il osait émettre l'ombre d'une opinion. Dans un pareil contexte, la moindre question un peu personnelle paraissait interdite, comme s'il fallait demeurer étrangers l'un à l'autre. On pouvait coucher ensemble, mais sans jamais se connaître.

Suzanne remarqua aussi autre chose. Ainsi affalés sur un futon, certains paraissaient se passionner pour le dessous de sa jupe. Non pas qu'elle fût particulièrement affriolante – elle portait un collant noir et opaque –, mais elle les émoustillait.

La conversation porta ensuite sur tel ou tel restaurant, bar, hôtel. Juste en face d'elle, Louis avait droit à un échange du même genre. Et, constata-t-elle à regret, lui aussi semblait jouir du statut de petit nouveau. Comme un enfant à pervertir. Puis l'homme mince demanda :

— Normand, tu ne devais pas nous proposer une petite séance de cinéma ?

Suzanne se souvenait de sa lecture du livre de Bartell. C'était le scénario habituel : on projetait des *stag movies* pour se mettre dans l'ambiance.

Leur hôte commença par mettre une petite pile de disques sur la platine et enclencha le mécanisme. Une musique sensuelle, une succession de *slows* en version instrumentale à très bas volume se fit entendre. Ensuite, il déroula la toile accrochée au plafond et alla chercher un chariot portant un projecteur super-8. Il le mit en marche et éteignit les lumières déjà tamisées.

Dans un autre contexte, il devait montrer ses souvenirs de vacances aux membres de sa famille et à ses collègues. Un film sur son tour de la Gaspésie, peut-être. Là où il avait déniché ses filets et ses cages à homard.

Le film durait une dizaine de minutes. Cela commençait par une scène de repas où deux couples se trouvaient à une table. Après moins d'une minute, le quatuor commença à s'embrasser et enchaîna rapidement avec tout ce qui pouvait s'ensuivre.

— Y en a une grosse, lui, commenta l'invité un peu grassouillet.

Suzanne finit son verre tout en songeant : « En tout cas, plus grosse que celle de Louis. » Madeleine avait semé quelques graines dans son cerveau, pour qu'elle en vienne à ce genre de comparaison.

Jamais elle n'avait vu quelque chose de semblable, mais des amies lui avaient décrit ces productions. Elles servaient à pimenter de nombreuses réceptions tenues dans des sous-sols comme celui des Tellier, sans nécessairement conduire à de l'échangisme. C'était seulement pour enrichir l'imaginaire des couples.

Avec les commentaires un peu salaces fusant tout autour, Suzanne regarda la grande finale : deux hommes, épaule contre épaule, éjaculant sur deux ventres. La lumière produite par le film éclairait assez bien la pièce pour lui permettre de voir l'érection dans le pantalon de Louis. Oui, le type dans le film était beaucoup mieux équipé. Elle vit aussi l'homme enrobé en train de se débraguetter avant de ramper vers le futon juste en face.

La musique fournissait un environnement sonore parfait. La chanson *Hotel California* venait de commencer. Cette version instrumentale privait la pièce du punch que lui donnait le groupe The Eagles. Tout de même, Suzanne se prit à chanter dans sa tête :

There she stood in the doorway
I heard the mission bell
And I was thinkin' to myself
"This could be heaven or this could be hell"
Then she lit up a candle
And she showed me the way

Juste à ce moment, Madeleine quitta son futon, aida une femme à se lever et commença à danser avec elle. Bientôt, Suzanne vit le baiser goulu et la main de son hôtesse sous la blouse. Le petit gros très attentif à la scène se masturbait allègrement.

— Je crois que tu devrais partir, maintenant.

Normand s'était penché vers elle pour lui parler. Il se leva pour aller répéter le message à Louis.

En marchant vers l'escalier, Suzanne ne détacha pas son regard du spectacle offert par Madeleine. Cette dernière avait eu raison. Le « Non, jamais » était venu au restaurant. Là, c'était le « Je regarde, mais je ne participe pas ». Et la prochaine fois ? Rendue au rez-de-chaussée, elle dit à son mari :

— Je m'arrête aux toilettes un instant.

Assise sur la lunette lilas, la tête un peu bourdonnante – à cause de l'alcool et du spectacle –, elle s'attarda un peu. Quand elle sortit, Louis était debout près de l'escalier.

— Ils le font.

Son érection demeurait de bois. Au moins, il ne se masturbait pas.

— Bien sûr, ils le font. Pensais-tu qu'ils joueraient aux cartes ?

Une fois dehors, ils marchèrent un peu pour se calmer. À la maison, Louis se montra un amant enthousiaste. Il jouit deux fois. Le maximum pour un homme, selon Madeleine. Oui, ce genre de situation pouvait raviver la passion au sein d'un couple. Mais à qui rêvait-il à ce moment-là ? À Madeleine, ou à l'une des deux autres ?

Chapitre 14

Chez les Tellier, après des ébats parfois partagés dans le salon pour certains, dans l'intimité des chambres attenantes pour d'autres, les trois couples se retrouvèrent au milieu de la nuit sur les futons du sous-sol, vêtus de peignoirs.

— Pis, la p'tite, est-ce qu'on va la revoir ? demanda le grassouillet.

— Si tu ne l'as pas trop traumatisée, commenta son épouse.

Son habitude de se masturber à la vue de tous déplaisait souverainement à sa légitime.

— Quoi ? Si elle se rend à un party de *swigneurs*, elle peut pas jouer à la sainte-nitouche ensuite.

— La bave te coule sur le menton, contrôle-toi un peu ! ragea son épouse.

« Ce mariage ne se rendra pas à Noël », songea Madeleine.

— En tout cas, nous savons ce qu'il faut pour exciter nos maris, dit l'autre épouse. Une jupe à plis, un collant, un chandail un peu serré, et l'air d'avoir dix-huit ans.

De toute évidence, Suzanne avait créé des attentes, possiblement vaines. Dans ce monde, chacun des hôtes choisissait ses invités. Parmi ces personnes, peut-être que certaines ne se croiseraient plus jamais. Tout comme elles pouvaient toutes se revoir lors de la prochaine réception.

— Qu'en penses-tu ? demanda Normand à sa femme. La reverrons-nous ?

— Nous la reverrons.

Madeleine ne paraissait pas douter du tout. Juste à cause du regard de Suzanne quand elle avait quitté la pièce.

Suzanne se réveilla tardivement avec l'impression que Louis poussait un morceau de bois au creux de ses reins. Puis elle sentit une main sur sa poitrine. Décidément, il n'y avait rien comme un bout de film cochon et deux femmes se livrant à une danse lascive pour susciter un nouvel enthousiasme conjugal.

Comme chaque fois qu'ils faisaient la grasse matinée, le petit-déjeuner ferait également office de dîner. Ils en étaient à leur second café quand Louis demanda :

— Alors, que vas-tu faire ?

— J'espérais passer un après-midi tranquille. Mais si tu tiens à te promener à la campagne, je me ferai une raison.

— Tu sais bien que je ne parle pas de ça.

— Si tu ne parles pas de ça, tu parles donc de ÇA ! ricana-t-elle. Toi, que souhaites-tu faire ?

— Accepter la prochaine invitation, s'il en vient une, bien sûr.

— Si tu m'avais dit le contraire, je ne t'aurais pas cru. Parce que tu es revenu de là très… motivé.

Louis présenta un visage d'enfant surpris avec la main dans le plat de bonbons.

— Tu ne m'as pas répondu.

— Nous savons tous les deux que si je dis non, tu iras ailleurs. Alors autant aller ensemble au même endroit.

En entendant sa femme présenter les choses ainsi, Louis ne savait plus trop s'il devait se réjouir.

Ce dimanche, Jacques Charon se retrouva à la porte du grand amphithéâtre de l'École de commerce un peu avant le début du film. Josiane était déjà arrivée. Après des échanges de salutations, il proposa :

— Nous y allons ?

Peu après, ils assistaient au coup d'éclat de Chico Tremblay, un petit voyou chargé d'éliminer un chef de la pègre à New York et qui se retrouvait ensuite poursuivi par des tueurs. Parmi les personnages inoubliables, il y avait Dorothée Berryman en danseuse aussi stupide que possible, et André Guy en animateur de tribune téléphonique particulièrement manipulateur qui finissait par payer cher son opportunisme.

En quittant la salle, Josiane remarqua :

— Tu vois vraiment tous les films québécois ? Un vrai patriote !

— J'en conclus que tu as médiocrement apprécié.

Elle laissa fuser un petit rire.

— Je ne l'aurais pas dit comme ça, mais tu as raison. Remarque, le bandit qui incarne le peuple québécois aux prises avec les méchants Américains et leurs valets canadiens, c'est aussi éloquent qu'un discours de Pierre Bourgault.

Ce fut au tour de Jacques de rire de bon cœur.

— Je pense que tu aurais aimé *Bulldozer*. Une histoire de gars qui essaient de subsister dans un dépotoir.

— De la vraie poésie.

Le film s'était terminé à onze heures. Dehors, Jacques trouva la température un peu froide pour sa veste de jeans. Les mains dans les poches, il demanda :

— Où habites-tu ? Je vais te reconduire.

— Je suis au pavillon Lacerte. Ce n'est pas nécessaire…

Il s'agissait de la résidence étudiante destinée exclusivement aux filles, comme le Moraud l'était aux garçons. Toutes les autres étaient mixtes.

— Ne le prends pas personnel. Comme je comptais déjà marcher dans cette direction, ça ne me retardera pas.

Josiane esquissa un sourire, murmura « Merci », puis elle continua :

— Dans ce film, les femmes ont de beaux rôles. La maîtresse qui se fait dire à répétition qu'elle n'a pas de tête, la secrétaire Ginette, si serviable et si bien coiffée, avec un chameau sur le devant de son chandail jaune, ensuite les danseuses naïves qui ne voient rien aux manigances des mafieux.

Jacques commençait à se sentir un peu coupable de l'avoir emmenée là. Dorénavant, quand il serait accompagné, il se limiterait à *Cris et Chuchotements* ou *Elvira Madigan*. Les films suédois paraissaient tellement plus intelligents. Des femmes comme Josiane devaient constituer la base du public d'Ingmar Bergman ou de Bo Widerberg.

Le pavillon Lacerte ne se trouvait pas très loin, quelques minutes suffirent pour s'y rendre. Ils se firent face devant la porte.

— Je te remercie de m'avoir accompagné au cinéma, et je m'excuse de mon mauvais choix de programme.

— D'un autre côté, le public des films québécois vient de s'enrichir d'une personne. Tu as fait ton devoir.

— Si nous recommençons, tu choisiras.

— Je vais m'en souvenir.

L'année précédente, quand Diane se trouvait à l'université, Monique y était aussi. Maintenant, elles ne ressemblaient plus à deux doigts d'une même main. Tout de même, quand Jacques vit Diane entre les étagères de la bibliothèque, il s'approcha pour demander :

— Tu es seule ?

— Nous ne sommes pas des jumelles siamoises, dit-elle avec un sourire moqueur. Et toi, tu es seul ?

— Nous ne sommes pas des jumeaux siamois. Enfin, pas tous les jours. Voudrais-tu de la compagnie pour souper ?

— Avec plaisir. On se retrouve un peu après cinq heures en bas des escaliers ?

Ils se quittèrent sur cet engagement. Le jeune homme passa le reste de l'après-midi plongé dans des livres sur l'histoire du dix-neuvième siècle américain. Lentement, il en venait à connaître quelque chose sur les Know Nothing.

Quand Jacques descendit vers l'entrée principale de la bibliothèque, il retrouva Diane qui l'attendait. C'est en discutant de leurs dernières lectures qu'ils marchèrent vers le Pollack. Dans la cafétéria, ils s'assirent à la table habituelle des vieux garçons. Les cours firent l'objet des discussions jusqu'à ce que la femme s'arrête de parler pour observer une étudiante qui venait d'arriver.

— Qui est-ce ? murmura-t-elle.

— Howard Carter en jupon...

Il évoquait l'homme qui avait découvert la tombe de Toutânkhamon en 1922. Devant les sourcils en accent circonflexe de Diane, il précisa :

— C'est une étudiante en archéologie.

Bientôt, Sylvie-Nicole lança un « Bonsoir » à la ronde, puis elle alla s'asseoir juste en face de Martial.

— Tu as passé une bonne fin de semaine ? lui demanda-t-elle.

Il s'engagea dans un récit très ennuyant où ses parents et le magasin général tenaient une grande place. Ce fut après plusieurs minutes que la nouvelle venue se tourna vers Diane pour demander :

— Tu es aussi en histoire ?

— En deuxième année. Et toi ?

— En archéologie.

— Tu aimes ?

La jeune femme parla de son amour des poteries grecques et romaines, de ses lectures sur le sujet, et de sa décision de vouloir en faire sa profession. Son sourire, sa façon de pencher un peu la tête en parlant, d'utiliser sa main pour placer ses longs cheveux derrière son oreille la rendaient toujours aussi aguichante.

Ensuite elle demanda :

— Les gars en histoire sont-ils tous aussi sages que ceux-là ? On dirait des curés qui surveillent leurs ouailles.

Du regard, elle engloba Jacques et Jean-Philippe.

— C'est curieux, je n'ai jamais constaté ça. C'est peut-être parce que je suis aussi sage qu'eux.

Voilà qui incita la très jolie fille à redonner toute son attention à Martial. Elle se montra encore plus mielleuse. Finalement, elle lui demanda :

— Me permets-tu d'aller te voir dans ta chambre, plus tard ?

— Oui, je vais t'attendre.

Elle se leva, prit son plateau en lançant un nouveau bonsoir à la ronde, et alla le déposer sur la courroie destinée à le rapporter dans la cuisine. Les occupants de la table la suivirent des yeux sur toute cette distance.

Très vite, ce fut au tour de Jean-Philippe de se lever en disant :

— Je dois passer à ma chambre. On se voit tout à l'heure.

Quand Jacques et Diane quittèrent la cafétéria à leur tour, cette dernière remarqua :

— C'est la petite amie de Martial ? C'est impossible…

— En tout cas, elle se montre extrêmement gentille avec lui, répondit Jacques.

— À moins qu'il la paye, je n'y crois pas.

Jacques se troubla. Il n'avait même pas pensé à cette éventualité. Il devait vraiment être trop sage.

— Tous les deux habitent le même bloc que moi au Parent. La semaine dernière je l'ai vue dans l'embrasure de la porte de sa chambre, un verre de cidre à la main.

— Un vrai playboy ! Il a peut-être des qualités que nous ignorons.

Bientôt, ils retrouvèrent Monique et Jean-Philippe dans le local du séminaire de Louis Gervais.

À la pause, les quatre amis sortirent dans le couloir afin de respirer un peu. Diane entreprit de raconter à Monique la scène à laquelle elle avait assisté à la cafétéria. Elle termina en lui demandant :

— D'après toi, quel genre de fille peut s'intéresser à Martial ?

— J'ai du mal à imaginer que quelqu'un puisse s'intéresser à lui. Mais comme disait maman, chaque pot trouve son couvercle.

— J'ai vu de très jolies filles à Las Vegas, dit Diane, mais aucune vraiment mieux que celle-là. Enfin, ça ne vaut sans doute pas pour des Américains. Eux veulent plus de monde au balcon.

Jacques mit un instant avant de comprendre l'allusion à la poitrine menue de la brunette.

— Mais à Cannes... continua-t-elle, tous les hommes en baveraient d'envie.

Quand Diane évoquait ses voyages, Jacques se trouvait très « habitant » avec son existence se partageant entre Manseau, Trois-Rivières et Québec.

— J'ai beau me dire que Martial peut avoir d'extraordinaires qualités de cœur, c'est un couple si improbable ! dit encore Diane.

— Un trio, intervint Jean-Philippe. Un vice-doyen s'intéresse à elle.

Comme le garçon fixait Jacques, celui-ci se sentit obligé d'expliquer :

— Quand j'ai mangé avec Aubut, il y avait deux couples de pigeons qui roucoulaient dans la salle : notre adolescent avec Brigitte, et Sylvie-Nicole avec Marc Samson.

Il n'irait pas jusqu'à avouer qu'il était allé errer du côté de l'administration de la faculté des lettres pour observer l'homme dans un bureau dont la porte était ouverte. Un comportement digne des pires commères de Manseau.

— Je l'ai déjà vu, dit Diane. Cette fille doit être très sensible aux qualités intellectuelles, parce que physiquement, je le trouve encore moins sexy que Martial.

— Parlant pigeon, intervint Monique, Brigitte paraissait un peu soucieuse, tout à l'heure.

Le lundi précédent, alors que Louis avait interrompu son cours pour aller passer un coup de fil, Brigitte s'était inquiétée. Et à la fin du séminaire, il s'était éclipsé si rapidement... Aussi, ce soir-là, elle ne l'avait pas quitté des yeux. C'était particulièrement troublant pour le professeur, car maintenant, elle occupait la chaise immédiatement voisine de la sienne.

À neuf heures quarante, alors que les autres étudiants se dispersaient, elle demanda d'un ton un peu geignard :

— Louis, cette semaine, pourrais-je te rencontrer ?

D'habitude, cet empressement l'aurait flatté. Dans les circonstances un peu particulières où il se trouvait, cela eut pour effet de le rendre impatient.

— Non. Mon horaire ne me le permet pas. Peut-être la semaine prochaine ?

— Mais j'ai besoin d'aide maintenant, pour mon travail.

Ce n'était plus de l'empressement, mais de l'insistance déplacée. Tout à coup, elle lui apparut susceptible de lui causer des ennuis.

— Dans ce cas, le mieux serait de t'adresser à un de tes camarades.

Quelques étudiants traînaient encore dans le couloir, dont les quatre mousquetaires. Il continua en élevant la voix :

— Jacques, peux-tu venir ici une minute ?

L'étudiant s'approcha en disant :

— Je peux vous aider, monsieur Gervais ?

— Pas moi, mais Brigitte. Elle me confiait rencontrer certaines difficultés. Accepterais-tu de lui venir en aide ?

— Oui, bien sûr.

— Merci. Bon, maintenant, je dois y aller. Bonne soirée.

Sur ces mots, Louis Gervais ramassa son porte-documents.

— Brigitte, si tu veux... commença Jacques.

— Moi aussi, je dois y aller.

Elle quitta la pièce à grandes enjambées. Le professeur l'avait blessée.

Au moment de rejoindre ses amis, Jacques souleva les sourcils et écarta les bras pour signifier son incompréhension.

— Je pense que nous venons d'assister à l'avortement d'une histoire d'amour, dit Diane.

— La question est de savoir pourquoi, ajouta Monique. Ça paraissait si bien engagé…

Les deux femmes s'étaient mises à marcher vers la sortie. Derrière elles, Jacques et Jean-Philippe échangèrent un regard. Avec cet air de tout savoir sur les rapports entre hommes et femmes, elles leur donnaient souvent l'impression qu'ils étaient particulièrement incapables.

Les deux amis marchaient vers le pavillon Parent quand Jean-Philippe demanda :

— Vas-tu l'aider ?

— Je ne pense pas qu'elle ait besoin de mon aide. Et si elle désirait celle de Gervais, je ne pense pas que cela concernait ses études.

Ils passèrent tout le reste du trajet à parler des divers professeurs désireux d'offrir leur aide à de jeunes étudiantes. Car si Gervais était le plus entreprenant, ou peut-être celui qui tenait le plus à se faire voir, il n'était certainement pas le seul.

Le mercredi matin, Suzanne reçut un nouveau coup de téléphone à son bureau. Cette fois, elle reconnut tout de suite la voix de Madeleine Tellier.

— Bonjour, commença cette dernière. Accepterais-tu de venir dîner avec moi ?

— Si c'est tout près d'ici, oui. Je n'ai pas beaucoup de temps pour manger.

— Alors pourquoi pas au même endroit que la dernière fois ? C'est à quelques minutes de ton bureau.

— Très bien, je pourrai être là un peu après midi.

En réalité, elle y fut tout juste à midi, comme si elle avait hâte de recevoir un résultat d'examen. À son arrivée,

Madeleine était déjà assise à une table. Celle-ci se leva afin de lui faire la bise sur la joue.

— Je suis contente de te revoir.

— Moi aussi.

Quand elles furent assises, Suzanne demanda :

— Je me suis demandé si je te verrais avec tes enfants. Mais tu préfères sans doute diviser ces deux... sphères de ta vie.

— Si je pensais que tu aborderais mon fils en disant : "Je fais des partouzes avec ta maman", c'est certain que j'érigerais un mur entre vous. Mais je crois que tu dirais plutôt : "Comment t'appelles-tu ? Quel âge as-tu ?"

— Comment s'appelle-t-il ? Quel âge a-t-il ?

— Simon a quatre ans et Isabelle, trois.

Comme la serveuse s'approchait, elles abandonnèrent ce sujet. Cependant, quand elles furent à nouveau en tête à tête, Madeleine demanda :

— Tu aimerais avoir des enfants ?

— Peut-être. Mais mon petit doigt me dit que je me retrouverais sans père peu de temps après… Où sont-ils, en ce moment ?

— Chez ma mère.

Ce ne fut qu'avec son assiette sous les yeux que Suzanne demanda :

— Alors, j'ai passé l'examen ?

Madeleine commença par rire de bon cœur, avant de dire :

— Je voulais poser exactement la même question.

— Mais comme j'ai été la première, tu dois répondre d'abord.

— Tu l'as passé haut la main. J'ai entendu vanter ton charme juvénile jusqu'au petit matin. Si l'un d'eux se met en tête d'en parler dans le milieu, ça se bousculera pour te faire des invitations.

— Ces gens vont parler de moi ?

La secrétaire s'imaginait déjà voir un professeur s'arrêter devant son bureau pour dire : « Comme ça, madame Gervais, vous allez à des partouzes ? »

— Oui, mais ne sois pas inquiète. C'est un tout petit milieu, qui est composé de gens qui ont intérêt à demeurer discrets. Alors, tu viendras ?

— Oui. Pour la paix de mon ménage. Depuis, Louis ressemble à un adolescent obsédé.

Madeleine imagina le petit blond se comporter comme un satyre. L'image lui tira un sourire.

— Évidemment, c'est plus facile de justifier ta réponse de cette façon. Mais oublie ton mari un instant. Tu viendras ?

— Oui, je viendrai.

— Jusqu'au bout ?

— Si je ne tombe pas sur le gros...

Madeleine lui adressa un clin d'œil.

— Ça peut certainement s'arranger.

Après cela, Suzanne dut bien admettre qu'elle continuait cette aventure pour son propre compte. Toutefois, mieux valait ne pas trop le faire voir à Louis.

Chapitre 15

Jeudi soir, après le séminaire sur l'histoire de la Troisième République, Jacques bavarda pendant quelques minutes avec Monique et Diane et rentra au pavillon Parent avec Jean-Philippe. Ils se séparèrent dans le grand hall, chacun se dirigea ensuite vers l'un des blocs.

Jacques monta dans l'ascenseur du bloc D, pour descendre au septième étage. Des rires étouffés sur sa droite attirèrent son attention. Il aperçut quatre étudiants l'oreille collée contre la porte de la chambre de Martial.

— Que se passe-t-il ?

Les autres jetèrent un regard irrité dans sa direction, comme s'il venait les interrompre dans une activité importante.

— Rien, dit quelqu'un.

Jacques eut envie de frapper à la porte de Martial pour lui signaler la présence de ces indiscrets, mais de quel droit pouvait-il intervenir dans ses affaires ?

Il se dirigeait vers sa chambre quand il entendit une voix masculine marquée par la colère, suivie tout de suite par un cri aigu. Bientôt, Sylvie-Nicole sortit, en pleurs et la main sous le nez.

En s'approchant, Jacques vit un peu de sang sur ses doigts. Il remarqua aussi qu'elle portait un peignoir ouvert.

Ceux qui étaient des spectateurs amusés gueulaient maintenant après Martial.

— Crisse de fou, tu l'as battue !

— Tu vas te ramasser en prison !

— Que s'est-il passé ? demanda Jacques.

— Ce fou l'a frappée. Une fille de cent livres !

— Et vous étiez collés à la porte pour vous amuser un peu ? Ça ressemble à un piège, dit Jacques.

Le regard chargé de colère de Sylvie-Nicole croisa le sien. Elle avait enlevé sa main de son visage. Sa lèvre supérieure était fendue. Dans une heure, et pour quelques jours, son joli visage serait moins symétrique.

Dans l'embrasure de la porte, Jacques apercevait Martial, qui paraissait hésiter entre fondre en larmes et exploser de colère. Il serrait et ouvrait les poings, comme s'il désirait en découdre.

— Toé mon tabarnak, cria l'un des spectateurs, tu vas en manger toute une.

À ce moment, des étudiants logeant dans les chambres de l'étage étaient sortis dans le couloir afin de comprendre les raisons de toute cette commotion.

— Là, vous devriez vous calmer et sacrer le camp, dit Jacques. Votre petit show est terminé.

— Il l'a battue. Je l'ai entendu la menacer !

— Si elle veut appeler la police, c'est son droit. La cabine est là. Toi et tes chums, vous pourrez leur expliquer ce que vous faisiez l'oreille contre la porte.

Finalement, Sylvie-Nicole dit :

— Moi, je ne resterai pas ici une seconde de plus.

D'un pas rapide, elle marcha vers l'extrémité opposée du couloir pour s'engager dans l'escalier et regagner l'étage où se trouvait sa chambre. Les spectateurs la suivirent après une hésitation, les curieux se retirèrent chez eux. Bientôt, il ne restait que Jacques et Martial.

Ce dernier murmura :

— Les salauds. Je vais leur montrer... Mon père a un .38.

Puis il voulut refermer sa porte. Jacques le retint en disant :

— Tu viens prendre une bière à La Résille ?

L'invitation le surprit. Après un instant, Martial finit par accepter. Au passage, Jacques déposa son sac de postier sur son lit. La courte marche vers le pavillon Pollack permit de faire baisser la pression. Au restaurant, de part et d'autre d'une table, ils commencèrent par boire en silence. Lorsqu'il se sentit prêt, Jacques prit la parole :

— Qu'est-ce qui s'est passé ?

D'abord, Martial demeura silencieux, les yeux fixés sur son verre.

— Elle est venue dans ma chambre habillée... déshabillée, comme tu as vu, pour boire quelque chose. J'avais acheté du Southern Comfort. Je...

Il s'était préparé pour une rencontre galante. Évidemment, raconter cette histoire le couvrait de honte. D'un autre côté, Jaques lui offrait une oreille plus sympathique qu'un policier moustachu.

— Je lui avais laissé la chaise, mais elle est venue s'asseoir sur le lit, comme ça.

Il montra ses deux mains collées l'une contre l'autre.

— Quand j'ai voulu l'embrasser, elle a éclaté de rire, elle s'est moquée. C'est là que j'ai entendu ses amis de l'autre côté de la porte.

— C'est à ce moment que tu l'as frappée…

— Depuis le début de la session, tout ça, c'était pour rire de moi…

Dès le premier soir, Jacques avait eu cette conviction. Les Martial de ce monde n'attiraient jamais l'attention des Sylvie-Nicole. Quand cela se produisait, ce n'était pas à cause d'un sentiment amoureux. S'amuser à tourner en ridicule un garçon un peu marginal, inexpérimenté, intimidé par les femmes, paraissait un motif infiniment plus crédible.

— C'est vrai, cette histoire de police ? demanda Martial.

— D'aucune façon tu ne peux frapper une femme, surtout si ce n'est pas la tienne.

Dans le cas des femmes mariées, le système judiciaire se montrait curieusement indulgent, comme si le sacrement rendait la chose acceptable.

— Et ton histoire de revolver ?

— J'les laisserai pas rire de moi. Qu'il arrive n'importe quoi après. Je préfère être pendu plutôt que d'endurer ça.

— Tu as une arme dans ta chambre ?

— C'est à mon père.

Il ne répondait pas vraiment. Était-il armé là, présentement, alors que sa colère était à son comble ? Martial ne se montra pas plus précis, même si Jacques répéta sa question à quelques reprises. C'est donc un peu inquiet que celui-ci regagna sa chambre quarante minutes plus tard.

Le lendemain matin, Jacques se rendit jusqu'à la chambre de Martial, leva la main pour frapper, mais arrêta son geste. Que lui dirait-il ? « Je me demandais si tu ne t'étais pas pendu dans ta garde-robe, avec un cintre. » Ces choses arrivaient sur le campus, parfois. Bientôt il se dirigea vers le pavillon De Koninck pour assister au cours de Pierre Aubut.

À la pause, il profita d'un tête-à-tête avec Diane pour demander :

— Tu te souviens de la scène entre Martial et Sylvie-Nicole ?

— La belle et la bête ?

C'était une description à la fois cruelle et juste de la situation. Il lui raconta l'épisode de la veille.

— Quelle salope ! dit Diane. Elle a tout fait pour l'exciter et pour le repousser ensuite afin de pouvoir rire de lui !

— Et amuser ses amis, ajouta Jacques. Après, je suis allé prendre un verre avec lui. D'abord parce qu'il était secoué, mais aussi parce qu'il a fait allusion à un revolver et à un règlement de compte. Penses-tu que je devrais avertir la police ?

— Pourquoi ferais-tu ça ?

— S'il faisait quoi que ce soit avec cette arme, je me sentirais très mal de n'avoir rien dit.

La discussion en resta là, puisque le cours allait reprendre. L'histoire continua tout de même à tourner dans la tête de Diane. Au moment de quitter les lieux un peu avant onze heures trente, elle demanda à Jacques :

— Tu penses vraiment qu'il a une arme dans sa chambre ?

— Quand je le lui ai demandé, il n'a pas répondu. Toutefois, il a dit que c'était à son père.

— Pourquoi cet homme aurait une arme ?

— Il est propriétaire d'un magasin général…

Maintenant, Diane ne savait trop quelle attitude serait la meilleure. Dans les circonstances, Jacques préféra ne rien faire. Au souper, il rejoignit ses compagnons habituels. Sylvie-Nicole était absente, tout comme les garçons aperçus la veille dans le couloir.

— Martial n'est pas là ? demanda-t-il à la ronde.

— Je l'ai vu sortir du Parent avec une valise, dit Jean-Philippe.

Les autres conclurent qu'il devait être parti vers le domicile paternel un peu plus tôt que d'habitude. Jacques se promit de rester attentif quand Martial serait de retour le dimanche suivant.

Dans la nouvelle notion de monogamie, chaque partenaire suppose que l'autre est, et restera, l'attachement premier, mais que les attachements extérieurs d'un type ou d'un autre sont autorisés – tant qu'ils ne menacent pas la connexion principale.

Tant de livres distillaient de nouvelles valeurs, de nouvelles façons de vivre qui faisaient fi de toutes les traditions. Les certitudes pluricentenaires étaient tout simplement devenues démodées. Jusqu'à sa vingt-cinquième année, pour Suzanne, le mariage était une chose toute simple : chacun couchait avec son seul conjoint.

Maintenant que la vie l'amenait dans un autre monde, ses lectures changeaient du tout au tout. Cela avait commencé avec *Open Marriage*, pour se poursuivre avec *The Joy of Sex, A Gourmet Guide to Lovemaking*. Le côté amusant de ce livre était d'imiter *The Joy of Cooking*, un best-seller du domaine de la cuisine. De là la liste d'ingrédients : les différentes parties du corps humain. Ensuite il y avait les amuse-gueules, c'est-à-dire les préliminaires ; les plats principaux – diverses positions pour faire l'amour – ; et le sous-titre évoquant un guide du gourmet.

La veille, elle était allée chercher ce livre en sortant du bureau et s'était plongée dedans dès son arrivée.

— Penses-tu que ça va t'aider dans tes activités prochaines ? demanda son mari. Tu sens la nécessité de faire du rattrapage ?

Normand avait annoncé qu'ils seraient invités bientôt à une réception.

— Tu pourrais en profiter aussi. Il y a même des dessins pour t'aider à comprendre.

— Que veux-tu dire ?

— Que ça paraît plus agréable dans le livre que dans ma réalité.

Suzanne gardait son regard fixé dans le sien, un sourire sur les lèvres. Elle savait l'avoir blessé. Madeleine lui avait dit que la confiance des hommes était plutôt fragile. Même si c'était le seul apprentissage attribuable à ses contacts avec le milieu échangiste, ça en valait la peine.

— Personne ne s'est jamais plaint.

— Où Jacinthe a-t-elle demandé un transfert, déjà ? Nous pourrions échanger nos notes.

Louis se raidit. Il quitta les lieux sans rien ajouter. Bientôt, elle entendit le son du démarreur de la Renault.

Louis Gervais ne s'était jamais vraiment senti à l'aise en compagnie de la famille de sa femme. Les événements de l'été précédent n'avaient rien fait pour améliorer la situation. Toutefois, Suzanne avait été intraitable : vouloir donner une chance à leur couple impliquait des obligations, dont accepter des invitations pour autre chose que des échanges de couples.

Quand ils se présentèrent à la porte de la maison de L'Ancienne-Lorette, la mère échangea des bises avec sa fille, puis elle toisa son gendre avant de formuler un « Bonjour » glacial.

— Bonjour, madame Trottier. Vous allez bien ?

Son beau sourire d'adolescent n'avait pas le même effet sur les femmes de cinquante ans que sur les étudiantes.

— Ouais, ça va pas pire.

Elle les fit entrer.

— Je vais aller t'aider dans la cuisine, dit Suzanne à sa mère.

Les bises se répétèrent avec les belles-sœurs. Celles-ci la regardaient comme on regarde une personne atteinte d'une maladie incurable. À leurs yeux, son mariage était mort, et tenter de le réanimer ne faisait que prolonger la douleur.

Dans le salon, monsieur Trottier ne se montra pas vraiment plus accueillant envers son gendre. Et ses beaux-frères, encore moins. Tout de même, ils acceptèrent la main tendue. Le père demanda :

— Qu'est-ce tu bois ?

Comme tous les autres tenaient des bouteilles de bière à la main, il aurait été malvenu de demander un verre de vin.

— Comme vous.

— Labatt, c'est correct ?

— Oui, ça va.

— Avec un verre ?

Comme les autres n'en avaient pas, il fit signe que non. Monsieur Trottier se rendit dans la cuisine, il en revint pour lui tendre une bouteille toute froide en disant :

— C'est d'valeur qu'on ait pu de Dow.

Dans la maison, on pleurait encore la fermeture de cette brasserie après quelques décès mystérieux chez les consommateurs.

— Moi je ne m'en souviens pas, dit Louis. Après tout, c'est disparu en 1967.

Il ne se souvenait vraiment pas. Dix ans plus tôt il se considérait déjà comme un grand intellectuel, alors les compagnies de bière contraintes de fermer ne retenaient pas son intérêt. Sa répartie fut perçue comme un crime contre le patrimoine de Québec. Dans la cuisine, madame Trottier demanda à sa fille :

— Va leur dire qu'on mange.

La mère s'affairait déjà à couper la dinde et à mettre des tranches dans les assiettes. Dans cette maison, le chef de famille se voyait privé du rituel habituel : agiter son grand couteau et demander aux convives s'ils voulaient du blanc ou du brun.

Quand Suzanne eut quitté la pièce, l'une des brus, Marthe, mit une part de purée de pommes de terre dans une assiette, cracha dedans et dissimula son forfait avec une fourchette avant de placer cette assiette un peu à l'écart.

— Ça, c'est pour la visite rare.

Quand Suzanne revint, Marthe lui mit deux assiettes dans les mains tout en précisant :

— C'est pour ton père et mon mari. Je m'occupe des deux autres.

Ce fut ensemble qu'elles se rendirent dans la salle à manger. Marthe plaça une assiette devant Louis en disant :

— Je t'en ai mis un peu plus.

Puis elle lui adressa un clin d'œil.

— Merci, répondit-il avec un grand sourire.

Finalement, si les hommes lui faisaient grise mine, les femmes au moins lui réservaient un meilleur accueil.

Madame Trottier arriva à son tour pour demander :

— Tout le monde a que'que chose à boire ?

Ils avaient versé leur bière dans le verre placé devant eux. Elle put ramasser les bouteilles vides pour les remettre dans la caisse.

— J'en prendrais une autre, dit le père.

— Pis toé ? demanda-t-elle à Louis.

— Non, ça va, merci.

Quand les femmes furent assises, tout le monde put commencer à manger. Placée presque en face de Louis, Marthe le regardait manger de bon appétit.

— C'est bon ?

— Oui. Très bon.

Il eut l'impression que la femme était exagérément ravie de le voir satisfait. De l'autre côté de la table, l'autre belle-sœur s'amusait franchement de la situation.

— C'est très bon, madame Tottier, dit Louis.

— Suzanne a ma recette pour les patates pilées.

« Elle m'a vue », songea Marthe, qui pourtant pensait n'avoir eu qu'un témoin de sa petite vengeance. Car pour les brus, un beau-frère qui trompait leur belle-sœur et qui venait ensuite partager un repas familial représentait à la fois un affront et une menace : leur mari respectif se mettrait peut-être en tête de faire la même chose.

Louis en était venu à penser que ce repas signifiait un retour à des relations moins tendues. Cependant, le climat devint rapidement plus maussade :

— Les filles qui vont à l'université, c'est des criss de belles filles, remarqua l'un des beaux-frères.

— C'est comme partout ailleurs. Il y en a des belles, des moyennes et des laides.

— Mais à vingt ans, pour être laide, il faut quasiment faire exprès, intervint Suzanne. Je les vois passer devant mon bureau toute la journée.

— J'me disais, aussi, dit le beau-frère. Parce que j'ai faite une livraison su' l'campus, y a pas longtemps.

Le sujet des charmes juvéniles fit un moment les frais de la conversation. Pendant tout ce temps, Louis repensait à son dîner avec Brigitte. Finalement, peut-être convenait-il de la relancer, malgré ses autres projets extraconjugaux.

Au début de l'après-midi, Jacques prit l'autobus afin de se rendre à Trois-Rivières. Quand la fin de semaine s'étalait sur trois jours, il considérait de son devoir de rendre visite à sa mère. Comme s'il entendait maintenir des relations familiales normales. En même temps, pour ne jamais se trouver en tête à tête avec elle, il faisait toujours un crochet chez sa sœur Solange.

Le petit Alain était allé passer la nuit chez un ami, aussi le frère et la sœur pourraient parler librement. Assis chacun dans un fauteuil, Jacques reprit pour Solange le récit des mésaventures de Martial. Comme Diane, elle jugea sévèrement Sylvie-Nicole et s'inquiéta de l'histoire du revolver.

— Le pire, c'est que je ne vois pas de différence entre lui et moi. Je pourrais tout aussi facilement être tourné en ridicule.

— Qu'est-ce que tu racontes ?

— Je suis aussi timide et maladroit que lui. Je ne sais pas comment me comporter… quoi dire... À la maison, tout ce que j'ai appris, c'est de me tenir à l'écart et me taire. À compter de douze ou treize ans, je me suis limité à dire à Aline ce qu'elle voulait entendre. Ça me permettait d'avoir la paix. Quant à Paul, je ne lui disais rien, et je ne pense pas qu'il voulait entendre quoi que ce soit. Et maintenant, tout le monde parle des vertus magiques du dialogue. La différence entre Martial et moi, c'est ma méfiance. Si Sylvie-Nicole s'était mis en tête de me faire de l'œil, jamais je ne l'aurais crue. Je serais demeuré silencieux, je l'aurais regardée comme si je ne comprenais pas du tout ce dont elle parlait. Si elle avait insisté, j'aurais pris la fuite en invoquant tout le travail que j'ai à faire.

C'était exactement ce qu'il avait fait devant Catherine. Pour, à la fin, lui dire sa crainte de revivre le scénario dont il avait été témoin pendant toute son enfance. Il répéta cet argument à sa sœur :

— Je préfère de loin vivre enfermé dans ma petite chambre, aller voir autant de films que possible et lire à peu près tous les livres de la bibliothèque, plutôt que de recréer l'enfer de la maison.

— Tu n'es pas comme Paul et la plupart des femmes que tu croises ne sont pas des Aline, ou des Sylvie-Nicole. Rien ne prouve que les choses iraient pour le pire.

Dans ce genre de conversation, le plus difficile pour Jacques était de traduire sa pensée sans blesser sa sœur. Tous les deux étaient sortis du chemin du Petit-Montréal avec des blessures qui, si elles n'étaient pas identiques, étaient tout aussi profondes.

— Tu as raison. Et toi, tu n'es pas Aline, et les hommes que tu rencontres ne ressemblent pas tous à Paul. Mais il n'y a pas si longtemps, tu me disais vouloir t'en tenir à ta vie actuelle avec Alain et quelques amies.

— Je ne me propose pas en modèle…

— Je dis seulement que je ne me sens pas plus apte que toi à m'engager avec quelqu'un, même si mes motifs sont différents. Et je suis sans doute très orgueilleux : après le petit spectacle auquel j'ai assisté, je ne prendrai jamais le risque d'être ridiculisé de cette façon.

— Elles ne sont pas toutes comme ça, insista sa sœur.

Au lieu de rétorquer simplement que tous les hommes ne sortaient pas non plus du même moule, il fit l'effort de préciser son point de vue.

— Quand je regarde les relations qui se nouent autour de moi, je vois très bien ce qui se passe. Je n'ai pas été dupe des entreprises de séduction de Sylvie-Nicole envers Martial. Quand je suis directement concerné, je perds tout discernement.

En disant ces mots, Jacques savait que ce n'était pas tout à fait vrai. Jamais il n'avait douté de la sincérité de Catherine. Cependant, une autre difficulté demeurait entière : comment se comportait-on dans ce type de relation ? Il savait ce qu'il ne voulait pas répéter, tout en ignorant ce qu'il désirait vraiment, et comment se conduire pour l'obtenir.

— Je suis en train de nous déprimer tous les deux… dit le jeune homme. Je t'invite à venir voir un film dont la vedette est un gros requin.

— C'est bientôt l'heure du souper.

— Je vois *Le Nouvelliste* sur la table. Regardons l'heure de la représentation. Nous souperons avant ou après, selon ce qui est le plus pratique.

Jaws était présenté au centre commercial Les Rivières. Ils convinrent de se presser pour être là pour la séance de six heures.

— Mais tu n'as pas à payer mon entrée, dit-elle en marchant rue Laviolette.

— Tu as raison, et tu n'as pas à me prendre dans ton auto demain.

À la fin, elle admit qu'il s'agissait d'un échange de bons procédés.

Chapitre 16

D'habitude, à l'Action de grâce, les gens recevaient des proches pour le dîner. Cependant, c'est pour le souper que Diane avait invité Monique et son époux. Le couple se présenta un peu après cinq heures.

Ce petit groupe se connaissait depuis longtemps. Les deux hommes avaient fréquenté le même collège, et ils étaient ensemble quand ils avaient fait la connaissance des deux jeunes secrétaires dans un café de la rue Saint-Jean. Après l'échange de bises, Robert demanda :

— Que diriez-vous d'un apéritif ? Un martini ? Un pineau blanc ?

Parce que moins familier, le second alcool reçut les suffrages des invités. Selon les usages, Diane aurait dû faire visiter son nouveau petit royaume à Benoît. Mais, les fois précédentes, elle avait remarqué son sourire dépité. Sans doute souffrait-il de la différence de leurs niveaux de vie.

— Ça se passe comment à ton travail ? demanda Robert.

— Bien, même s'il y a un côté affreusement déprimant à faire ce que je fais. Chaque jour, j'entre dans des maisons où tout va mal : pauvreté, ivrognerie, mauvais traitement des enfants.

Robert aurait pu dire : « Moi, je vois des gens qui, pour une majorité, vont crever dans les deux ans. » Selon les statistiques au Canada, une personne sur deux mourait des conséquences d'une maladie cardiaque. Les expressions « pression sanguine » et « taux de cholestérol » revenaient sans cesse dans les bouches des personnes de plus de quarante ans. À la place, il se montra bon prince :

— Je comprends. Tu côtoies le pire de la société.

Diane proposa à Monique :

— Tu viens me donner un coup de main ?

Ce jour-là, de très nombreuses familles mangeraient de la dinde. Si Diane voulait bien rompre avec la tradition, elle tenait aussi à limiter la difficulté. Pour eux, ce serait un pot-au-feu. Après l'avoir laissé mijoter une demi-heure dans une cocotte de marque Creuset, elle avait tout bonnement mis le couvercle pour laisser la cuisson se poursuivre.

Dans le salon, quand Benoît jugea avoir suffisamment évoqué les enfants victimes d'abus, il dit :

— Monique m'a dit que tu prenais des cours de pilotage.

— Oui. Hier c'était le quatrième. Attends une minute.

Robert revint avec un catalogue des produits Cessna. Il le feuilleta jusqu'à trouver la bonne page et le tendit à Benoît.

— Ça, c'est le modèle 172, l'avion le plus vendu dans le monde. Évidemment, je ne l'achèterai pas neuf. Comme on en produit depuis 1955, il y en a plein sur le marché.

Même usagé, un Cessna 172 coûtait aussi cher qu'une maison.

— Combien de personnes entrent là-dedans ?

— Quatre. Donc, le pilote et trois passagers. Juste assez pour nous. Vous pouvez compter sur une invitation l'an prochain.

— Et ça couvre quelle distance ?

— Huit cents milles avec un plein. Par exemple, c'est l'affaire de treize heures de vol pour aller à Miami. Deux jours, en prévoyant une escale en Virginie pour se réapprovisionner et dormir. Parce que piloter ces petits appareils, c'est exigeant.

En automobile, il fallait au moins trente heures. Le sujet les occupa jusqu'au moment de passer à table. C'est après le potage que Robert dit :

— Tu devais être en beau maudit quand tu as appris ce qui est arrivé à Monique à l'université.

Immédiatement, les yeux de Benoît se fixèrent sur sa femme, et ceux de cette dernière, sur Diane. Devant leur réaction, Robert balbutia :

— Désolé, je ne pensais pas que c'était un secret.

— Je n'ai pas jugé ça assez important pour le lui rapporter, dit Monique.

Maintenant, tous les yeux se portaient sur Diane, et il s'agissait de regards peu amènes de la part des invités.

— Qu'est-ce qui n'était pas assez important pour que je le sache ? demanda Benoît.

Monique essaya de présenter une version édulcorée de sa mésaventure. La claque sur ses fesses était devenue une petite tape et le nombre des témoins était considérablement réduit. Au moins, Robert ne soupçonna pas que Diane avait exagéré l'affaire pour se rendre intéressante, et Benoît se douta bien que la réalité avait été pire que ce récit.

— Quand Diane m'a raconté ça, dit le médecin, je lui ai dit d'abandonner ses études. Au lieu de se faire écœurer par des idiots, elle pourrait s'occuper de nos enfants.

Cela faisait beaucoup trop d'informations à la fois pour Benoît. Il regarda son hôtesse au moment de dire :

— Tu es enceinte ?

— Non, je ne suis pas enceinte.

— Et toi, Monique ?

— Tu sais bien que non ! Tu aurais été le premier informé.

Aborder ce sujet à table, c'était comme ouvrir une boîte de Pandore. Et impossible de la refermer et prétendre que ce n'était pas arrivé. Ce fut Monique qui décida de dire à Robert :

— Benoît et moi n'avons pas les moyens de vivre avec un seul salaire. Je veux dire vivre raisonnablement bien. On ne rêve pas d'acheter un avion, mais on aimerait au moins avoir un bungalow à Neuchâtel. De toute façon, ce n'est pas juste une question d'argent. Tu ne trouves pas ridicule que j'aie dû demander vingt dollars à Benoît pour lui acheter un cadeau pour son dernier anniversaire ?

Dans sa propre demeure, Robert en arrivait maintenant à ne plus savoir où se mettre.

— Je comprends… Mais accepter ce que ce prof a fait…

— Personne ne dit qu'il faut accepter, dit Monique. Mais que veux-tu que je fasse ? Me plaindre ? Ce n'est pas un viol. Si je parle de ça aux dirigeants de l'université ou à la police, je me ferai dire de retourner à mes chaudrons, comme tu viens de le faire. Tu vois Benoît lui casser les jambes avec un bâton de baseball ?

Après ça, même le gâteau forêt-noire acheté dans une pâtisserie de la rue Cartier reçut un accueil indifférent. Ce ne fut qu'au moment de boire un digestif dans le salon que Robert demanda d'une voix presque craintive :

— Vous pensez avoir des enfants, un jour ?

— Il y a plus d'enfants au Québec que de parents capables de les élever, déclara Benoît.

— Et puis c'est la femme qui s'en occupe, renchérit Monique. C'est comme lui attacher un boulet au pied.

Après tout cela, il aurait fallu être un professionnel du *small talk* pour redonner une certaine normalité à la conversation. Quand le couple Charpentier quitta les lieux peu après neuf heures, les au revoir s'avérèrent légèrement crispés.

Dans la chambre à coucher, Robert demanda :

— Tu penses que leur attitude à propos des enfants est normale ? Si tout le monde pensait de cette façon, dans cent ans, il n'y aurait plus personne sur terre.

— Il restera toujours les catholiques qui écoutent le pape pour se reproduire. Les Témoins de Jéhovah aussi. Dans cent ans, il y aura des légions de bons chrétiens pour repeupler la planète, et la vie sera d'un ennui total… Heureusement, je ne serai plus là.

Ce n'était pas la réponse attendue par son mari, aussi Diane précisa :

— Je ne sais pas ce qui est normal, parce que ce sont toujours des hommes qui disent aux femmes si elles sont normales ou pas. Mais une chose est certaine, je n'ai pas plus envie de me reproduire que Monique.

Le lundi matin, en montant dans la voiture, le petit Alain était d'assez mauvaise humeur. Il répéta peut-être pour la dixième fois depuis son retour de sa nuit passée chez son ami :

— Je t'avais pourtant dit que je voulais voir ce film.

— C'était pour quatorze ans et plus, opposa sa mère.

— Pour une histoire de requin ?

— Tu essaies de me faire passer pour une mauvaise mère. À la place, tu devrais écrire à l'organisme qui fixe l'âge d'admission à un film.

Une fois assis à l'arrière de la Gremlin, le garçon retrouva un peu sa bonne humeur. L'idée de passer sur le pont Laviolette l'excitait toujours.

Ils atteignirent le chemin du Petit-Montréal un peu avant midi. C'était lundi, alors Aline n'avait pas eu à aller à l'église. Comme à son habitude, elle se planta devant la porte pour les recevoir. Les épanchements se limitèrent à une question :

— Pis vous autres, ça va ?

Les trois l'assurèrent que tout allait bien dans leur vie. Ensuite, elle se fit plus inquisitrice. Solange dut expliquer qu'à son travail, ses patrons appréciaient ses efforts et Alain, qu'à l'école on ne songeait pas à l'exclure à cause d'une performance insuffisante ou de son mauvais comportement. Aline se dirigeait vers la cuisinière électrique pour vérifier la cuisson des pommes de terre quand elle demanda à Jacques :

— Pis toé, l'université, ça se passe bien ?

— Je dois compter parmi les trois meilleurs étudiants de ma classe, dit-il en échangeant un regard avec sa sœur.

Aline se retourna pour le regarder. Son scepticisme était si évident qu'il précisa :

— Et ce n'est pas une classe de trois, mais de quatre-vingt-dix étudiants.

— Ben comme ça, tu dois être capable de conter de bonnes histoires. Mais ça travaille où, le monde avec des études comme les tiennes ?

— Il y a divers emplois, mais moi je veux devenir professeur.

Et dans ses rêves les plus fous, au département d'histoire de l'Université Laval.

— Il te reste deux ans à faire ?

— C'est plus que ça pour être professeur.

Comme la vieille femme se faisait une idée très vague des études qu'il menait, du nom des diplômes nécessaires et de la durée du programme, elle préféra laisser tomber le sujet. Si Solange fut conscrite pour mettre la table, les deux garçons se passionnèrent pour *Rue Principale*, une émission de Radio-Canada.

À midi, Jacques changea de poste afin de regarder *Informa* 7, le bulletin de nouvelles de Sherbrooke. Voilà qui ne réjouissait pas Alain. Toutefois, comme ce serait *Les Tannants* à la demie à la même chaîne, il ne protesta pas trop.

— Hier, Lucien est venu avec toute sa famille, dit Aline. Ses enfants sont tellement fins, pis bien élevés avec ça.

Le frère et la sœur se consultèrent du regard. Il lui avait fallu une bonne demi-heure avant de les entretenir de l'enfant prodigue. C'était peut-être un progrès.

— Et moi, demanda Alain, je suis fin ?

— Ben oui, t'es fin.

— Et bien élevé ?

— Ben oui, ben oui… Ben, c'est certain qu'en vieillissant, pas avoir de père va être un problème.

Solange serra les dents. Pour prévenir l'orage imminent, Jacques demanda :

— As-tu eu des acheteurs pour la maison ?

— Du monde vient voir, pis je les revois pus. Y s'attendent que je la donne.

— De toute façon, tu es bien logée ici.

— À pied, chus loin de toute. Du magasin, de l'église. Pis marcher, c'est pus de mon âge.

Et plutôt que d'apprendre à conduire, elle avait littéralement donné la voiture de son mari. Déjà, Jacques regrettait d'avoir posé la question : la liste de ses récriminations paraissait sans fin. Et même *Les Tannants* ne suffiraient pas à combattre la morosité des visiteurs. À deux heures quinze, Solange dit en quittant sa chaise :

— Maintenant, nous devons nous mettre en route, sinon Jacques risque de rater son autobus.

— Y peut toujours prendre celui qui passe au village, en fin d'après-midi.

— J'ai déjà mon billet de retour, et je n'ai pas les moyens d'en payer un autre. À moins que tu me donnes tout de suite ma part d'héritage.

Actuellement, Aline vivait essentiellement de la vente de la terre, du roulant – les instruments agricoles – et du bétail. Cette allusion à un partage de ses richesses lui enleva toute envie de bénéficier plus longtemps de la présence de son fils. La scène de leur départ fut aussi peu chaleureuse que celle de leur arrivée. Avec une variante, cependant: la mère effleura la joue de sa fille, de son petit-fils et de son fils d'un baiser.

Comme si tous les trois étaient sonnés, il fallut de longues minutes avant que quelqu'un ne prenne la parole dans l'auto.

— Cette scène des bises sur la joue, dit Jacques, c'est nouveau.

— Je pense que la télévision lui a appris que ça se passait comme ça dans les foyers normaux... En plus, ces derniers temps, elle multiplie les allusions à mon statut de célibataire en insistant sur le prochain hiver qu'elle devra passer dans sa maison isolée, alors que j'occupe un appartement à Trois-Rivières.

— Je suppose qu'avec sa participation financière, tu pourrais en trouver un avec une chambre de plus. Elle pourrait même s'occuper de l'entretien et des repas. Au fond, elle te rendrait service.

— On dirait que tu es dans sa tête!

— Non, c'est elle qui demeure dans la mienne.

Une petite voix parvint de la banquette arrière:

— Je veux pas qu'elle vive avec nous.

Alain n'oublierait sans doute jamais les paroles de sa grand-mère à propos de ce père qui l'avait abandonné – son implication était si limitée que l'enfant comprenait déjà qu'un jour, il disparaîtrait totalement –, et le fait que l'absence de cet homme le rendait moins aimable que ses cousins.

— Tu sais bien qu'elle ne viendra pas, dit sa mère.

Jacques se demanda s'il fallait lui faire confiance, à ce sujet. Aline ne renonçait pas facilement, quand elle avait un projet en tête, et après tout, une travailleuse sociale se distinguait par son abnégation.

Le lundi matin, supposément un jour chômé, Robert Chénier s'était rendu à son cabinet en donnant la raison habituelle : « Les infarctus ne prennent jamais congé. » Son humeur maussade non plus, à en juger par son ton. Ensuite, il fallut du temps à Diane avant de trouver assez de courage pour parler à Monique.

Quand celle-ci décrocha le combiné, elle demanda :

— Tu es seule ?

— Oui. Benoît a décidé de sortir. Je ne sais pas ce qui le fâche le plus : que quelqu'un puisse se payer un avion plus cher que le prix de la maison que nous avons visitée récemment, ou que je lui aie caché l'histoire avec Buczkowski.

— Je suis désolée d'avoir raconté ça à Robert. C'est parce que ça m'a frappée, cette situation, et je n'ai pas grand monde avec qui parler.

— Curieusement, moi aussi, ça m'a frappée, dit Monique avec un rire nerveux.

— Quand nous nous sommes couchés, Robert s'est interrogé à propos de la normalité des gens qui refusent d'avoir des enfants.

— Pour le prix de son avion, il pourrait certainement subvenir aux besoins d'une cinquantaine de rejetons jusqu'à leur majorité.

— En tout cas, il n'en fera pas avec moi.

Mais, poussée au pied du mur, accepterait-elle d'en faire au moins un ? Une part d'elle-même reconnaissait que ce n'était pas une demande exagérée. Maintenir son mariage à flot valait-il ce sacrifice ?

Elle s'empressa de demander :

— Est-ce que Benoît t'en veut de ne pas lui avoir dit ?

— Il m'a dit que je ne lui fais pas assez confiance pour lui raconter ce qui m'arrive. Mais dans le fond, il sait bien que le silence valait mieux, puisqu'il ne pouvait rien faire.

— Il ne t'a pas demandé d'abandonner le programme ?

— Ce serait pour retourner travailler comme secrétaire. Nous sommes comme Jacques et Jean-Philippe : au lieu de gagner un peu tout de suite, nous choisissons de nous priver maintenant pour avoir plus dans deux ans.

En rentrant chez lui ce lundi en fin d'après-midi, Jacques était allé frapper à la porte de Martial, sans recevoir de réponse. Il se présenta à la cafétéria pour manger en compagnie d'étudiants peu nombreux, et peu familiers. À l'heure du souper le mardi, il retrouva cependant la plupart de ses compagnons habituels. Il demanda à la ronde :

— Savez-vous si Martial est revenu de chez ses parents ?

Personne ne l'avait croisé depuis le matin. Jean-Philippe précisa :

— Il n'était pas au cours, cet après-midi.

— Il s'est déjà absenté comme ça ?

Son interlocuteur fit non de la tête.

— Coudon, qu'est-ce que tu lui veux ? demanda un autre étudiant.

— La dernière fois que je l'ai vu, jeudi soir, il n'avait pas l'air dans son assiette. Je me soucie de savoir si les choses vont mieux pour lui.

Quand les étudiants retournèrent à leur chambre, un peu avant sept heures, Sylvain ralentit le pas afin de se trouver à la hauteur de Jacques :

— J'ai rencontré la cause de la maladie de Martial, aujourd'hui. La pauvre a une lèvre fendue et très enflée, mais je pense qu'elle retrouvera sa beauté d'antan d'ici une semaine. Elle ne m'a pas raconté ce qui s'était passé, mais j'ai eu droit à un récit détaillé de la part d'un autre étudiant en archéologie.

— Un des spectateurs ?

— Qui était là par hasard.

Le sourire de Sylvain indiqua que cette affirmation ne l'avait pas convaincu.

— Elle a l'intention de porter plainte ?

— Je ne pense pas. Elle aurait dit ne pas vouloir créer trop d'ennuis à ce pauvre type. J'ai une autre interprétation : elle ne souhaite sans doute pas que sa présence dans la chambre d'un étudiant soit ébruitée. Ça nuirait à ses projets amoureux.

— C'est certain que si j'avais à décrire sa tenue pour aller prendre un verre de Southern Comfort dans la chambre de Martial, le vice-doyen Samson pourrait en prendre ombrage.

— Tu es bien informé sur ses fréquentations…

— Je remarque toujours les anomalies, et ce couple en est une. Là je ne parle pas de Martial. Quand je l'ai vue avec le vice-doyen, j'ai eu l'impression d'une princesse qui n'avait pas encore embrassé le crapaud.

Sylvain s'amusa de cette façon de décrire la situation, puis il mit fin à la discussion :

— Bonne fin de soirée. Moi, je vais passer quelques heures en compagnie d'Achille Talon.

Comme la clientèle de l'Université Laval se composait de grands enfants, quelques étudiants avaient réuni leurs ressources pour créer une petite bibliothèque de bandes dessinées dans un local du pavillon Moraud. Jacques y avait déjà fait quelques arrêts.

Habituellement, quand une femme mariée se rendait dans les magasins afin d'acheter des dessous, elle imaginait combien son époux serait émoustillé. Dans le cas de Suzanne, il s'agissait de se faire belle pour un parfait inconnu. Ou alors pour Normand Tellier. Madeleine lui avait expliqué qu'il était possible d'éviter les plus mauvaises combinaisons, donc l'inverse devait être tout aussi vrai.

Ce vendredi, elle s'était rendue au travail en voiture, ce qui lui avait permis d'arrêter à la Place Sainte-Foy lors de son retour à la maison. En arrivant dans le rayon des sous-vêtements féminins, elle se demanda ce qui plairait à Normand. Il s'agissait d'un homme sophistiqué, alors devait-elle préférer la soie ou le satin, avec des couleurs vives ?

Puisque Madeleine devait posséder les dessous aux tissus les plus fins, Suzanne avait opté pour le magasin Eaton afin de regarder les collections les plus classiques.

Elle choisit donc un soutien-gorge blanc en nylon et polyester, sans armature métallique, avec une jolie petite boucle à la jonction des bonnets. Quelque chose de très raisonnable, de très « jeune fille ». La culotte serait blanche aussi, et toute simple. Elle termina ses emplettes avec une paire de bas et un porte-jarretelles.

Chapitre 17

Josiane Bessette avait mis dix jours avant de parler à Jacques d'aller voir une autre projection. Le jeudi précédent, elle s'était approchée à la fin du cours d'histoire des États-Unis pour lui demander :

— Tu es toujours d'accord pour venir voir un film ?

— Évidemment. Je pensais que tu avais oublié…

— Que dirais-tu de *Scènes de la vie conjugale* ? C'est présenté à Place Québec. Je dois te préciser que c'est très long, presque trois heures. Le mieux serait d'aller à la représentation de cinq heures quinze.

— Veux-tu que je me rende au pavillon Lacerte pour que nous prenions l'autobus ensemble ?

Josiane avait accepté d'un hochement de tête.

— Comme nous sortirons de là après huit heures, nous pourrions manger dans les parages, avait proposé Jacques.

— Ce serait une bonne idée.

— Je regarderai l'horaire du numéro 8, et demain, pendant le cours d'Aubut, je te dirai à quelle heure je te rejoindrai à l'entrée de ton pavillon.

Ce samedi soir 18 octobre, exactement deux semaines après leur première réception, les Gervais se rendirent à la seconde. Le couple s'était attendu à retourner chez les Tellier, mais ce ne serait pas le cas. Cette fois, Louis dut utiliser une carte routière afin de localiser le chemin de la plage Saint-Laurent, à Cap-Rouge.

— Ce serait plus beau en plein jour, commenta-t-il. Je ne me doutais pas qu'il existait un si bel endroit près de Québec.

— C'est la même chose avec le boulevard Champlain. Tu as la falaise d'un côté, et le fleuve de l'autre.

— Mais ici, à droite ce sont des chalets dans les arbres, avec une vue parfaite sur le fleuve. Dommage que le chemin limite l'accès à la plage.

Ils jouaient ainsi aux touristes pour tromper leur nervosité.

— Je pense que c'est là, dit le professeur en ralentissant.

Normand Tellier avait dit : « C'est facile, il n'y a pas de plus grande maison dans les parages, et elle donne directement sur l'eau. »

— Que fait ce type ? demanda Suzanne.

— Ingénieur. À voir son domicile, ça ne me surprend pas. On est loin de la maison traditionnelle.

Louis s'était arrêté dans le stationnement d'un grand plain-pied dont les murs paraissaient de béton, avec des fenêtres étroites comme des meurtrières en façade. En descendant de voiture, ils s'arrêtèrent pour contempler le fleuve argenté sous la pleine lune.

— Nous y allons ? dit la jeune femme. C'est un peu frais.

— Oui, bien sûr.

Que son époux ait le trac lui faisait plaisir. Louis appuya sur la sonnette.

— Ah ! Louis et Suzanne, je présume, dit celui qui ouvrit.

— C'est bien nous, répondit la jeune femme.

Parce qu'il avait donné son prénom en second, déjà elle espérait que le sort ne lui attribuerait pas ce gaillard comme partenaire. Elle n'aimait pas non plus ses gros favoris, comme s'il essayait de ressembler à Elvis Presley. Il s'agissait de la première de ses ressemblances avec le chanteur ; la seconde était son embonpoint.

— Rénald.

Elle eut droit à une bise, son mari à une poignée de main.

— Entrez, entrez !

Il aida Suzanne à enlever son manteau et le rangea dans la penderie. Il ne prononça pas un mot, mais son regard témoignait de son appréciation. Si Suzanne avait choisi des sous-vêtements blancs, le reste de sa tenue était noir. Comme si elle avait voulu tout adapter à la couleur de ses cheveux.

Son épouse, Gaétane, était grande et mince. Il y avait aussi Jacqueline et Armand, des gens qui habitaient Saint-Nicolas, sur l'autre rive du fleuve. Des banlieusards ni très beaux, ni très laids, ni très sympathiques, sans toutefois se montrer désagréables. Si elle croisait l'un ou l'autre à Place Laurier le lundi suivant, Suzanne ne les reconnaîtrait pas. Mais peut-être que dans l'intimité, tous les deux se révélaient inoubliables...

Et bien sûr, Normand et Madeleine complétaient la petite assemblée. Les retrouvailles avec ceux-là furent beaucoup plus chaleureuses.

— Venez voir, dit Madeleine.

Elle les accompagna près des grandes fenêtres. Autant les murs extérieurs à l'avant faisaient penser à une muraille, autant tout l'arrière laissait passer la lumière avec un alignement de grandes fenêtres.

— Quand un grand navire passe, c'est impressionnant. On voit les hommes à bord.

— Et la nuit, ajouta Rénald venu se flanquer derrière eux, certains bâtiments sont éclairés comme si c'était Noël. Vous voulez quelque chose à boire ? Un cocktail ?

Les autres invités avaient des verres à la main.

— Si vous prenez un Tom Collins, vous lui ferez plaisir. Je pense qu'il en a préparé deux gallons.

— Merci de m'aider à placer ma marchandise, Madeleine. Alors ?

— Je prendrai un Tom Collins, dit Suzanne en riant.

Elle n'avait aucune idée de ce dont il s'agissait.

— Voilà une femme comme je les aime, dit l'hôte en lui donnant une bise sonore sur la joue.

« Décidément, j'espère tomber sur quelqu'un d'autre », songea la jeune femme.

Bientôt, elle eut dans les mains un verre à moitié rempli de glaçons avec une rondelle de citron accrochée sur le rebord. Rénald lui dit alors :

— Venez vous joindre à nous.

Ils se retrouvèrent assis sur des coussins à même le sol, alors que tous les autres occupaient des canapés.

Évidemment, comme tout le monde souhaitait demeurer discret sur sa vie privée, les sujets de conversation étaient peu nombreux. Pendant quelques minutes, les échanges portèrent sur la démission de Jérôme Choquette du Parti libéral. Juste au ton, il était facile de deviner que ces messieurs avaient un petit faible pour le Parti québécois.

Suzanne s'attendait à une nouvelle projection de *stag movies*, mais ce ne serait pas le cas. Gaétane dit bientôt :

— Pourquoi ne pas passer tout de suite à notre petit tirage ?

Pour éviter les mauvaises surprises, ménager les egos et ne provoquer aucune protestation chez les participants, l'invitation était venue avec les règles de la soirée : une fois les paires formées, tous se retireraient dans une chambre. Pour le plat principal, pour reprendre l'expression utilisée dans *The Joy of Sex*, chacun satisferait son appétit dans la discrétion. Les amuse-gueules pourraient toutefois être consommés en public.

L'hôtesse tenait deux sacs dans ses mains, l'un blanc, l'autre noir.

— Nous commençons par les nouveaux. Et n'essayez pas de tricher ! dit Gaétane en riant. Les dames d'abord.

Elle présenta le sac blanc à Suzanne en précisant :

— Sans regarder, tu choisis une bille.

La jeune femme s'exécuta. Bientôt elle ferma la main sur un petit morceau de ce qui faisait penser à du verre. Les deux autres femmes firent la même chose. L'hôtesse prit la dernière, et la montra aux autres.

— Rouge. Et les vôtres ?

Celle de Suzanne était noire, celle de Madeleine, blanche, et la dernière, bleue.

— Maintenant, c'est au tour des hommes.

Suzanne esquissa un sourire satisfait quand elle vit Normand avec une bille noire à la main, puis elle avala une bonne moitié du contenu de son verre. Elle en était au second. Gaétane prit le temps d'éteindre quelques lampes avant de s'asseoir. La soirée se poursuivrait sous une lumière tamisée.

Madeleine avait dit que malgré le recours à la chance, on pouvait s'arranger pour éviter certains partenaires. Suzanne en eut la certitude quand Louis révéla avoir une bille blanche. Ceux qui avaient recruté les nouveaux continueraient donc de les initier à l'échangisme. Bientôt, Normand vint s'asseoir sur le coussin près d'elle et passa son bras autour de sa taille pour lui murmurer à l'oreille :

— Ça, c'est comme gagner l'Inter-loto.

Il prit son menton entre son pouce et son index et l'embrassa tout doucement sur la bouche. Il recommença en se faisant un peu plus insistant. La jeune femme eut l'impression que la tête lui tournait. Elle avala le reste de son verre.

— Tu veux que j'aille t'en chercher un autre ? demanda-t-il.

— C'était pour me donner de l'assurance. Un autre, et je serai bientôt endormie sous une table.

— Jamais je ne courrai ce risque.

Il demeurait tout près, comme pour l'habituer à son contact. Suzanne jeta un regard circulaire sur la pièce. Tout le monde paraissait s'empresser de faire plus ample connaissance. Elle remarqua aussi que Rénald avait la main enfoncée sous la jupe de Jacqueline. Ses doigts étaient probablement très actifs, car elle se pâmait déjà.

Peut-être parce qu'Armand exigeait une mise en train pour démarrer, Gaétane quitta le canapé où elle se trouvait avec lui pour aller monter un peu le son de la chaîne hi-fi. Ensuite, elle se planta au milieu de la pièce pour danser de façon langoureuse tout en se débarrassant de son chandail et de son soutien-gorge. Avec sa longue jupe maxi, l'effet était saisissant. Et quand Madeleine vint la rejoindre, dévêtue de la même façon, pour l'embrasser à pleine bouche, la tension monta d'un cran. Rénald et Jacqueline profitèrent de ce moment pour s'esquiver en douce.

Après un instant, Madeleine s'approcha de Suzanne et tendit la main en demandant :

— Tu viens danser avec nous ?

— Seulement si Louis et Normand viennent aussi.

Normand commença par rire de bon cœur.

— Peut-être un jour, mais pas ce soir.

Quand Madeleine se fut éloignée, il dit à sa compagne :

— Et si nous en profitions pour filer à l'anglaise, nous aussi ?

Juste en face, Suzanne vit Louis débraguetté, la main dans son slip. Le spectacle l'excitait au plus haut point, il semblait parti pour une éjaculation précoce.

Suzanne se redressa et accepta la main de Normand quand il voulut l'aider à se mettre debout.

— Je connais cette maison, reprit-il en gardant sa main dans la sienne. Il y a un petit coin discret en bas.

Elle décida de lui faire confiance.

Parfois, Jacques avait l'impression d'avoir une caisse enregistreuse dans le cerveau. Tout au long de la conversation avec Josiane deux jours plus tôt, il avait vu les chiffres s'additionner : un billet de cinéma au prix normal – et non à celui pratiqué par le Cartier – et un repas au restaurant. Un an plus tôt, avec Catherine, il avait proposé la cafétéria. Cela dit, sa situation financière s'était améliorée depuis.

Il occupa une chaise dans le hall du pavillon Lacerte un peu avant quatre heures. Elle le rejoignit au moment convenu.

— Tu attends depuis longtemps ?

— Deux minutes à peine.

Il ouvrit la porte pour la laisser passer. Après avoir patienté quelques minutes assis sur un banc, ils montèrent dans l'autobus. Ils passaient devant le pavillon Parent quand, pour rompre le silence, Jacques déclara :

— Ce sera la première fois que je vais au cinéma de Place Québec. D'habitude, je fréquente le Cartier.

— J'y ai pensé, mais ce soir, il y avait deux films des années 1950, en noir et blanc.

— *La source* et *Les fraises sauvages*. Tous les deux sont aussi d'Ingmar Bergman. C'est sans doute leur façon de profiter de la projection de *Scènes de la vie conjugale*. Que ce soit de vieux films ne me dérange pas, mais je les ai vus à la télévision, et ensuite au Ciné Campus à Trois-Rivières.

— Le Canadien est moins loin, dit-elle. Il y a *Pour le meilleur et pour le pire*. C'est sur le même sujet.

— Mais les critiques ont été très mauvaises, alors que le film de Bergman est considéré comme un chef-d'œuvre.

— Tu ne l'as pas vu, j'espère?

Voilà qu'il lui apparaissait comme un spécialiste du sujet.

— Non, parce qu'il vient de sortir. Mais quand un film est dans le circuit des cinémas de répertoire, il y a de fortes chances que je l'aie déjà vu.

Ensuite, la conversation porta sur leurs cours et leurs professeurs. Lorsqu'ils arrivèrent à Place Québec, l'endroit leur parut être un véritable labyrinthe, mais à deux, ils réussirent à se retrouver.

Dans sa version originale, présentée en 1973 à la télévision suédoise, *Scènes de la vie conjugale* durait environ cinq heures. La version cinématographique, sortie en 1974, avait été amputée de plus de deux heures. Même avec d'excellents acteurs, et une autopsie fine d'une relation conjugale, cela demeurait très long.

Et déprimant, parce que si des gens aussi sophistiqués que les protagonistes principaux du film n'y arrivaient pas, personne ne le pouvait.

Posséder un sous-sol bien aménagé paraissait être une nécessité pour qui s'engageait dans l'échangisme. Suzanne et Normand arrivèrent dans une salle au décor infiniment moins kitsch que chez les Tellier. Moins susceptible de faire rire aussi, quoiqu'à cet égard, Rénald paraissait déterminé à apporter sa contribution. Ils le trouvèrent sur le canapé, étendu sur Jacqueline. Voir ses grosses fesses velues monter et descendre donnait le fou rire.

Normand ajouta au grotesque de la situation en disant:

— Désolé, nous ne faisons que passer.

Puis il y eut un pet sonore, et une voix étouffée : « S'cusez ». Heureusement que son compagnon la soutenait, car Suzanne aurait pu s'effondrer par terre en se tenant les côtes. Il l'entraîna dans une chambre et alla allumer une petite lampe posée sur une table de chevet.

— J'ai eu de la chance de ne pas pisser dans ma culotte, murmura la jeune femme.

« En voilà, une façon de parler », songea-t-elle. C'était un peu l'effet du Tom Collins, et beaucoup de l'excitation liée à la situation.

— Il y a une salle de bains à côté.

— Et je devrais repasser près de lui ?

À nouveau, elle rit un peu, puis précisa :

— Non, le danger est passé.

Il était revenu vers elle pour la prendre dans ses bras. Très vite, ils se retrouvèrent tous les deux sur le lit. L'épisode précédent avait effacé à peu près le trac de Suzanne. Elle accepta sa bouche gourmande et sa langue. Ensuite, il descendit vers son cou pour continuer ses baisers. Suzanne mit ses mains à plat sur la poitrine de Normand pour l'éloigner un peu avant de dire :

— Je trouve très suspect de me retrouver avec toi. Tu jouais le gars qui a gagné à la loterie, mais je ne crois pas vraiment au hasard.

— Rien n'a été laissé au hasard. Tu as pigé dans un sac où se trouvaient seulement des billes noires, et ton mari des billes blanches. Nous avons fait semblant d'en prendre une, mais les nôtres étaient dans notre poche. Vous étiez beaucoup trop nerveux pour vous en apercevoir.

Il arborait le sourire d'un gamin tout fier d'avoir fait un mauvais coup.

— Maintenant, je peux te faire confiance ?

— Oui et tu peux être convaincue d'une chose : je tenais très fort à ce moment avec toi.

Pour mettre fin à la discussion, il posa sa bouche sur la sienne. Sa main s'arrêta brièvement sur sa poitrine avant de descendre sur son flanc et ses fesses. Il entreprit de remonter sa jupe. Elle arqua son corps pour lui faciliter la tâche. Sa paume remonta sur l'intérieur de sa cuisse gauche et s'arrêta sur les quelques pouces de peau découverts entre le bas et la culotte.

— Petite coquine, dit-il en relevant un peu la tête pour la regarder dans les yeux.

— J'en conclus que tu aimes…

— À un point que tu ne soupçonnes peut-être pas.

Pendant un instant, avec son index et son majeur, il traça toute la longueur de la fente. « Il sent que je mouille pour lui », songea la jeune femme. Elle écarta un peu plus les jambes pour lui faciliter l'accès. Normand se releva alors en disant :

— Excuse-moi, je commence à me sentir vraiment à l'étroit.

Il enleva d'abord son chandail et ses chaussures. Pour montrer toute sa bonne volonté, Suzanne s'assit pour ôter son chandail et son soutien-gorge. Quand il fut nu, il se pencha sur elle pour lui embrasser la pointe des seins, et au moment de se redresser, il releva la jupe jusqu'à sa taille pour disparaître ensuite de son champ de vision. Il posa sa bouche sur la culotte et souffla. La sensation de chaleur tira un soupir à Suzanne.

— Maintenant, nous allons enlever ça.

Il retira sa culotte et s'appliqua jusqu'à ce qu'elle pousse un véritable cri. Quand il s'étendit près d'elle, il chercha sa bouche. C'était une action délibérée pour lui faire « goûter ». En même temps, sa main s'égara à la hauteur de ses reins pour défaire le bouton de sa jupe et ouvrir la fermeture éclair. Elle souleva ses fesses pour qu'il fasse descendre le vêtement.

— Viens sur moi. Comme ça, tu seras en contrôle.

Suzanne fit en sorte que cela se fasse doucement, lentement. Normand la contemplait et caressait tout ce qui pouvait être caressé.

Son second cri fut si fort qu'elle en resta un peu saisie. Et juste au-dessus d'elle, dans une chambre d'invité, Louis entendit également. Compte tenu de ce que Madeleine avait déjà dit à la nouvelle échangiste, cela ressemblait fort à un scénario conçu à l'avance. Elle se ferait assez bruyante pour que son mari angoisse un peu.

Après tout ce temps dans l'obscurité, quand Jacques et Josiane sortirent de la salle de cinéma, la lumière des néons força les deux étudiants à cligner des yeux. Ils se placèrent un peu à l'écart, afin de ne pas nuire au va-et-vient des spectateurs.

— As-tu pensé à l'endroit où nous pourrions manger ? demanda Jacques.

— Tu n'as pas de restaurant de prédilection dans les environs ?

— Pas vraiment.

— Tu connais chez Tintin, rue Cartier ? demanda-t-elle finalement.

Le jeune homme éclata de rire, au point où sa compagne se troubla.

— Qu'est-ce qu'il y a ?

— Quand tu m'as posé la question, je n'ai pas osé te répondre chez Popeye.

Comme elle fronçait les sourcils, il précisa :

— C'est rue Saint-Jean, à deux pas d'ici.

— Si tu préfères celui-là…

— Non, non. Je suis juste content que nous partagions des goûts culinaires semblables. Allons-y.

Cela paraissait sans doute mieux que dire « des ressources financières semblables ». Rendus à la troisième semaine d'octobre, ils se demandaient tous les deux quand ils pourraient enfin encaisser leur prêt étudiant. Ils effectuèrent la courte distance les séparant de la rue Cartier en pressant le pas, à cause de la fraîcheur du soir.

L'affiche du restaurant Tintin montrait les Dupondt bras dessus, bras dessous. L'établissement offrait un menu identique à celui de chez Popeye, sauf que la nomenclature différait. Les hamburgers ne s'appelaient ni Glouton ni Brutus. Un peu après huit heures, un samedi soir, la clientèle était nombreuse, mais ils purent trouver une table.

— Qu'est-ce que t'as pensé du film ? demanda Josiane.

— Il s'agit certainement du pamphlet le plus virulent que j'ai vu contre le mariage. Si des gens raisonnables et instruits comme ceux-là en viennent à se déchirer, imagine les autres.

La jeune femme commença par opiner du chef, avant de dire :

— En le regardant, je me suis dit que s'il était présenté aux participants des cours de préparation au mariage dans ma paroisse, l'institution disparaîtrait d'ici dix ans.

Sur ce constat pessimiste, ils mangèrent un peu. Ce fut encore elle qui relança la conversation :

— Cela signifie que tu as rayé le mariage de tes plans d'avenir ?

— De mon avenir immédiat, certainement, et ça n'a rien à voir avec ce film. J'ai seulement vingt et un ans…

— Moi aussi.

Cela réglait la question pour les deux ou trois prochaines années. Mais cela ne répondait pas tout à fait à la question de son interlocutrice. Il continua :

— Pour plus tard, je ne sais pas. Les querelles entre les personnages de Johan et Marianne, ce sont quasiment des échanges de mots doux comparés à la situation entre mes parents. Ma mère ressemblait à quelqu'un qui prend un verre tous les jours en sachant que ça le tuera. L'alcool s'appelait Paul. Si mon père n'était pas mort en juin dernier, je ne sais pas si elle serait encore en vie.

La réciproque était sans doute vraie aussi pour son père. Ils arrivaient à s'empoisonner l'un l'autre.

— Même si ça ne ressemblait pas toujours au téléroman *Quelle famille !*, c'était certainement plus tolérable chez moi.

L'émission écrite par Janette Bertrand avait été diffusée jusqu'à l'année précédente. Sachant à quoi s'en tenir au sujet de son compagnon, Josiane s'engagea sur un terrain moins personnel :

— Tu sembles t'y connaître beaucoup en cinéma.

— C'est mon loisir principal… D'abord, ce n'est pas très cher, et dans le trou perdu où je suis né, les films à la télévision, c'était comme une fenêtre sur le monde. Une façon d'essayer de vivre ailleurs, au moins en esprit. Maintenant, je continue dans les salles.

Il poursuivit, cette fois sur le ton de l'autodérision :

— Le problème de ce passe-temps, c'est que ça ne permet pas de maîtriser l'art de la conversation.

Elle eut un rire bref.

— Pourtant, je te vois toujours en compagnie de ton groupe d'amis, et tu interviens en classe. En tout cas, beaucoup plus que moi.

— Durant les cours, ce n'est pas vraiment converser.

Après cela, Jacques fournit un effort pour mieux connaître son interlocutrice. C'était une jeune femme née dans un village beauceron, d'un père ouvrier dans une petite manufacture et d'une mère « reine du foyer ». Cette information était venue avec un rire un peu grinçant.

Plus tard, en arrivant près du pavillon Parent, Jacques ne bougea pas.

— Tu n'habites pas là ?

— Je vais descendre avec toi au Lacerte.

Chapitre 18

Quelques plaintes un peu rauques, et parfois des cris plus aigus, parvinrent encore de la chambre du sous-sol. Normand Tellier « s'économisait », c'est-à-dire qu'il se remémorait les images des chirurgies les plus dégoûtantes qu'il avait eues à effectuer pour retarder son éjaculation. Cela permit à sa compagne de profiter de plusieurs orgasmes : elle fut cavalière, puis monture, puis levrette, avec en plus quelques positions dont elle ne connaissait pas les noms.

Comme ce genre d'exercice lui avait donné soif, son nouvel amant – désignait-on ainsi un partenaire d'échangisme ? – se dévoua pour aller lui chercher un Tom Collins. Il y alla dans le plus simple appareil, après s'être assuré que Rénald et sa conquête d'un soir avaient quitté les lieux. Suzanne en profita pour aller à la salle de bains. Quand il fut de retour, elle demanda :

— Les autres ont-ils terminé ?

— Armand et Jacqueline sont rentrés chez eux et Rénald a décidé de remettre ça avec sa légitime.

Comme elle pouffait de rire, il expliqua :

— C'est typique. Tous ceux qui aiment raconter leurs prouesses insistent pour dire que c'est après un échange qu'ils ont connu les baises les plus mémorables.

— Et Louis ?

— J'espère que tu sais conduire, parce qu'il est dans le salon avec Madeleine et il boit des Tom Collins.

Immédiatement, elle se sentit mal à l'aise d'être là, nue – sauf les bas et le porte-jarretelles – et étendue avec un homme tout aussi nu, à faire la conversation alors que son mari l'attendait.

— Je devrais peut-être le rejoindre...

— En as-tu vraiment envie ?

Elle demeura songeuse, faisant tourner son verre entre ses doigts.

— Parce que moi, après une pause et un peu d'encouragement, je serais disposé à un *night cap*.

Quelques minutes plus tard, dans une maison devenue silencieuse, les dernières vocalises de Suzanne s'entendirent très bien.

Au moment de s'habiller, Suzanne se rendit compte que sa culotte avait disparu.

— Normand ?

— Tu ne me priverais pas d'un souvenir d'une rencontre inoubliable, n'est-ce pas ?

La jeune femme pensa à protester. Finalement, elle remit sa jupe en lui adressant un sourire sincère. Quand ils arrivèrent au rez-de-chaussée, Madeleine demanda :

— Vous avez passé une bonne soirée ?

— Il y a un superlatif à excellente ? répondit Normand.

Ce dernier s'attira un sourire de son épouse et un regard sombre de Louis.

— Je t'attends depuis longtemps, dit Louis à Suzanne.

— Ça, c'est bien sa faute, dit Madeleine. Je lui ai offert de partir il y a un bon moment. Nous aurions raccompagné notre amie avec plaisir.

— Bien sûr que nous l'aurions raccompagnée, dit Normand. Il enchaîna après une pause : Toi, tu es prête à aller dormir, ma chérie ?

Louis fut le premier à sortir après de très brefs au revoir. Ceux de Suzanne furent plus longs. Quand elle arriva à la Renault, Louis était derrière le volant.

— Donne-moi les clés, dit-elle en ouvrant la porte.

— C'est mon char.

— Notre voiture, plutôt. Et tu es ivre. Alors donne-moi les clés.

Comme il hésitait, elle cria à l'intention des Tellier qui sortaient à ce moment :

— Acceptez-vous de prendre une passagère ?

C'est en égrenant un chapelet de jurons qu'il les lui donna, pour ensuite se glisser à la place du passager. Elle adressa un salut de la main à Madeleine et Normand et se plaça derrière le volant. Pendant tout le trajet jusqu'à Sainte-Foy, Louis demeura silencieux. Une fois dans la cour du jumelé, il descendit en grommelant :

— Comme tu as les clés, je te laisse ouvrir.

Dans la maison, il fit mine de prendre une bière dans le frigidaire.

— D'habitude, intervint-elle, le gin et la bière ne font pas bon ménage dans ton estomac.

Ce rappel eut l'effet escompté. Aussi le couple se dirigea tout de suite vers la chambre. Suzanne commença par enlever son chandail pour en sentir les aisselles. Il irait dans le panier à linge sale avec le soutien-gorge. Quand elle enleva sa jupe, elle se pencha un peu pour regarder son sexe. Elle utilisa son vêtement pour l'essuyer.

— La prochaine fois, je prendrai ma douche chez nos hôtes. Tu peux passer à la salle de bains le premier, car pour moi, ça va être long.

— Où est ta culotte ?

— C'est bien pour dire, dans l'excitation du moment, j'ai oublié de la remettre. Je me doutais que tu attendais après moi.

Un instant plus tard, assis sur la lunette, Louis ressassait la remarque assassine : « Je me doutais que tu attendais après moi. » Le sous-entendu était clair : « Normand sait faire durer le plaisir, alors que toi... » Elle avait enchaîné les orgasmes tout en faisant entendre son plaisir à tous les occupants de la maison, et son partenaire aussi, à en juger par le trop-plein de sperme.

Madeleine avait bien eu un petit frisson, mais rien qui ressemblait à un grand tremblement de terre.

— C'est à cause de son âge. Les vieilles, c'est pas mon genre.

Malgré l'alcool, Louis trouva le moyen de se rappeler quelques faits : à trente et un ans, question virilité, il aurait dû l'emporter sur Normand. Il se souvenait même d'avoir vu de savants diagrammes sur le temps de latence entre les orgasmes des hommes en fonction de l'âge. À l'inverse, Madeleine se trouvait au sommet. Un niveau que Suzanne atteindrait dans dix ans. Pourtant, avec lui, cette femme n'avait pas semblé éperdue de plaisir…

Dans la chambre, il trouva sa femme assise sur le lit avec sa jupe sous ses fesses pour ne pas tacher la couette. Elle était absorbée dans *The Joy of Sex*.

— Tu as encore des choses à apprendre ?

— Pas tant que ça, je pense.

Suzanne se leva et ramassa sa jupe pour la mettre dans le panier à linge. Dans la douche, elle se fit la remarque : « Madeleine avait raison, ce sont vraiment des êtres fragiles. » Ce serait l'un de ses constats de la soirée. Il y en avait un autre : elle n'était pas frigide.

Le lendemain, Madeleine et Normand se levèrent un peu après midi. Comme les enfants ne reviendraient à la maison qu'en après-midi, cela leur permettait de prendre leurs aises. Ce ne fut qu'après son second café que la femme constata :

— Notre petite ingénue paraît avoir passé une excellente soirée.

— Oui, excellente. Toutefois, je pense que si une partie de ses vocalises était incontrôlée, une autre partie était destinée à son mari.

— Elle est moins ingénue qu'il n'y paraît !

Il y eut un long silence, puis elle dit :

— Pose ta question. Je vois bien qu'elle te démange.

— Alors, ton bel adolescent ?

— Il est bien fait de sa personne, il n'a pas besoin d'aide pour bander. Au moins, pour la première fois. Mais quand il a entendu un : « Continue, continue ! » venu d'en bas, il a eu beaucoup de mal à se remettre à la tâche.

Elle paraissait amusée de cette situation, mais sur le coup, elle avait été déçue. Elle n'avait pas l'habitude de se rhabiller si longtemps avant son mari.

— Donc, tu aimerais que le hasard en fasse à nouveau ta partenaire ? continua Madeleine.

— Absolument. Et toi ?

— Je ne tricherai sans doute pas une autre fois pour me retrouver avec lui. Il n'est pas très généreux…

Finalement, ils n'avaient pas eu le même genre de soirée. Normand, lui, était allé cacher une petite culotte blanche dans le tiroir de son bureau du sous-sol, là où il rangeait ses vieilles notes de cours.

Dès le début du mois d'octobre, les étudiants de l'Université Laval commençaient des visites sans cesse répétées au bureau des Services aux étudiants du pavillon Pollack. Parmi les interpellations le plus souvent entendues, il y avait : « T'as vu ? Hier, ils ont affiché une nouvelle liste. »

Il était question d'une liste de « certifications de prêt » venue du ministère de l'Éducation, un document grâce auquel un étudiant obtenait le droit de s'endetter. Surtout, il garantissait aux institutions prêteuses que le gouvernement assumerait le paiement des intérêts pendant la durée des études, et les six mois suivants.

Comme Jacques mangeait tous les soirs à la cafétéria, il passait devant les grandes fenêtres où s'alignaient à la verticale les noms des heureux élus. Dimanche, il vit le sien. Dès le lendemain, à neuf heures, il faisait la queue avec une douzaine d'autres étudiants afin de recevoir le papier qui lui permettrait de survivre jusqu'au mois de février. Quand l'employée leva les yeux vers lui, il dit immédiatement :

— Bonjour, mademoiselle Couture. Jacques Charon.

Après une brève hésitation, elle se souvint :

— Vous êtes inscrit au département d'histoire. Attendez un instant.

D'abord, elle s'assura que son nom figurait bien sur la liste, puis elle se dirigea vers une rangée de classeurs et ouvrit un tiroir. Elle revint avec un document. En le recevant, Jacques lui dit :

— Travailler ici doit être plus exigeant, avec cette foule qui se presse à la porte.

— Bof… dans toute l'année, il y a une foule pendant tout au plus quatre semaines, composée très majoritairement d'étudiants tout à fait respectueux. Je préfère cet endroit.

Elle avait eu envie d'ajouter «où il n'y a aucun professeur». Jacques la remercia puis alla sans tarder à la succursale de la caisse Desjardins pour faire la file à nouveau et remettre le document et son carnet à une caissière. En moins d'une minute, il se retrouva plus riche d'une somme qu'il lui faudrait un jour rembourser.

Le lundi 20 octobre, c'est avec Jean-Philippe, Monique et Diane que Jacques prit place au milieu de la cafétéria. Il y eut des échanges de salutations avec les habituels étudiants. Cela se limitait à: «Hello!», «Hello!», «Ça va?», «Ça va!» Si quelqu'un n'allait pas, tout le monde lui était reconnaissant de ne pas le dire.

— Vous êtes contentes de renouer avec le bel adolescent? demanda Jacques aux deux femmes.

Elles ne l'avaient pas vu depuis le 6 octobre, à cause du congé de l'Action de grâce.

— On commençait juste à oublier notre peine, dit Diane, et là, tu viens de tout gâcher.

— Nous devons nous retenir à deux mains pour ne pas aller poser les lèvres sur son siège, renchérit Monique.

— J'espère juste que vous parlez du siège de la chaise, pas le sien... Excusez-moi, je reviens tout de suite.

Il avait vu Martial entrer dans la grande salle avec un plateau dans les mains. Il regardait de tous les côtés. Il tenait certainement à éviter les mauvaises rencontres. Sylvie-Nicole aurait été la pire, mais Jacques comprit qu'il ne figurait pas beaucoup plus bas sur la liste. Le jeune homme préféra aller s'asseoir seul dans un coin.

Jacques le rejoignit très vite et se planta devant lui pour dire:

— Je suis content de te voir. Pourquoi ne viens-tu pas nous rejoindre ?

— Je préfère rester seul.

— Tu sais, elle ne te fera sans doute plus d'ennuis.

Martial ne parut pas vraiment soulagé.

— J'ai un cours, mais si tu veux parler, je serai à La Résille à dix heures.

— Je n'aime pas la bière.

— Ils servent du 7-Up.

Sur ces mots, Jacques rejoignit les autres.

— Comment va-t-il ? murmura Diane.

— Je ne sais pas, il a été absent toute la semaine dernière.

— Et elle ?

— On ne l'a pas vue ici, mais selon Sylvain, à part une lèvre enflée et une petite coupure, elle se porte on ne peut mieux.

— Qu'elle fasse attention, dit encore la brune. Si elle se mord la langue par mégarde, elle va mourir empoisonnée.

Dans son bureau, Louis se préparait pour le séminaire tenu en soirée. Toutefois, il avait l'esprit ailleurs. Finalement, il n'y tint plus, il composa le numéro des Tellier. Il reconnut la voix de Madeleine.

— Bonjour, commença-t-il, j'avais envie d'entendre ta voix.

— Il y a quelque chose que tu ne sembles pas comprendre dans nos activités.

— Je comprends très bien. Je voulais juste savoir comment ça s'est passé. Elle refuse d'en discuter.

— Tu ne penses pas que c'est son droit ? Aimerais-tu que je commente avec les autres comment ça s'est passé entre nous ?

« Que pourrait-elle dire ? », s'inquiéta tout de suite le professeur.

— Est-ce que Normand est là ?

Il commençait à penser qu'un interlocuteur masculin serait sans doute plus sympathique. C'était toujours la même chose : les femmes se tenaient entre elles.

— Non... De toute façon, tu le sais bien, il ne répond qu'à huit heures.

Cela permettait à Madeleine de trier les correspondants. Les patients avaient la fâcheuse habitude de s'imaginer que les spécialistes faisaient des visites à domicile sur un simple appel, comme le gros docteur dans *Les belles histoires des pays d'en haut*.

— Quand aura lieu une autre... réception ?

— Si tu es pressé, tu peux toujours en organiser une, tu connais maintenant quelques noms. Si tu veux, téléphone à Normand à huit heures, il pourra t'en donner d'autres. Autrement, tu attends que quelqu'un t'envoie une invitation.

— Ce soir, je donne un cours.

Comme elle demeurait silencieuse, Louis lui souhaita une bonne soirée, puis il raccrocha. Madeleine fit la même chose. Quand elle rejoignit sa famille, elle expliqua devant le regard interrogateur de son époux :

— Il fait une petite crise d'angoisse, je pense.

— Ces casanovas sont de grands sensibles.

— C'est quoi un casanova ? demanda son fils.

Expliquer ce concept à un garçon de quatre ans n'était pas facile, mais il s'en tira plutôt bien :

— Quelqu'un qui mange beaucoup plus que son corps peut digérer. Comme toi quand tu abuses des desserts.

Près de la chaise du professeur, Brigitte ressemblait à une amoureuse privée de son fiancé depuis des mois. Et quand Louis Gervais arriva, son visage s'éclaira :

— Bonsoir Louis, dit-elle de sa voix douce.

— Bonsoir tout le monde, lança-t-il à la ronde. *Long time no see*.

Louis réussit à donner son cours de mémoire, comme d'habitude. Tout de même, il se trompa à quelques reprises. Son esprit paraissait ailleurs. À la pause, Brigitte tenta à nouveau sa chance :

— Louis, tout à l'heure, je pourrais te parler ?

— Je vais devoir rejoindre ma femme, dit-il.

Finalement, il y avait du vrai dans l'affirmation que l'échangisme permettait de souder les ménages. L'année précédente, jamais il ne se serait montré aussi empressé de rentrer à la maison. Il haussa le ton pour dire :

— Jacques, tu n'as pas aidé cette demoiselle ?

— Je le lui ai offert, mais sans succès. Je ne peux pas lui forcer la main.

Jacques n'osa pas dire le fond de sa pensée : « Un assistant d'enseignement reçoit un salaire, d'habitude. » Louis se tourna vers la jeune femme :

— Écoute, je suis certain qu'il pourrait t'aider.

— J'aimerais aller te voir à ton bureau, cette semaine.

— Je suis vraiment très occupé.

Alors qu'ils s'approchaient du pavillon Pollack, Jacques demanda à Jean-Philippe :

— Tu veux te joindre à moi ?

Il venait de le mettre au courant de son rendez-vous avec Martial.

— Ma présence n'a pas été prévue.

— De toute façon, il ne se présentera sans doute pas. En plus, selon ma mère, boire seul, c'est le chemin de l'alcoolisme.

— En tout cas, s'il a l'air de trouver que je suis de trop, je changerai de table.

Après avoir fait le tour de La Résille afin de voir si Martial ne les avait pas devancés, tous les deux occupèrent une table pas très loin de l'entrée. Avec chacun une bière devant eux, ils évoquèrent l'aventure mort-née de Brigitte. Quoique vieux garçons, ils étaient des observateurs attentifs des histoires des autres.

Bientôt il fut dix heures, ensuite dix heures quinze.

— Comment disent les Français, déjà ? Il t'a posé un lapin ?

Martial choisit cet instant pour apparaître dans l'entrée. Jacques lui adressa un geste pour attirer son attention, puis marcha vers lui pour dire :

— Jean-Philippe connaît l'histoire en gros, car il y a eu plusieurs témoins. Mais pas les détails. Viens te joindre à nous.

— Il va tout raconter.

— Je n'ai pas voulu poireauter ici tout seul.

Le sosie d'Averell Dalton se laissa finalement convaincre. Jacques se dévoua pour aller lui chercher une bière au bar. Il retrouva les deux autres face à face, silencieux. Lorsqu'il fut assis, Jean-Philippe prit la parole le premier :

— Ça prend une garce pour faire ça.

C'était sa façon de lui offrir sa compassion. Il enchaîna très vite :

— Mais rien qui justifie de la frapper. Jamais. En aucune circonstance. Même pas avec une fleur.

Les derniers mots lui venaient de sa mère, une femme de toute petite taille. Pas plus grande que Sylvie-Nicole. Comme Martial risquait de se rebiffer devant cette leçon de vie, Jacques s'empressa de renchérir :

— Il a raison, totalement raison. Ça conduit devant un tribunal, d'habitude. Elle n'a pas parlé à la police. Tu as beaucoup de chance.

C'était une bonne nouvelle, toutefois il entendait l'enrober d'un conseil :

— Sylvie-Nicole s'amusait à tes dépens, tout le monde le voyait, sauf toi. Tu aurais dû le comprendre, tenir tes distances. J'ai essayé de t'ouvrir les yeux. Mais lever la main sur elle ? Jamais. Mouillée, elle doit peser cent livres. Aucun juge ne laisserait passer ça. Alors si tu la croises, ne lui crie pas des noms. Et si tu en as la force, excuse-toi, et dis-lui merci de ne pas avoir donné suite à son intention première.

Cela faisait bien peu de compassion et beaucoup de reproches pour Martial. Ensuite, le trio chercha vainement des sujets de conversation moins douloureux. Aussi très vite ils abandonnèrent des verres aux trois quarts vides.

Jean-Philippe les quitta dans le hall du Parent pour regagner sa chambre, les deux autres empruntèrent le même ascenseur du bloc D pour aller au septième. Quand les portes d'acier se refermèrent sur eux, Jacques demanda :

— Et le revolver ?

— C'est à mon père.

— Tu ne l'as pas apporté ici ?

— Il en a besoin, si des voleurs s'attaquent au magasin.

Au moins, il paraissait avoir renoncé à son désir de revanche.

Chapitre 19

Suzanne avait conscience d'avoir adopté une attitude hargneuse avec Louis. Depuis près de cinq ans maintenant, devant toutes ses infidélités, des plus petites, comme suivre une autre femme des yeux quand il marchait dans la rue en sa compagnie, jusqu'à ce séjour d'une semaine passé à Kingston avec Jacinthe, elle avait eu l'impression de ne pas être à la hauteur.

Mais les expériences des dernières semaines lui avaient dessillé les yeux. L'intérêt de Normand Tellier avait été évident dès la rencontre à l'Auberge des Gouverneurs. Il avait même truqué le tirage au sort pour ne pas la partager. L'ouvrage de Bartell évoquait le désir des recruteurs de profiter d'abord des recrues. Malgré cela, sa petite manigance la flattait : quelqu'un qui n'était ni borgne, ni boiteux, ni sans ressources pouvait la désirer.

La jeune femme comprenait aussi que Louis était revenu blessé de cette soirée. Était-ce de la jalousie parce qu'elle avait si nettement apprécié cette séance ? Ou parce qu'à ce jeu, Normand savait faire durer les choses et s'assurer que sa partenaire soit satisfaite ? Ou était-il vexé parce que Madeleine paraissait plutôt blasée quand ils l'avaient retrouvée dans le salon ?

Quand elle entendit le bruit de la porte d'entrée se refermer, elle dit en haussant la voix :

— Ç'a bien été, ton séminaire ?

— Tu sais, après la première année, c'est toujours la même chose.

« Comme avec ta femme ? », songea-t-elle. Il alla se chercher une bière sans lui demander si elle désirait quelque chose. Cette attitude revenait chaque fois qu'il entendait lui faire payer sa frustration. Quand il alla la rejoindre dans le salon, elle commença :

— Si je ne savais pas que tu es un homme moderne, au-dessus de la morale petite-bourgeoise, convaincu que, dans la vie, il est sain de satisfaire ses pulsions, je dirais que tu es jaloux.

Elle venait de résumer en une phrase comment il s'était présenté au psychologue Lévesque l'été précédent.

— Voyons, ne sois pas ridicule.

— Ridicule ? Veux-tu que j'aille chercher un miroir pour le mettre devant toi ? Ta jalousie est écrite dans ta face.

Il se renfrogna et but sa Molson pendant quelques minutes avant de dire :

— Tout le monde t'entendait dans la maison !

— Compte tenu de l'activité au programme pendant ces soirées, je présume que personne n'a été surpris qu'une femme jouisse.

— Si fort ? Personne n'a gueulé comme toi.

— Ah ! Pour Madeleine, ce ne fut pas le cas ? Remarque, je n'écoutais pas.

— Personne ne miaulait comme une chatte en chaleur…

Décidément, son estime de soi en avait pris pour son rhume. Cela confirmait l'analyse de Madeleine, lors de leur conversation à la cafétéria de chez Eaton.

— Moi, je suis tombé sur une vieille, murmura-t-il.

Deux jours plus tard, cela demeurait toujours sa réponse.

— Compte tenu de l'état dans lequel cette expérience t'a mis, je suppose que ta carrière d'échangiste est terminée.

— Pourquoi dis-tu ça ? La prochaine fois, je serai plus chanceux.

Devait-elle lui expliquer que le sort avait eu peu à faire dans cette combinaison ?

— Alors, si je reçois une invitation, je dis oui ? demanda-t-elle.

— Évidemment. Mais je ne vois pas pourquoi on communiquerait avec toi et non avec moi.

Pour ne pas se sentir totalement dépassé par son cours de sociologie du mercredi matin, Jacques s'était procuré l'ouvrage en trois tomes de Guy Rocher, *Introduction à la sociologie générale*, et du même auteur *Le Québec en mutation*. Quant aux œuvres du célèbre professeur, s'il les avait parcourues, il les avait trouvées trop complexes pour que cela lui soit utile.

Depuis septembre, à quelques reprises, Aglaé Picard-Cloutier l'avait salué. Une fois, elle avait même ajouté qu'elle ne l'avait pas oublié. Comme il était assis à côté de Norbert Sénécal dans ce cours, cela lui avait valu un regard étonné. Puis, à la troisième semaine d'octobre, à la pause, elle vint le rejoindre à sa place pour proposer :

— La semaine prochaine, peux-tu manger avec moi après le cours ?

— Hum ! Je me le demande, dit Jacques avec un petit sourire. Ma vie mondaine est si trépidante...

— Je n'en doute pas, et m'y prendre une semaine à l'avance, c'est presque à la dernière minute. Je comptais suggérer un restaurant de la Place Laurier.

— D'accord.

Quand elle s'éloigna, Norbert murmura :

— Je suis franchement impressionné.

— C'est strictement professionnel, je t'assure. En tout cas, c'est ce qu'elle m'a dit. Mais c'est peut-être une ruse pour séduire un naïf. Si je ne suis pas au cours le lendemain matin, tu avertiras la police.

Le téléphone sonna dans le bureau de Suzanne Gervais un peu avant l'heure du dîner. Immédiatement, elle reconnut la voix de Madeleine. Voudrait-elle également lui reprocher d'avoir été bruyante lors de ses ébats ? Car si ce comportement avait choqué Louis, cela pouvait aussi être le cas pour l'épouse de son complice d'un soir.

— Je peux te prendre quelques minutes ? Oui, je sais, tu peux me couper la ligne sans avertir.

— Si tu acceptes ce risque, ça va.

— Comment ça s'est passé à ton retour à la maison ?

— C'était comme si tu avais écrit le scénario. Je me suis fait reprocher d'avoir fait des vocalises.

— Alors que toutes les personnes un peu matures ont certainement été émoustillées par ton enthousiasme. En tout cas, moi je l'étais.

Comme la secrétaire demeurait silencieuse, son interlocutrice crut utile d'expliquer :

— Par mature, j'entends quelqu'un qui est capable de se réjouir du fait que son mari, ou sa femme, prenne du bon temps. Car le principe à la base de tout ça, c'est que ressentir du plaisir physique avec un amant d'occasion n'enlève rien au conjoint… Là, il demeure toujours traumatisé ?

— Son état s'est beaucoup amélioré.

«Parce qu'il travaille à se convaincre que tu étais trop vieille pour lui.» Mais des quatre femmes sur les lieux, Madeleine était la plus belle, et Suzanne, la plus jeune.

— Au point de vouloir recommencer.

— Parfait, je le ferai savoir aux autres.

— Tu parles aux autres échangistes?

— Exactement comme je le fais avec toi. Les hommes croient tout contrôler. Je leur laisse leurs illusions, et je prends les choses en main.

— Tu sais quand ça aura lieu?

— Nous avons tous des enfants. Rénald avait conduit les siens chez sa mère, comme moi. En plus, nous avons des parents, des frères et sœurs, des amis. À certaines époques, c'est plus fréquent, comme l'été quand les enfants un peu plus vieux sont dans des camps. En cette saison, c'est plutôt une fois par mois. Je suis certaine que l'on vous invitera bientôt. En revanche, si vous voulez hâter les choses, vous pouvez lancer des invitations. Je peux te communiquer une liste de personnes de confiance.

Suzanne eut envie de la questionner sur ce qualificatif. À la place, elle dit plutôt:

— Je me rends compte qu'un grand sous-sol aménagé est nécessaire pour ce genre de rencontre, et je ne suis pas encore allée en Gaspésie.

Il y eut un éclat de rire à l'autre bout du fil.

— Moqueuse!

— Je te taquine, mais sérieusement, l'espace manque chez nous.

Il y eut un silence, puis Madeleine reprit:

— Je ne sais pas trop comment te dire ça... Louis devrait respecter les règles et téléphoner à huit heures, quand les enfants sont au lit.

— Je ne savais pas qu'il avait appelé.

— Pourrais-tu aussi lui répéter ce que je vais te dire ? Dans ce jeu, on attend les invitations parce que les quémander peut avoir l'effet contraire à celui recherché. Ou alors on les fait soi-même.

Quand les Gervais rentrèrent ensemble à la maison en fin de journée, Suzanne commença dans la voiture :

— J'ai parlé avec Madeleine aujourd'hui.

— Ah oui ? Elle va bien ?

— Je pense, oui. Nous n'avons pas parlé santé. En fait, elle m'a fait quelques messages. D'abord, les invitations à ces rencontres ne sont pas très fréquentes, surtout quand on se limite à de petits groupes.

La jeune femme ajoutait cette précision, car cela lui semblait aller de soi.

— Il y en aura éventuellement une. Cependant, elle m'a précisé que nous pouvions organiser notre propre activité. Elle m'offre même de nous fournir une liste de noms.

— Comme la liste de l'Agence Panorama ?

— Je pense plutôt que c'est une liste des gens qu'ils ont croisés.

Louis tapa du plat de la main sur son volant tout en disant :

— L'université paye une misère pour des gars dont les études sont plus longues que celles des médecins ou des ingénieurs. Notre maison ne se compare pas à ce à quoi ils sont habitués…

La négociation de la convention collective des professeurs se poursuivait toujours, avec des menaces de grève que le conseil de l'université prenait à la légère. Suzanne imagina son mari à un micro devant une assemblée syndicale, expliquant que son salaire ne lui permettait pas de tenir son rang dans le milieu échangiste.

— Je lui ai dit à peu près la même chose… Elle m'a dit aussi que tu devrais éviter de téléphoner avant huit heures. Attends que ses enfants soient au lit.

— Pourquoi diable es-tu en contact avec elle si souvent ? Normand m'a seulement parlé quand nous sommes allés à l'hôtel.

— Exercer comme médecin spécialiste, ça doit prendre à peu près tout son temps.

— Il ne sera pas dit que je serai incapable de faire mon chemin dans ce milieu de snobs.

Car à ses yeux, c'était maintenant aussi un enjeu de classe sociale.

Le samedi suivant, le 25 octobre, Jacques Charon se rendit à la Place Sainte-Foy afin de se préparer à une prochaine sortie. Pour la première fois, il se rendit chez Eaton – ouvert au cours de l'année précédente – afin d'acheter une paire de souliers et une veste de type « chemise », autrement dit avec deux poches sur la poitrine, tous les deux en cuir. Rien de remarquable quant au style ou à la qualité, mais ces effets lui coûtèrent tout de même son budget de deux semaines.

Il faisait ces dépenses inhabituelles pour se rendre au Grand Théâtre afin d'assister à un concert de l'Orchestre symphonique de Québec. Personne ne s'attendait à ce que ce genre d'institution fasse ses frais, mais trop de sièges vides faisaient toujours mauvais effet sur les organismes susceptibles d'accorder des subventions. L'aide des personnes âgées et des étudiants était sollicitée afin de créer l'illusion de concerts à guichets fermés. Pour neuf dollars, il était possible de se procurer des billets pour cinq concerts.

C'est donc partiellement vêtu de neuf qu'il monta dans son carrosse doré – en l'occurrence l'autobus numéro 8 de la CTCUQ – pour sa première sortie dans le grand monde. En parcourant le trajet entre le trottoir et l'entrée de la salle de spectacle, il fut en mesure de juger de la modestie de sa mise, en comparaison avec celle de certains spectateurs. Des femmes étaient même affublées de robes de soirée et d'étoles de vison. Les tenues masculines diminuèrent toutefois ses complexes : les vestes et les pantalons aux motifs à carreaux, dans des tons automnaux, lui rappelèrent les cultivateurs endimanchés de Manseau. Parfois, la mode donnait une allure plutôt ringarde à certains des parvenus de la Haute-Ville.

À moins de deux dollars le billet, évidemment, on ne choisissait pas sa place. Lorsqu'il les avait commandés au téléphone, on lui avait promis qu'il ne serait pas trop mal loti puisqu'il figurait parmi les premiers à en acheter à ce prix.

Ce serait sa première expérience d'un concert symphonique – et peut-être le sixième spectacle de sa vie, tous genres confondus. Cependant, grâce à la magie des ondes, il savait assez bien à quoi s'attendre. Pendant son enfance, la télévision de Radio-Canada présentait *L'Heure du concert* tous les dimanches à cinq heures. Comme son éducation artistique demeurait toujours à faire à cette époque, il comprenait alors *L'Heure du cancer*.

Il entendit d'abord les musiciens accorder leurs instruments, puis James De Priest arriva en s'appuyant sur des cannes. Un rappel que dans les années 1930, la poliomyélite invalidait encore des milliers de personnes aux États-Unis, en particulier dans les milieux afro-américains pauvres. Question résilience et détermination, cet homme se trouvait dans une catégorie à part. Pendant la première partie du concert, il eut droit à deux pièces de Mozart: la symphonie numéro 34, et le concerto numéro 5 pour violon. Le spectacle valait amplement le prix du billet. Il se promit de récidiver les années suivantes.

Pendant l'entracte, il sortit pour se dégourdir un peu les jambes. Comme tous ceux qui venaient à cet endroit pour la première fois, il se planta devant la murale de Jordi Bonet. Même s'il s'agissait d'une œuvre d'une grande ampleur, et très belle, c'était surtout la phrase: «Vous êtes pas écœurés de mourir bande de caves! C'est assez!», du poète Claude Péloquin, qui avait fait jaser.

— Je me demande si le premier point d'exclamation ne devrait pas être remplacé par un point d'interrogation, dit une voix féminine à ses côtés. Vous verrez, c'est une phrase qui devient plus lourde de sens, au gré des années qui passent.

Il se tourna à demi pour découvrir une petite dame aux cheveux blancs et aux traits réguliers, portant ses lunettes sur le bout de son nez. Elle le regardait d'ailleurs par-dessus ses verres.

— Je m'excuse de vous avoir sorti ainsi de vos pensées, mais ma fille me disait que vous étiez un camarade de l'université. Je m'appelle Thalie Picard.

Elle tendit une main marquée par les tavelures typiques de l'âge.

— Jacques Charon, dit-il en l'acceptant. Je suis heureux de vous rencontrer, madame.

Puis il regarda la grande blonde qui se tenait en retrait. Aglaé lui adressait un regard amusé.

— Bonsoir, intervint-elle. Tu as aimé?

— Jusqu'ici, oui. Mais en réalité, je suis un parfait néophyte.

Puis il baissa les yeux pour dire à la vieille dame :

— Au sujet de la ponctuation, je pense que votre interprétation témoigne de votre sollicitude à l'égard de vos semblables. Vous vous intéressez à ce qu'ils ressentent. L'auteur joue sur le registre de l'autorité. C'est un reproche, une façon de dire : "Dorénavant, vous allez marcher droit !", sans effort de compréhension, sans tendresse pour nous.

Thalie le regarda avec l'esquisse d'un sourire sur les lèvres.

— On ne marche pas très vite à mon âge, et la cohue m'apparaît comme une menace, mieux vaut que je retourne tout de suite à ma place. Mais sachez que votre commentaire m'a touchée. Vous avez vu l'empathie de ma remarque.

Les deux femmes lui souhaitèrent une bonne fin de spectacle. Il les regarda s'éloigner, la plus vieille appuyée sur le bras de la plus jeune. Ensuite, il regagna sa place. Le concert se terminerait avec la 1re symphonie de Sibelius. Une pièce susceptible de tenir éveillés tous les hommes ayant accepté d'accompagner leur dame avec l'espoir secret de piquer un somme.

Le lendemain, pendant la pause du cours de sociologie, Aglaé vint demander à Jacques :

— Nous nous voyons toujours tout à l'heure ?

— Je te rejoindrai à la sortie.

Exactement à onze heures vingt, comme toutes les semaines, les étudiants purent quitter l'amphithéâtre. Claude Hamelin arrivait toujours à terminer à la même heure, comme s'il avait un chronomètre dans la tête. Quand Jacques Charon arriva dans le grand hall du De Koninck, il s'arrêta pour contempler la jeune femme debout devant une fenêtre. Elle portait une jupe noire s'arrêtant deux pouces au-dessus des genoux, des collants couleur fumée, des bottes de cuir hautes sur la jambe et une veste, noire également. Elle était très élégante, mais sans aucune ostentation.

Elle se retourna et lui sourit.

— On y va ? Je suis stationnée près du pavillon.

Ils empruntèrent les escaliers pour descendre au sous-sol et se diriger vers la porte donnant directement sur le stationnement. Ils arrivèrent bientôt devant une Volkswagen Beetle 1303 LS décapotable de l'année. Aglaé remarqua le sourire de Jacques.

— C'est ma troisième, dit-elle en déverrouillant sa portière.

En démarrant, elle expliqua :

— La première, usagée, était un cadeau de mes parents. J'ai acheté la seconde parce que j'y étais habituée. Comme mon père est mort l'été dernier, celle-ci est un clin d'œil à sa mémoire.

— Je suis désolé...

— Il adorait la musique. Hier, j'ai utilisé son billet, et ce sera le cas jusqu'à la fin de la saison. C'est drôle, pendant tout le spectacle, j'ai pensé au jour où je lui ai demandé de m'adopter.

— Pardon ?

Elle eut un petit rire qui ne dissimulait pas du tout sa tristesse.

— Tu as bien entendu. Mon père naturel est mort pendant la guerre. Maman a épousé un Cloutier, et moi je voulais qu'il soit plus que le mari de ma mère dans ma vie. Alors je lui ai demandé d'être mon père.

— Tu as beaucoup de chance.

Puis après une pause, il ajouta :

— Je m'excuse, ce n'était pas la chose à dire.

— Au contraire, tu as parfaitement raison.

— Le mien aussi est mort cet été. Avoir eu le choix, je ne lui aurais pas demandé d'être mon père.

Après des confidences de ce genre, c'est en silence qu'ils continuèrent jusqu'à la Place Laurier. Les locaux de Radio-Canada se trouvaient juste de l'autre côté du boulevard, alors l'employé accueillit Aglaé comme une vieille connaissance. Ils s'installèrent à une table un peu à l'écart.

Ils s'occupèrent tout de suite de commander. Aglaé demanda un Perrier tout en précisant :

— Je travaille cet après-midi, alors tu n'as pas à suivre mon exemple.

— Je prendrai quand même la même chose.

Assis en face d'elle, il pouvait apprécier ses traits réguliers, ses yeux bleus et son regard franc. Il avait croisé des filles aussi jolies, peut-être même plus, depuis le début de ses études, mais aucune ne lui avait fait une si forte impression. Et comme il ne l'avait jamais vue à la télévision, cela ne pouvait être un engouement pour une personne connue.

— Hier, tu as vraiment touché ma mère en faisant allusion à son empathie. Vois-tu, elle a passé sa vie à s'inquiéter de ses malades, surtout les enfants. Et elle en a vu mourir beaucoup.

— Elle était infirmière ?

— Non, médecin. Parmi les premières à Québec.

— Elle a dû affronter plus que sa part de grossièretés et d'indélicatesses.

— Il y a cinquante ans, ça devait être terrible. D'un autre côté, elle n'annonçait pas une tendance. Tous pouvaient la voir comme une anomalie. Maintenant, ce qui les inquiète, c'est que toutes les jeunes femmes souhaitent travailler.

Il y eut un silence, le temps que le serveur dépose les boissons sur la table.

— C'est terrible aujourd'hui encore, dit Jacques. Au début de la session, un professeur a claqué la fesse d'une étudiante, juste comme ça, en passant.

Jacques lui fit le récit de la mésaventure.

— Ces choses-là devraient être dénoncées dans les médias. C'était un vieux ?

— C'est un terme imprécis, dit-il en souriant. Disons que l'écart entre toi et lui est beaucoup plus grand que celui entre toi et moi.

— Tu connais mon âge ?

— Dans la jeune trentaine, je dirais. Justement comme mon amie dans cette histoire.

— C'est fréquent chez les professeurs, ce genre de comportement ?

— Comme ça, en public, personne ne pouvait se rappeler un cas semblable. En revanche, jamais je ne me risquerai à dire d'un homme si, en privé, il peut ou non se comporter en salaud.

— Voyons, par exemple, monsieur Hamelin...

Le sociologue arrivait très bien à donner l'image d'un moine ascétique, susceptible de refuser tous les petits plaisirs de la vie, même les moins coupables.

— Chacun mérite la présomption d'innocence, je suppose, dit Jacques. Cependant, l'image que l'on projette est une chose, le comportement derrière des portes closes en est une autre.

Chapitre 20

Suzanne Gervais venait tout juste de sortir son lunch de son sac quand le téléphone sonna. Elle laissa échapper un juron. Son supérieur avait déjà entamé sérieusement le temps prévu pour son repas en demandant qu'un mémo soit immédiatement dactylographié et remis à son destinataire. Et là, un appel.

Elle décrocha et débita la formule habituelle :

— Ici le décanat de la faculté de droit. Je peux vous aider ?

— Suzanne, c'est toi ?

— Qui parle ?

— Normand Tellier. Tu ne m'as pas reconnu ?

— Si je m'étais attendue à recevoir un appel de toi, je t'aurais reconnu. Mais ici, à ce moment de la journée...

— Je comprends que je te dérange pendant ton heure de dîner. Ici, c'est souvent un peu un branle-bas de combat. Je prends une minute quand je peux.

— Je ne doute pas que la médecine occupe plus que le secrétariat. D'un autre côté, ce n'est pas rémunéré de la même façon non plus.

L'ironie palpable ne déplut pas au médecin, au contraire.

— C'est bien envoyé. Alors je vais tenter d'être bref. J'aimerais te revoir.

— Nous revoir ?

— Non, toi.

— Si c'est pour me remettre ma culotte, ce n'est vraiment pas la peine, dit-elle en riant.

— J'ai beaucoup aimé notre rencontre. Beaucoup. J'aimerais te voir en tête à tête, pour te connaître mieux.

— Mais l'échangisme ne sert-il pas justement à éviter ce genre de situation ? Je vois une grosse contradiction avec les principes de base.

— Je respecte toujours ces principes. Mais je t'ai rencontrée, et ça change les choses. Entre nous, c'est spécial.

Tout de suite, elle imagina Louis servant des paroles de ce genre à ses conquêtes.

— J'aurais l'impression de trahir Madeleine, dit la jeune femme.

— Il y a ce qu'on planifie, et il y a ce que nous amène la vie. Ce qui arrive un jour sans que personne l'ait prévu. Je te demande juste une conversation dans des circonstances normales, pour voir...

— Écoute, ce n'est pas ce que j'avais compris, et là, je dois vraiment manger avant la fin de la pause.

— Tu as raison, je m'impose à toi. Je vais trouver un moment plus opportun pour te parler. Je t'embrasse.

Suzanne murmura « Bonne journée », mais douta que Normand ait entendu tellement la communication s'interrompit brutalement.

En mangeant sa salade, elle fut troublée par une pensée. Elle avait dit : « J'aurais l'impression de trahir Madeleine. » Mais à aucun moment elle ne s'était inquiétée de trahir Louis.

Au restaurant de la Place Laurier, Aglaé déposa sa fourchette :

— Je te fais languir, tu ne sais pas encore pourquoi je voulais te parler. Ce n'est pas sans lien avec l'histoire de cette étudiante. Quand je t'ai vu concentré sur Benoîte Groult, je me suis demandé si, dans ta génération, beaucoup de jeunes hommes s'intéressaient à ce genre d'idées.

— S'y intéresser dans le sens d'approuver ? demanda-t-il.

— Parce qu'il y en a qui s'y intéressent pour désapprouver ?

— Impossible de le savoir. Même si Gallup ou CROP réalisaient un sondage sur le sujet, je n'y croirais pas. Dans tout ce qui regarde les rapports entre hommes et femmes, une forte partie des gens répondent en fonction de l'image qu'ils veulent donner d'eux-mêmes.

— Peux-tu préciser ta pensée ?

— Par exemple, j'ai lu qu'un sondage a été réalisé en Italie sur la fidélité conjugale. Les résultats montraient que quatre hommes sur cinq trompaient leur épouse, et qu'une femme sur cinq trompait son mari.

— Mathématiquement, c'est impossible ! dit Aglaé en riant.

— Mais tu comprends le principe. La plupart des Italiennes entendaient s'afficher comme vertueuses.

— Et les Italiens, comme des séducteurs… Tu penses que ce serait un peu la même chose sur la perception qu'ont les hommes des idées féministes ?

Pendant un moment, ils parlèrent des raisons pour un homme de se montrer réfractaire, ou favorable, à ces idées, tout en affichant publiquement une opinion différente.

— Je ne vois pas pourquoi quelqu'un qui s'y oppose ferait semblant d'approuver, déclara Aglaé.

— Pour un motif tout simple : draguer des filles. Imagine la chance du gars qui assiste aux premières loges aux incendies de soutiens-gorge.

— Ça ne s'est jamais vraiment produit. Je veux dire, brûler son soutien-gorge. Peut-être une fois ou deux, certainement pas plus. C'est un fantasme de journaliste.

— Quand même, tu admettras qu'un gars peut participer à une marche féministe pour se faire bien voir des femmes.

Aglaé donna son assentiment d'un geste de la tête, puis demanda :

— Tu as déjà écouté des débats menés à la radio ou à la télévision sur des sujets controversés ?

— Euh, oui.

Voilà que se dessinaient enfin les motifs de ce rendez-vous.

— Tu participerais à l'un d'eux, sur le féminisme ? Histoire de faire connaître la perception des jeunes hommes sur le sujet.

Il s'imagina l'objet de railleries et de remarques mesquines. Se faire le porte-parole d'une cause impopulaire ne lui apporterait rien de bon. Ce n'était pas comme se déclarer en faveur de l'indépendance du Québec.

— Non. Je suis juste un étudiant qui lit pour apprendre et se faire une idée.

— Justement !

— Je suis trop effacé pour attirer l'attention sur mes idées à ce sujet. Tu m'as vu lire un livre, pas prendre position sur la place publique.

Aglaé avait trop l'habitude des gens intimidés pas les médias pour se formaliser d'un refus. Elle avait très souvent vu des néophytes avoir les mains moites et devenir aphones ou bègues devant un micro. Elle-même avait mis des mois avant que l'exercice devienne naturel. Et il lui restait encore un peu de trac, douze ans après avoir commencé.

— Je n'insisterai pas, mais je trouve ça dommage. Tu t'exprimes de façon posée, sensée. Ce n'est pas avec des excités, des hystériques et des m'as-tu-vu que l'on fait avancer une cause.

À ce sujet, elle-même n'avait aucune prétention à la neutralité. Sa mission demeurait l'amélioration de la place des femmes. Avec une voix toute douce, des sourires et des arguments sensés.

— Donner la parole à un homme féministe, ça permettrait de montrer que certaines idées avancent, ajouta-t-elle.

C'était une conversation que Jacques avait eue avec Catherine.

— J'ai dit à quelqu'un déjà qu'un homme qui prétend être féministe, c'est comme un renard qui dit défendre les intérêts des poules.

— Comme le gars qui se présente à une manifestation pour draguer.

Le jeune homme acquiesça d'un mouvement de la tête.

— Tu n'as pas de sympathie pour la cause des femmes ?

— Beaucoup, mais me présenter comme féministe, c'est autre chose. Imagine-toi dans ma peau. Je suis né dans un trou, à Manseau...

— Je connais.

— À cause du festival ?

Elle hocha la tête, souriante. Ce sujet de reportage l'amusait encore, cinq ans après.

— Les gens élevés dans le chemin du Petit-Montréal ne rêvent pas d'être professeurs d'université, d'habitude. Et rendus là, il leur faut toujours prouver qu'ils sont à leur place sur un campus. Quand un gars du Petit Séminaire dit : "La fille que je me rappelle", ses professeurs pensent qu'il essaie de faire peuple. Au pire, qu'il commet une petite erreur sans conséquence. Celui de Manseau prouve qu'il ne devrait pas être là, à cause de la faiblesse de son éducation. C'est comme le concert, hier. Un gars de la Haute-Ville peut ne pas aimer

Sibelius; un petit pauvre montre seulement son inculture. Je ne te parle même pas de tous les autres détails. Je ne prends jamais un ustensile le premier, de peur de me tromper. Au concert, je n'applaudis pas le premier, de peur d'avoir l'air fou. Je me questionnais sur ma tenue, hier...

— Tout à fait convenable.

Il la remercia d'un sourire, malgré la condescendance palpable, puis conclut :

— Je sais que tu comprends très bien ce que je veux dire. Lorsque tu interviewes un politicien, un professionnel, un homme d'affaires, au moins une fois sur deux il pense : "Qu'elle retourne donc à ses chaudrons." Si tu montes le ton, tu n'es pas passionnée, tu es hystérique ; si tu soignes ta tenue, tu n'es pas élégante, tu es une agace. Et si tu as du succès avec les hommes, tu es une fille facile. Dans un concours de sélection, tu dois non seulement être la meilleure, mais avoir une bonne longueur d'avance. Parce que ce n'est pas ta place. Les hommes et les femmes pensent ça de toi. Je parie même que les femmes sont plus nombreuses que les hommes à souhaiter te renvoyer dans ta cuisine. Et si tu te plains de ces difficultés, c'est bien la preuve que le marché du travail n'est pas pour toi. Parce que tout le monde sait ça : une femme, ça pleurniche à la moindre difficulté.

— Une situation pas très différente de la tienne.

— Voilà. Les circonstances sont différentes, mais l'effet sur la confiance en soi, sur l'ego, est semblable. Et si j'étais une fille née dans le chemin du Petit-Montréal, ce serait encore pire.

Comme il avait fait un long monologue, elle avait eu le temps de terminer son repas. Il dut accélérer sa cadence pour la rattraper. Aglaé avait signifié dès leur arrivée au restaurant qu'elle ne s'attarderait pas. La conversation ne reprit pas vraiment. Bientôt, la jeune femme régla l'addition avec sa Mastercard. En se dirigeant vers la sortie du restaurant, elle demanda :

— Veux-tu que je te reconduise à l'université ?

— Non, je vais rentrer à pied et m'arrêter chez Steinberg en passant… Je m'excuse de te faire faux bond.

— Ne t'excuse pas. Tu m'as donné beaucoup de matière à réflexion.

— Tu la feras tout de même ? L'émission, je veux dire.

Un instant, elle soupesa la question, puis dit d'un ton ironique :

— Après toi, je pense que tous les autres témoignages paraîtront fades.

— Je te remercie pour ce repas.

— Merci pour cette conversation très stimulante. À la prochaine.

Jacques la regarda s'éloigner. Il regrettait de la décevoir, mais aussi de se priver de l'occasion d'un nouvel échange.

Dans l'appartement des Jardins Mérici, deux semaines après la visite des Charpentier, l'atmosphère était encore un peu tendue. Aux yeux de Diane, la question des enfants avait été réglée avant même le mariage : elle n'en voulait pas. Pour elle, le « jamais » était clair. Pour Robert, cela semblait avoir plutôt signifié : « Tu n'en veux pas tout de suite. »

Le dimanche 9 novembre, Robert se sentit capable d'aborder le sujet sur un ton plus calme. Après le souper, en écoutant *Les beaux dimanches*, il demanda :

— Ce que tu as dit à propos des enfants, c'est définitif ?

— Oui, c'est définitif. Tellement que je pense aller voir un médecin pour une ligature des trompes… Je n'ai jamais souhaité passer mon existence à m'occuper d'une maison et d'enfants. C'est avec l'intention d'occuper un emploi que je me suis inscrite à l'université. Ça a toujours été clair dans mon esprit : je t'aidais pendant tes études de médecine, et ensuite, c'était à ton tour de m'aider.

— C'est ce que tu fais, tu étudies.

— Toi, tu pourrais avoir une carrière et t'occuper en plus des enfants ?

— Je vieillis, dit-il. Pour moi, c'est le moment de fonder une famille.

— Alors ce ne sera pas avec moi.

Ces mots résonnèrent longtemps dans la pièce. Comme pour mieux se faire comprendre, la femme ajouta :

— Dans l'éventualité d'un divorce, je ne demanderai rien d'autre que tu me supportes jusqu'à la fin de mes études.

Terminer le premier cycle lui demanderait moins de deux ans. Pourtant, Diane ne jugea pas utile de préciser qu'elle n'entendait pas en rester là.

— Tu n'es pas normale. Tu devrais consulter quelqu'un, dit-il encore.

— Là, tu dépasses les bornes !

Elle quitta la pièce en coup de vent pour aller s'enfermer dans son bureau. Une heure plus tard, il frappa à sa porte, à peine repentant :

— On pourrait consulter ensemble. Après tout, entre nous deux, tout le reste se passe bien.

— Si tu crois que c'est utile, je veux bien. Mais je tiens à avoir mon mot à dire sur le choix du thérapeute.

Le lendemain matin, dès le départ de Robert, Diane téléphona à Monique. Tout de suite après avoir entendu le « Allô ? », elle demanda :

— Peux-tu venir ici cet après-midi ?

Le ton trahissait un certain désarroi.

— Qu'est-ce qui se passe ?

— Pas au téléphone. Peux-tu venir ?

— Évidemment, je peux.

Monique promit à son amie d'arriver vers trois heures. Ce fut un gimlet à la main, assise dans le salon, que Diane commença :

— Il a proposé de me faire soigner, parce qu'à ses yeux, c'est anormal de ne pas vouloir d'enfant.

Monique commença par secouer la tête pour exprimer son incrédulité. Pourtant, deux semaines plus tôt, il y avait déjà fait allusion.

— À ce compte-là, dit-elle, il faudrait soigner toutes les religieuses de la province, et toutes les vieilles filles.

Elles mirent une bonne heure à se remémorer des articles dans les journaux, des témoignages dans des émissions à la radio et à la télévision, des discours hystériques sur les tribunes téléphoniques. Les *women's lib* jouaient plusieurs rôles dans les fantasmes des hommes : c'étaient des femmes anormales, malades, monstrueuses même, mais des candidates idéales pour des aventures faciles.

— Je lui ai dit que s'il voulait divorcer afin de réaliser ses projets de paternité, je demanderais qu'il me soutienne pendant mes études, comme je l'ai fait pour lui. Rien de plus.

— Il a dû devenir enragé…

— Oui, il était en colère… et assommé, aussi. Je me suis réfugiée dans mon bureau. Après une heure, il a proposé une thérapie de couple.

Diane exprima sa crainte que l'exercice permette seulement à deux hommes de joindre leurs efforts pour la convaincre de changer d'idée.

— Ou pour le convaincre de renoncer à son projet de paternité, suggéra Monique.

— Ou de le réaliser avec quelqu'un d'autre.

— Tu songes vraiment à le quitter au lieu d'avoir un enfant ?

— Oui… Mais si je quitte la maison, aucun juge ne me sera sympathique au moment de réclamer son aide pour poursuivre mes études. C'est triste, parce que je ne le trompe pas et je ne pense pas qu'il me trompe. En réalité, s'il n'y avait son désir de se reproduire, je passerais ma vie avec lui avec plaisir.

— Donc ?

— Je peux difficilement dire non à l'idée d'une thérapie de couple. Encore là, si ça finit par un divorce, je dois prouver ma bonne volonté.

Diane se leva afin de préparer un souper léger. Il leur fallait bientôt partir pour le séminaire de Louis Gervais, en soirée. Pendant le trajet, elle suça plusieurs pastilles Vicks dans le but de faire disparaître l'odeur de gin dans son haleine.

Normand Tellier avait téléphoné à Suzanne en matinée pour plaider de nouveau afin de la rencontrer. Il avait un nouvel argument à présenter :

— Ce soir, il sera avec ses étudiants. Il n'en saura rien. Nous pourrions nous rencontrer à l'Auberge des Gouverneurs.

Elle laissa entendre un rire bref.

— Où tu aurais eu la bonne idée de louer une chambre ?

— Alors dis-moi à quel endroit, dit-il avec une certaine lassitude dans la voix.

La jeune femme sut avoir raison : il manigançait un tête-à-tête qui deviendrait intime. Suzanne eut envie de l'envoyer paître, mais se le mettre à dos aurait des conséquences sur sa vie conjugale.

— Tu connais La Résille sur le campus ?

— Je connais. Mais ce n'est pas le gendre d'endroit que je fréquente.

— Je n'en doute pas... Pour moi, c'est pratique parce que je pourrai rentrer avec Louis après son cours.

— Nous pouvons aller ailleurs, et je te reconduirai avant la fin de son cours. Il n'en saura rien.

— Déjà, je brise les règles en acceptant de te voir comme ça, en cachette.

À la fin, il accepta. Ensuite, la jeune femme téléphona à Louis. Tout de suite, elle lui dit :

— Ce soir, je vais revenir avec toi.

— Ton gentil patron te fait faire de l'*overtime* ?

— Non. Je vais aller au cinéma voir *Les trois jours du Condor* avec les filles. Elles vont toutes commettre l'adultère en pensée en regardant le beau Robert Redford.

— Et toi ?

— Tu sais très bien où je commets l'adultère... Avant, nous mangerons à La Résille, ensuite je prendrai l'auto pour aller au cinéma. Je ne veux pas revenir en autobus. Je t'attendrai dehors, devant la porte qui donne sur le stationnement.

Comme si Louis lui avait donné des leçons, Suzanne s'était arrangée pour tisser ses mensonges autour de la réalité. Elle mangerait vraiment à La Résille, et elle connaissait par cœur le film avec Robert Redford et Faye Dunaway, tellement ses collèges l'avaient commenté.

À cinq heures, elle était restée dans son bureau à classer des papiers, pour se diriger vers le pavillon Pollack un peu après six heures. Le repas lui parut très gras, mais tout de même mangeable. Quand elle eut terminé, elle vida son 7-Up à très petites gorgées. À l'heure convenue, elle aperçut Tellier dans l'entrée. Elle attira son attention d'un signe de la main et se leva pour accepter une bise sur la joue.

Normand enleva son manteau pour le poser sur le dossier d'une chaise. Il en occupa une autre. Après un regard circulaire autour de lui, il remarqua :

— Il n'y a pas de serveuse ?

— Tu dois te lever et aller au bar pour commander. D'un autre côté, ça te permet d'être pingre avec le pourboire.

Il s'exécuta en laissant échapper un petit juron. Tout de même, il revint avec deux bières dans des verres de plastique.

— Je ne sais pas pourquoi, mais cette conversation a mal commencé.

— Peut-être parce que tu trahis déjà les beaux principes que tu présentais à l'Auberge des Gouverneurs. La sexualité sans attache, seulement pour le plaisir. L'échangisme pour sauver les mariages.

Ils étaient certainement les deux personnes les plus âgées dans cet endroit. Pourtant cet échange aurait paru extrêmement audacieux à tous les jeunes autour d'eux.

— Il y a les principes, mais chaque rencontre vient avec un lot de possibilités. Je ne vais tout de même pas te demander pardon de mes sentiments pour toi.

— Es-tu en train de me faire une déclaration d'amour ?

Il baissa les yeux sur sa bière, sans répondre. Elle reprit au bout d'un moment :

— Quel est ton plan de match ? Nous comparons nos horaires afin de voir s'il y a de la place ici et là pour de brèves rencontres ? Avec ton horaire de médecin, ta femme, tes enfants, elles ne seront pas nombreuses. Moi, je colle à mon téléphone pour me rendre disponible quand tu as une minute ?

— Tu me plais. Présentement, au mieux, nous nous croiserons dans l'une ou l'autre des rencontres, mais sans jamais avoir la chance de profiter d'une vraie conversation.

— Tu m'as déjà prouvé que tu savais truquer les tirages au sort.

Ce rappel réussit à lui tirer un sourire. Après un silence, quand elle reprit la parole, Suzanne essaya de gommer l'ironie de son ton :

— Je pense que tu as vraiment aimé coucher avec moi, et ça m'a fait plaisir. Ça m'a fait plaisir aussi de remettre à Louis la monnaie de sa pièce. Qu'il m'entende alors que je m'amusais était un juste retour des choses. Et aussi qu'il m'attende, alors que nous remettions ça. Être ta maîtresse à temps très partiel, non merci.

— Te reverrai-je dans ce milieu ?

— Je serai là encore une fois, pour voir. Après, je ne sais pas. J'ai d'abord pensé que je le faisais pour Louis. Pour garder Louis. En réalité, j'y ai pris du plaisir. Je ne me sentais pas à la hauteur, avec lui...

— S'il y en a un de vous deux qui n'est pas à la hauteur, c'est lui

— Peut-être... Disons que s'il disparaît, je saurai trouver mieux. Mais ce ne sera pas comme maîtresse occasionnelle, ni comme le morceau de viande qu'un homme échange pour avoir accès à la femme d'un autre.

Après ça, Normand n'eut plus du tout envie d'utiliser sa voix mielleuse et son statut de médecin spécialiste pour obtenir une partie de jambes en l'air avec une petite secrétaire. Si elle était entrée dans ce jeu de l'échangisme à titre de souris, elle l'abandonnerait après être devenue une chatte avec des griffes.

Ils se quittèrent tout de même avec une bise sur la joue. Après tout, ils appartenaient à une frange de la population libérée des contraintes de la morale petite-bourgeoise.

Lorsque Suzanne monta dans la voiture, la première remarque de Louis fut :

— Tu empestes la cigarette.

— La Résille doit être l'antre des fumeurs de Gitane et de Celtique.

— Et souvent de produits pas très légaux.

C'était effectivement l'endroit idéal pour respirer des effluves de marijuana.

— Et Robert Redford ?

— Peux-tu t'informer pour savoir s'il participe à des échanges de couples ? Si oui, je suis partante.

Chapitre 21

Le lundi précédent, Jacques avait remarqué le visage maussade de Diane, et l'odeur de pastilles Vicks même si elle ne toussait pas du tout. Ce jeudi, elle demeurait tout aussi préoccupée. Ce fut pendant la pause du séminaire de James Nelles sur la Troisième République, alors que les autres s'étaient éloignés, qu'il remarqua :

— Quelque chose ne va pas ?

— J'étais certaine qu'à mon âge, m'inscrire à un programme universitaire ne serait pas facile. Pourtant, la difficulté ne vient pas tellement des professeurs ou des étudiants. C'est plutôt à la maison.

— Ton mari a l'impression que le pouvoir lui glisse des mains ?

Au même moment, Monique et Jean-Philippe apparurent au bout du couloir. Diane s'empressa de dire :

— Demain midi, je peux te détourner de ton sandwich au fromage ?

— Je ne prendrai pas la fuite en sortant du cours d'Aubut. Tu me trouveras sans peine.

Bientôt, ils s'engouffrèrent tous dans le local pour participer à la seconde partie du séminaire. On en était rendu aux exposés présentés par les étudiants. Dans certains cas, garder les yeux ouverts devenait très difficile.

Le lendemain matin, en sortant de l'amphithéâtre, Jacques traîna un peu, le temps que Diane échange quelques mots avec Monique. Jean-Philippe suivit son regard posé sur les deux femmes, puis il déclara avec à-propos:

— Je pense que tu as des projets pour ce midi.

— Une petite conversation avec Diane.

— Dans ce cas, à la prochaine.

Bientôt, la brune vint le rejoindre.

— J'ai dit à Monique que je voulais te parler de ma présentation orale.

Qu'elle donne un prétexte pour ce dîner parut curieux à Jacques. La suite l'étonna encore un peu plus:

— Elle a répondu que ce ne serait peut-être pas une mauvaise idée de faire ça à quatre, pour tous les cours. Pour aller chercher les suggestions des autres avant de soumettre nos travaux aux professeurs.

— C'est plein de bon sens.

— Bon, maintenant, je te propose d'aller dîner au Marie-Antoinette. Je t'invite, et si tu t'avères un conseiller conjugal raisonnablement bon, je songerai à augmenter ton salaire en t'offrant un dessert.

— Tu sais que je suis un vieux garçon qui ne connaît rien à ces questions.

— Ce n'est pas l'impression que j'ai de toi.

Pour la première fois, il prit place sur le siège du passager de la Mustang, plutôt qu'à l'arrière. Cela lui permit d'apprécier encore plus cette voiture. Ils purent arriver un peu avant midi, ce qui les dispensa de faire la queue à l'entrée pendant vingt minutes.

— Ici, la spécialité, ce sont les desserts. J'essaie toutefois de les éviter. Tu devines sans doute pourquoi, avança Diane.

— Je devine aussi que je devrais dire : “Non, non, ta silhouette est parfaite !” Ce serait vrai, mais j'aurais l'air de vouloir profiter d'un petit ressac dans ta vie conjugale. Alors je ne le dirai pas.

Diane éclata de rire. Mais quand les assiettes arrivèrent sur la table, ce fut tout à fait sérieusement qu'elle reprit :

— Ce qui m'a frappée hier, c'est que tu as dit ce que je pense sur le pouvoir dans mon couple. Entendre ça d'un gars qui ne connaît rien de ma vie conjugale m'a surprise.

— C'est un peu ce que me disait la jolie blonde de Radio-Canada il y a un peu plus de deux semaines.

— Aglaé…

— Aglaé Picard-Cloutier.

— Vous avez parlé du pouvoir dans un couple ? Pourquoi ?

— Elle rêvait de faire une table ronde où j'aurais joué le rôle du jeune gars qui partage certaines idées féministes. Pour donner de l'espoir : un jour tous les hommes seront comme moi, ils comprendront.

— Ce que tu n'as pas accepté…

— As-tu remarqué que dans les panels de ce genre, ce sont toujours des fils ou des filles à papa qui incarnent le bon peuple ?

Elle n'y avait jamais réfléchi, mais cela lui semblait probable.

— Alors, d'où vient ta sagesse ? Tu es devin ?

— C'est mon sens de la déduction, mon cher Watson. Tu ne vis pas chez tes parents et tu n'as pas d'enfant. Il n'y a donc que ton mari pour s'inquiéter de te voir sur le campus. Dans les médias, c'est le thème dominant : monsieur se sent moins viril parce que madame gagne un peu d'autonomie en travaillant.

— Chez moi, le problème est que je ne veux pas avoir d'enfant. Je ne serais pas normale d'après lui.

— Laisse-moi deviner : son envie de se reproduire lui est venue après que tu as commencé tes études et surtout, après que tu as commencé à rêver d'en faire un métier.

Elle hocha la tête.

— Tu vas le quitter ?

— Je ne sais pas. À part ça, je n'ai aucun reproche à lui faire…

Aux yeux de Jacques, c'en était toutefois un très gros.

— Et j'ai payé ses études de médecine !

Une affirmation un peu grosse. Avec son salaire de secrétaire, elle pouvait tout juste le loger et le nourrir. Jamais elle n'avait déboursé un sou pour ses droits de scolarité ou ses livres. Toutefois, sa contribution avait été essentielle.

— Je veux qu'il me rende la pareille.

— Je comprends, dit Jacques.

— Là, il propose une thérapie de couple. Il rêve sans doute que j'accepte de faire des enfants, et moi qu'il renonce à ce projet.

À nouveau, le jeune homme hocha la tête.

— Tu crois que c'est normal de ne pas vouloir d'enfant ?

— Ça, je ne sais pas. Je suis toutefois convaincu que si on ne se sent pas prêt à en avoir, mieux vaut s'abstenir. C'est très facile de faire un enfer de la vie d'un enfant.

Plus tard, en remontant dans la voiture, Jacques la questionna :

— Comme ça, Monique t'a demandé de m'inciter à participer à un petit cercle pour la préparation des travaux ?

— Ce n'était pas formulé de cette façon, mais tu traduis bien l'idée générale.

— Il y a des salons au rez-de-chaussée du Parent, ce serait possible de se trouver un coin à l'écart. Vous pourriez même stationner tout à côté, avec ce permis.

Du doigt, il désigna le morceau de plastique accroché au rétroviseur.

— Je peux en parler à Jean-Philippe, ce soir, ajouta-t-il.

— Ce serait une bonne idée.

— Je lui dirai que c'était la raison de ce dîner en tête à tête.

Une nouvelle semaine venait de se terminer, et les Gervais n'avaient pas eu de nouvelles de leurs compagnons échangistes. Louis prenait la chose de façon très personnelle. En sortant de table après le souper, il déclara d'une voix impatiente :

— Depuis tout ce temps, s'ils nous invitent à nouveau, je ne sais pas ce que je répondrai.

— Alors que proposes-tu ? Inviter Rénald et Gaétane ? Elle était assez jolie, mais je te le dis tout de suite, les imitateurs d'Elvis, ça me laisse froide.

— Tu sais qu'ici, ça ne se compare pas à chez eux... Je prends une bière. Tu veux quelque chose ?

Elle voulait du thé. Quand il déposa la théière et la tasse sur la table près de son fauteuil, elle le remercia, puis enchaîna :

— Je ne pense pas que ce soit un concours organisé par *Décormag* pour trouver le plus beau sous-sol à partouze.

— Le nôtre fait quand même p'tite vie en maudit.

À ce sujet, elle préféra ne pas le contredire. Il contenait les meubles du temps des études de son mari, et quelques boîtes, essentiellement des décorations de Noël.

— Alors nous irons à Mont-Joli ? murmura-t-elle.

— Nous pourrions le faire avec une troisième personne ? avança-t-il à son tour.

Inévitablement, l'ineffable Brigitte lui passa par la tête.

— J'ai été claire, chez Rénald…

Oui, il se souvenait. Le troisième participant à des galipettes serait d'abord un homme. C'était une manière de refuser, tout en l'empêchant de formuler le moindre reproche. Impossible d'exiger ce qu'il n'accordait pas. Pour être limpide, elle ajouta :

— Ma façon de concevoir notre nouvelle vie de couple libéré, c'est que nous faisons ça ensemble. Si je constate que tu chasses pour ton seul compte, je parle à un avocat.

Louis accusa le coup. Suzanne avait tracé une ligne entre l'acceptable et l'inacceptable. Plus jamais elle n'accepterait le mensonge.

Le 19 novembre, Monique se présenta au séminaire de Louis Gervais un peu rassurée. En après-midi, elle avait présenté son exposé à ses amis. Cela lui avait donné l'occasion de juger de la durée de l'exercice : rien de pire que de manquer de temps pour tout dire, ou alors de finir trop tôt. Surtout, elle avait eu l'occasion d'entendre des remarques et de répondre à des questions. Aussi, quand elle le refit devant la classe, elle s'en tira plutôt bien.

Le professeur lui accorda toutefois une attention distraite. Le défaut de ces présentations était d'être affreusement répétitives, puisqu'il proposait toujours les mêmes sujets à traiter. De plus, rebutée par son attitude des semaines précédentes, Brigitte avait migré de l'autre côté de la table, elle se trouvait maintenant dans son champ de vision. Cela lui donnait la possibilité de détailler à nouveau ses charmes. En l'absence de toute invitation à des activités échangistes depuis un mois, la tentation de renouer avec la séduction des ingénues grandissait.

Cependant, ce ne serait plus avec des employées de l'université. Jacinthe avait toujours le loisir de parler de sa mésaventure. Si cela parvenait aux oreilles des autorités universitaires, il ne risquerait pas de perdre son emploi, mais sa réputation serait affectée. En comparaison, les étudiantes constituaient un réservoir intarissable de jolies filles qui, par définition, ne faisaient que passer à l'université.

Donc, quand les étudiants se dispersèrent, il lança :

— Bonne soirée, Brigitte.

— Bonsoir, Louis.

Quand les quatre amis quittèrent la salle, Jacques murmura :

— Que mon amour à la semblance du beau Phénix s'il meurt un soir le matin voit sa renaissance.

— Tu ne vas pas nous dire que tu viens de pondre ça pour Brigitte, dit Diane.

— C'est de Guillaume Apollinaire, dit-il. *La chanson du Mal-Aimé*, un poème interminable. Léo Ferré en a fait un disque. Ces trois vers me sont restés dans la tête, mais j'ai oublié les autres.

— En tout cas, dit Jean-Philippe, moi, je préférerais ne pas lire ce genre de poème. Ç'a l'air tellement déprimant.

— D'un autre côté, on y trouve tellement de beaux mots compliqués ! Les mettre tous dans un travail, ce serait la gloire assurée, avança Jacques.

Quand Louis arriva à la maison, il entendit une voix venir du salon :

— Nous avons reçu une lettre aujourd'hui. Je l'ai lue à mon retour du bureau, mais je n'ai pas voulu troubler ton cours en te téléphonant à ce sujet.

Au ton amusé de son épouse, il ne s'agissait sans doute pas d'une mauvaise nouvelle. Comme d'habitude, il commença par aller dans la cuisine pour prendre une bière. C'est en s'assoyant qu'il demanda :

— Où est-elle ?

Diane la lui donna.

— On dirait un faire-part pour un mariage.

— C'est une façon de voir les choses.

Louis lut à haute voix :

— Une réception le 22 novembre, sous le thème des vieilles filles… Tu y comprends quelque chose ?

— Ça me semble assez simple : la Sainte-Catherine est mardi en huit, alors ces gens, en travailleurs responsables, entendent la célébrer samedi. Ce doit être une soirée où les femmes seront déguisées. Lis jusqu'en bas.

— Mesdames, comme vous serez nombreuses à être tentées de venir en religieuses, dites-le-nous, et nous tirerons au sort le nom de celle qui aura droit à ce déguisement. Signé Philippe et Sabine.

Normand Tellier n'avait pas menti : on les invitait à une nouvelle rencontre échangiste.

— RSVP, lut encore Louis. Qu'en penses-tu ?

— Je trouve l'idée de me costumer pour me mettre nue ensuite un peu ridicule, mais oui, ce serait amusant.

— Je me demande qui sont Philippe et Sabine.

— Existe-t-il un bottin à partir des adresses ? demanda Suzanne.

— Oui, tu as raison. L'*Annuaire Marcotte*. Je regarderai quand j'irai à l'université.

— As-tu l'intention de refuser s'il s'agit de quelqu'un qui a une plus grosse maison que la nôtre ?

— Non, mais un inconnu nous invite. Tu n'es pas curieuse de savoir de qui il s'agit ?

Elle voulut bien admettre que c'était le cas. Bientôt, Louis exprima le désir d'aller au lit. Une heure plus tard, avant d'éteindre la lampe de chevet, il demanda :

— À part un habit de bonne sœur, as-tu une autre idée de déguisement ?

— Laisse-moi le temps d'y penser.

Cependant, le sourire sur ses lèvres permettait de deviner qu'elle avait déjà trouvé.

Depuis lundi, Suzanne se demandait si son idée de déguisement était envisageable. Elle pouvait choisir de se costumer en Mademoiselle Sainte Bénite, de l'émission *Grujot et Délicat*, ou en Berthe L'Espérance, de l'émission *Symphorien*. Mais ce serait plutôt banal. Finalement, ce ne fut que le vendredi qu'elle osa demander au doyen Morin la permission de prendre son après-midi pour aller chez le médecin.

— Vous avez des raisons de vous inquiéter ?

— Pas vraiment. Enfin, ce sera à lui de me dire si je dois m'inquiéter. Je pourrai reprendre le temps perdu lundi soir, en rentrant tout simplement avec Louis après son cours.

— Avez-vous déjà lu votre convention collective ?

Elle le regarda en soulevant les sourcils, surprise.

— Écoutez, si ce n'est pas possible...

— Ce que vous demandez s'appelle un congé personnel, dit-il en levant la main pour l'interrompre. Vous y avez droit.

Elle le remercia et fit mine de quitter son bureau. Il dit encore :

— Ne croyez pas que l'université est trop généreuse, parce que dans mon cas comme dans le vôtre, il faut toujours reprendre le temps perdu.

Finalement, elle prit la voiture pour se rendre dans le Vieux-Québec. Après avoir réussi à trouver une place de stationnement près de la Place d'Youville, elle se dirigea vers le sexshop situé rue Saint-Jean.

— Après seulement quelques semaines de mauvaise vie, je ne suis plus timide du tout, murmura-t-elle pour elle-même.

Ce n'était pas tout à fait vrai. Mais comparé à faire l'amour avec un inconnu, voir des alignements de magazines pornos et de sous-vêtements coquins ne la gênait pas. Derrière le comptoir, le vendeur à qui Louis avait conseillé de trouver un emploi plus rémunérateur quelques mois plus tôt lui demanda :

— Je peux vous aider, madame ? Cherchez-vous un vibrateur ?

— J'ai une tête à m'acheter un vibrateur ? demanda-t-elle en fronçant les sourcils.

— Je suis désolé, je ne voulais pas...

— Je cherche une ceinture de chasteté.

Son interlocuteur demeura d'abord interdit, puis il dit, certain de se faire mener en bateau :

— Vous n'êtes pas sérieuse ? Une femme aussi charmante que vous...

— Pourtant je me cherche vraiment une ceinture de chasteté. Vous n'en avez pas ?

— Ici, nous avons tout ce qui est légal, et parfois des choses moins légales... C'est juste là, à côté des *baby dolls*.

Suzanne regarda un curieux assemblage de courroies de cuir renforcées de bandes métalliques.

— Je ne comprends pas comment on met ça.

— Donnez-la-moi.

Il lui expliqua que l'une des courroies se mettait autour de la taille, l'autre devait lui passer entre les cuisses.

— Ce petit cadenas, là, c'est pour les attacher sous le nombril. Ça vient avec deux clés.

— Ça n'a pas l'air très confortable.

— Il y en a en tissu, mais ça ne fait pas très réaliste. Vous voulez l'essayer ?

— Vous avez des cabines d'essayage ?

— Pas vraiment, mais derrière...

— *In your dreams*…

Elle mit la courroie autour de sa taille. Au moment de faire passer l'autre courroie entre ses jambes, ça lui parut trop serré, mais sans son pantalon, ça irait.

— Je la prends. Mais si ça ne me fait pas, je vous la rapporterai.

Il lui précisa que, comme dans le cas des sous-vêtements, pour des questions d'hygiène, on ne reprenait pas ce genre de chose. Ensuite, elle alla directement à la Place Sainte-Foy pour profiter de ses quelques heures de congé. Quand elle fut de retour chez elle, Louis dit depuis son bureau :

— Tu rentres de bonne heure !

— J'ai inventé un mensonge pieux pour partir plus tôt. Le patron m'a avertie que je devrais récupérer le temps perdu. Comme si tout était urgent !

Tout en parlant, elle s'était rendue dans la chambre conjugale pour ranger sa trouvaille dans un tiroir.

— Tu sais comment le pape administre les affaires du Vatican ? demanda Louis.

Elle s'arrêta dans l'embrasure de la porte du bureau pour dire :

— Non, mais je sens que tu vas me l'expliquer.

— Quand quelque chose est urgent, on ne fait rien. Et après un moment, il n'est plus utile de faire quoi que ce soit.

— Et si quelque chose n'est pas urgent ?

— On ne fait rien en attendant que ça le devienne.
— Avec des principes comme ça, je te souhaite d'être nommé recteur de l'université.

Chapitre 22

Comme lors de la réception précédente, Suzanne et Louis se sentaient fébriles en se préparant pour se rendre chez ces inconnus. Et dans le cas de la jeune femme, elle devait endurer la question sans cesse répétée par son mari :

— Pourquoi n'as-tu pas de déguisement ? L'invitation était claire.

Pourtant, c'est elle qui avait dû lui expliquer le sens de l'allusion à la Sainte-Catherine.

— Je t'ai dit cent fois que c'était une surprise. Mais rassure-toi, personne ne fera plus vieille fille que moi.

Elle avait remis sa petite jupe noire de la réception précédente, et un chandail d'un beau rouge vif.

— Maintenant allons-y, dit Louis. J'aime autant partir un peu plus tôt parce que je ne suis jamais allé dans ce coin.

Pendant une bonne demi-heure, il s'était penché sur une carte routière. Il était possible de se rendre à Charlesbourg en traversant tout Limoilou, mais ce serait perdre un temps considérable. Les autoroutes lui étaient toutefois peu familières.

Une recherche rapide avait permis à Louis de découvrir l'identité de celui qui les invitait ce soir-là. Philippe Cantin possédait un commerce au centre commercial Charlesbourg. Les affaires devaient être bonnes, car sa maison, une grande construction de style canadien située rue des Pékans, trahissait le parvenu.

— Voilà de quoi stimuler ton antipathie pour les riches et les puissants, ricana Suzanne. À côté de cette demeure, notre petit jumelé ne paye pas de mine.

— Il a gagné ça en vendant des habits en fortrel, avec deux pantalons pour le même prix.

— Tu portais ça le jour de notre mariage, non ?

À cette époque, il venait tout juste d'obtenir son diplôme et son premier véritable emploi à l'Université Laval.

— Je me souviens que ça piquait la peau.

La Volvo des Tellier était garée à côté d'une grosse Lincoln Continental. Après leur récente conversation, elle aurait préféré ne pas voir Normand. Sa présence ressemblait à une insistance déplacée. Certain de perdre à la comparaison des automobiles, Louis préféra stationner sa Renault dans la rue, pour ensuite marcher dans l'allée pavée décrivant un long arc de cercle devant l'entrée principale.

Quand il frappa à la porte, un homme un peu trapu, tout souriant, vint ouvrir.

— Suzanne, je suppose, dit-il en s'approchant pour lui embrasser la joue.

Une femme vêtue comme une religieuse avec une cornette géante s'approcha.

— Elle, c'est sœur Bertrille, la sœur volante, continua-t-il.

Cette femme, une brunette, ressemblait même un peu à Sally Field. Ainsi, le petit mot pour dissuader les autres de se déguiser en bonne sœur avait servi à réserver le monopole de ce costume à l'hôtesse.

— Je m'appelle Sabine, dit-elle en embrassant Suzanne.

Louis eut droit au même traitement. Une fois les manteaux accrochés dans la penderie, les Cantin les précédèrent dans le salon. Normand et Madeleine quittèrent leur fauteuil pour les accueillir. Encore une fois, l'activité réunirait quatre couples. Les Gervais reconnurent l'un de ceux qui étaient venus à la première rencontre, celui dont l'homme était mince, et la femme un peu potelée : Guildor et Rolande.

Pour l'occasion, Madeleine avait trouvé le moyen de se blanchir un peu les cheveux avec une poudre. Son chignon, ses petites lunettes cerclées de métal, sa longue robe grise et ses bas couleur chair la faisaient ressembler à une vieille fille de téléroman. L'autre femme était vêtue à peu près de la même façon, sauf que la robe était noire.

Sur la table basse, les tables de coin, le meuble de télé, on avait disposé des plats remplis de tires. Des « kisses », disait-on aussi. La friandise de la Sainte-Catherine.

— Je ne veux pas me montrer indélicat, dit Philippe à Suzanne, mais il y avait un thème à cette soirée…

— Je n'ai pas oublié. Je peux dire que dans cette maison, personne n'est plus assurée que moi de rester vieille fille, lui répondit-elle, mystérieuse.

— Dans un groupe de frères des écoles chrétiennes très proches de leurs étudiants, peut-être. Mais pour des gars normaux...

Il y eut d'autres protestations, un homme prénommé Guy lança :

— Voyons, habillée d'même, pis ben faite comme t'es, tu peux te marier demain.

Lui, en tout cas, il paraissait prêt à se porter candidat. Pendant quelques instants, il y eut une surenchère d'allusions à sa jolie tournure, et des reproches à peine enrobés d'humour pour lui dire combien elle n'était pas *sport* de ne pas s'être déguisée.

— Vous ne distinguez rien à cet endroit ?

De ses deux index, Suzanne désigna son ventre.

— Pas vraiment, dit Philippe.

— Et la petite bosse…

— Tu portes une chaîne autour de la taille avec une grosse gourmette ? demanda sœur Bertrille.

La jeune femme jugea les avoir suffisamment fait attendre. Elle prit l'ourlet de sa jupe pour la remonter à sa taille. Les bas noirs, la culotte et le porte-jarretelles de même couleur faisaient déjà une bonne impression, mais la vue de la ceinture de chasteté lui valut son lot de « Oh ! » et de « Ah ! ».

— T'as une clé pour ton cadenas doré ? demanda Philippe.

— J'ai peur de l'avoir laissée à la maison.

— Ben là, intervint l'autre convive, Guy, j'espère que t'as une scie à métaux !

La remarque s'adressait au maître de la maison. Décidément, celui-là était conquis. Suzanne laissa retomber sa jupe, heureuse de son petit effet.

— Mais pourquoi la culotte ? interrogea Madeleine.

— Tu as déjà eu une pièce de cuir renforcée de métal à cet endroit ?

— Non. Mais de toute façon, dit la grande blonde, réflexion faite, je crois que c'est encore plus coquin.

Très nettement, tout en respectant le thème de la soirée, elle avait réussi à être la plus séduisante.

— Bon, des margaritas pour tout le monde ? offrit l'hôte. J'ai bu ça à Acapulco l'hiver dernier, et maintenant, je suis accro.

Décidément, l'échangisme permettait de se familiariser non seulement avec différents partenaires, mais aussi avec divers cocktails.

Chez les Chénier, la signature d'un traité de paix n'avait pas encore eu lieu, mais l'armistice tenait bon. Diane avait consenti à la proposition de s'engager dans une thérapie de couple, et ce ne serait pas un week-end avec *Marriage Encounter*. Né en Espagne en 1952, ce mouvement catholique se donnait des allures de multinationale du renouement conjugal depuis 1971.

Pour être certaine que le thérapeute choisi lui agrée, Diane avait même commencé une recherche dans les pages jaunes de l'annuaire. Certains psychologues citaient les difficultés conjugales parmi une longue liste de spécialités, allant de la petite enfance au deuil. Exactement comme les prêtres : de la naissance à la mort.

Toutefois, même pour le choix d'une coiffeuse, elle préférait recourir aux services d'une personne que des connaissances lui avaient conseillée. D'un autre côté, les clients de ces professionnels de la santé mentale préféraient tenir la chose secrète : fréquenter les docteurs des fous entraînait son lot de railleries.

— … Alors, j'ai simplement appelé le service de *counseling* de l'université pour leur demander de me recommander quelqu'un, expliquait-elle à son mari.

Le couple se trouvait au restaurant La Poudrière, rue Saint-Louis, près de la porte du même nom. Il s'agissait d'un curieux endroit. C'était une longue salle aux murs de pierre et au plafond voûté, avec des tables près des murs et des chandelles fichées dans des bouteilles.

— Il y a un service de ce genre à l'Université Laval ? demanda Robert.

— Évidemment. Si tu voyais les professeurs... Certains ont besoin de soins… On m'a donné quelques noms. Ce sont des professeurs qui offrent leurs services. J'en ai retenu un, Lévesque.

— Ouais... avec le travail, tu sais que je n'ai pas beaucoup de temps.

— C'est toi qui l'as proposé.

— Ce serait plus simple près de l'hôpital...

Devant le visage hostile de sa femme, il préféra céder tout de suite.

— Il faudrait que ce soit le soir. Tu vas lui téléphoner ?

— Dès lundi matin.

Robert soupira. La démarche lui semblait peu prometteuse, même s'il en avait fait la suggestion.

— Maintenant, je fais signe à la serveuse, dit-il.

À nouveau, ce serait du bœuf. Cet endroit offrait du homard, mais fin novembre, cela ne leur parut pas le meilleur choix. Avant que la jeune femme assurant le service ne reparte, Diane lui dit :

— Vous devriez expliquer à votre gérant qu'il est un peu emmêlé dans ses dates.

— Pardon ?

— Il y a trois cents ans, c'était le dix-septième, pas le dix-huitième… Votre publicité dans *Le Soleil.* Il y a une erreur.

Elle disait précisément : « À l'intérieur d'une forteresse unique et originale vieille de 300 ans, dans un décor du 18e siècle. » Très diplomate, la jeune femme murmura : « Je vais le lui dire », puis retraita.

— Je savais bien qu'il y avait des emplois pour les diplômés en histoire, ricana Robert. Tu pourras corriger les annonces dans les journaux.

Après avoir montré ses dessous, et surtout sa ceinture de chasteté, Suzanne demeura le centre d'attention. Les autres femmes regrettaient maintenant d'avoir respecté à la lettre le thème proposé. Une nouvelle fois, elle jetait un regard amusé sur le mobilier de cette grosse maison. « Parfois, être cassé est un avantage, songea-t-elle. Chez nous aussi c'est laid, mais au moins, ça ne coûte pas les yeux de la tête. »

Le tissu du fauteuil sur lequel elle prenait place, avec ses gros carreaux de diverses nuances de vert, faisait penser à un tartan tissé par un Écossais habitué à abuser du whiskey. La table de centre, et celles de bout, étaient couvertes de petites mosaïques reprenant les mêmes couleurs. L'horrible moquette d'un bel orangé devait cacher de magnifiques lattes de bois franc.

— Vous faites ça depuis longtemps ? demanda Sabine, assise à ses côtés.

Elle s'était débarrassée de sa cornette trop large, avant de crever l'œil de quelqu'un.

— Non. C'est seulement la troisième fois, et la première ne comptait pas vraiment.

— Le gars ne bandait pas ? murmura son interlocutrice.

On pouvait compter sur ces gens pour poser les vraies questions.

— Tu te rappelles la réaction de Fernande ? intervint Madeleine.

— Celle qui a pété une crise de nerfs quand Philippe a baissé sa *fly* ?

— Exactement.

— Évidemment, je me souviens. Elle voulait participer, elle était moderne... Elle se présentait même comme une nymphomane !

— Puis elle s'est mise à crier, rappela Madeleine, à parler de faire venir la police. Alors après ça, nous avons décidé d'y aller lentement avec les nouveaux.

C'était la répétition d'une conversation que Madeleine et Suzanne avaient déjà eue, avec l'ajout de l'identité des personnes impliquées. Ensuite, Rolande s'informa de la santé de la progéniture des deux autres. Elle s'étonna qu'à son âge, la nouvelle venue n'en ait pas. Philippe lui épargna de se justifier en lançant :

— Mesdames, c'est le temps des p'tites vues. Quelqu'un veut un *refill*, avant ?

Suzanne préféra s'abstenir, les deux autres acceptèrent. Le maître des lieux installa une toile à un bout du salon et poussa un petit chariot portant un projecteur. Il le mit en marche avant de s'empresser d'éteindre les lumières. Les productions choisies allaient avec le thème de la soirée : les deux films montraient des nonnes, et dans l'un d'eux, au moins un homme affublé d'une soutane.

— Je me demande si c'est une ursuline, dit Guy, ou une sœur de la congrégation…

Comme personne ne répondit, il insista :

— Madeleine, t'es allée chez les ursulines, non ? Reconnais-tu le costume ?

La grande blonde ne répondit pas. À ce moment, elle avait quitté sa place pour s'asseoir à gauche de Suzanne. Celle-ci se retrouva donc entre Madeleine et Sabine. Le scénario était un mélange des deux autres rencontres, car leur hôte déclara :

— Maintenant, on choisit ? J'ai des billes...

— Des billes de la même couleur, comme la dernière fois ? demanda Suzanne.

— Ah ! Ils vous ont fait le coup ? Tu vas les mettre toi-même dans les verres. Viens.

C'est avec la main de son hôte sur la hanche qu'elle plaça des billes de couleurs différentes dans des verres de plastique opaque. À nouveau, elle fut la première à en prendre une, rose cette fois.

— Louis, c'est à ton tour.

Il pigea dans l'autre verre et sortit une bille de couleur lilas.

— Si j'avais pigé la même que ma femme ? demanda-t-il.

— Tu l'aurais remise à sa place et t'aurais recommencé. La seule chose qui est défendue icitte, c'est d'baiser sa légitime. Vous le ferez en retournant chez vous.

À la fin, le maître de la maison se retrouva avec Suzanne, et Louis avec Rolande. Son visage ne trahissait pas une joie immense.

Ensuite, il y eut de la musique et les femmes dansèrent ensemble en se déshabillant progressivement. Dans son costume de bonne sœur, Sabine avait poussé trop loin l'authenticité. Après avoir enlevé deux couches, elle demeurait encore très habillée. Suzanne ne participa pas, jouant le rôle de voyeuse, tout comme les hommes.

Philippe lui demanda :

— On fait ça icitte ?

— Je suis du genre timide, répondit Suzanne.

— Ben t'as pas de raison.

Comme ces mots ne parurent pas la rendre plus exhibitionniste, il consentit :

— Si t'as pas la clé, je vais passer dans mon garage pour prendre une scie, pis on ira en bas.

— As-tu idée combien ça coûte, ce truc ? Évidemment, j'ai la clé.

— Alors, viens avec moi.

Dans cette maison aussi, l'action se passait dans le sous-sol. Et pour une fois, la pièce était meublée d'une façon plutôt conservatrice. Plus précisément, le décor correspondait à peu près aux goûts de la jeune femme.

En atteignant la dernière marche, elle sentit une main sur ses fesses. En traversant le salon, elle eut l'impression d'avoir affaire à un boulanger, tellement il aimait pétrir. Dans la chambre, elle récupéra l'une des petites clés dans un bonnet de son soutien-gorge. L'autre se trouvait dans son sac.

Son compagnon démontrait suffisamment de frénésie pour la convaincre de se déshabiller tout de suite.

Jacques ne sortirait probablement plus avec Josiane. Quand il lui avait proposé de l'accompagner au spectacle présenté dans la grande salle en sous-sol du pavillon Pollack – là où il y avait une discothèque d'habitude –, elle avait répondu d'un ton peu amène :

— Je vais chez mes parents en fin de semaine.

C'est donc avec Jean-Philippe qu'il entra dans la grande salle.

— On ne voit pas grand-chose, dit ce dernier.

— Avec ce plancher plat, excepté les occupants des deux premiers rangs, personne n'a une très bonne vue de la scène. D'ailleurs, elle devrait être plus haute.

— Heureusement, on n'est pas là pour voir des danseuses, parce que nous ne verrions pas du tout leurs jambes. Tu les connais ?

— Les Séguin ? Avec Beau Dommage et Harmonium, on n'entend qu'eux à CKRL-FM.

Il s'agissait de la radio étudiante de l'Université Laval. Jacques avait sacrifié une petite part de son budget annuel pour se doter d'un appareil AM-FM de marque Sanyo. Bientôt, Richard et Marie-Claire Séguin occupèrent la scène, accompagnés par quelques musiciens. Les spectateurs eurent droit à l'intégralité de l'album *Récolte de rêves*, dont « Chanson démodée », « Et c'est l'hiver », « Les enfants d'un siècle fou », « Le roi d'à l'envers ». En plus, ils chantèrent des succès plus anciens.

Malgré les mauvais sièges, Jacques et Jean-Philippe rentrèrent au pavillon Parent plutôt satisfaits.

— Ils auraient dû présenter ce show dans la salle de l'École de commerce, commenta Jacques. Il n'y a pas de film, le samedi.

— Ça devait être trop cher, dit Jean-Philippe. Déjà, payer les musiciens... Les Séguin, penses-tu que ce sont des jumeaux identiques ?

— Qu'en penses-tu ? Un gars et une fille...

— Ouais. Ne dis à personne que j'ai posé la question.

Philippe n'avait pas les talents de Normand, ou alors Suzanne était moins sensible à ses charmes, en tout cas, ce ne fut pas le feu d'artifice comme un mois plus tôt. Quand même, son partenaire lui tira des gémissements non feints, et elle le laissa visiblement satisfait. Lorsqu'il monta refaire le plein de margaritas, elle décida de profiter du sauna.

Après un passage très rapide sous la douche, elle entra dans un bain de type finlandais installé dans le sous-sol. Les trois autres femmes étaient déjà là. Les ébats avaient été brefs pour tout le monde.

— Viens t'asseoir près de nous, dit Madeleine. Nous sommes en train de rejouer *L'initiation*.

Une scène de ce film québécois à succès de 1970 montrait quelques jeunes femmes dans un sauna.

— C'est pour ça que j'avais une impression de déjà-vu.

— Alors ? demanda Madeleine.

Sabine étant présente, il était difficile de se montrer très loquace.

— Nous avons eu du bon temps.

— Tout à l'heure, dit l'hôtesse, il souhaitait se remettre en forme avec des margaritas, et ensuite refaire un tirage.

La question sous-entendue était: « Ça t'intéresse ? »

— Je vais passer mon tour.

— C'est vrai que Philippe peut être épuisant, parfois, commenta Sabine.

Impossible de savoir si elle était heureuse ou agacée par cette caractéristique.

— Pourquoi t'arrêter là ? demanda Madeleine.

— Tu oublies que je suis novice, là-dedans. Alors un partenaire pour une soirée, ça me suffit.

À cet instant, les deux autres femmes décidèrent de sortir.

— Je me suis sentie idiote, tout à l'heure, dit Madeleine quand elles furent seules. J'avais trouvé le thème de la soirée un peu ridicule, mais je n'ai pas pensé à me mettre toute belle. À la place, je ressemblais à Madame Bec-Sec dans *Le pirate Maboule*.

— Je voulais justement éviter de ressembler à ça.

— La prochaine fois, je te demanderai conseil. Pour la troisième fois, ta tenue s'avérait particulièrement affriolante. Dis-moi… j'ai eu l'impression que tu nous en voulais d'avoir truqué le tirage au sort, l'autre fois.

— Je ne comprends pas l'utilité de faire semblant. Il aurait été préférable de nous dire que vous aviez un droit de... préséance. J'aurais pris la décision d'aller à cette soirée en toute connaissance de cause.

— Tu n'as pas aimé ça avec Normand ?

— Je n'ai pas aimé me faire manipuler.

— Avec Louis, ça va ?

Elle haussa les épaules, peu désireuse de se montrer plus explicite sur ses états d'âme. Après un long silence, elle dit:

— Je suis aussi bien de passer sous la douche et d'aller le rejoindre avant qu'il ne soit complètement saoul.

Les douches ressemblaient à celles du Cégep de Sainte-Foy : c'était un alignement de quatre pommeaux.

Elle commença par un jet plutôt froid, pour combattre l'effet de la vapeur, puis plus chaud. À cet instant, elle entendit quelqu'un entrer. Elle tourna la tête pour savoir qui était là. Elle n'aurait pas aimé avoir encore un homme après elle. C'était Madeleine.

— Je peux ?

Suzanne sentit la main de sa compagne, savonneuse, sur son épaule et très vite, sur son sein. Elle la saisit en disant :

— Quoi, toi aussi tu veux ta part ?

— Entre nous, il y a une vraie complicité, non ?

— Décidément !

Suzanne tourna les robinets et s'éloigna en s'essuyant avec une serviette. Madeleine fut sur le point d'insister, mais les paroles de la jeune femme l'intriguèrent :

— Que veux-tu dire par « toi aussi » ?

— Il y a eu Normand l'autre fois, et toi maintenant.

Suzanne avait laissé ses vêtements dans un casier, lui aussi semblable à ceux de l'école. Elle enfilait sa culotte quand Madeleine demanda :

— Il t'a rencontrée pour...

La brunette se dit qu'un peu d'honnêteté ne ferait pas de mal dans ce couple :

— Lui aussi trouvait qu'il y avait quelque chose entre nous. Ça ne marche vraiment pas, vos galipettes, pour souder un couple.

Pour ne pas s'attarder, elle mit rapidement son soutien-gorge, son chandail et sa jupe. Les bas, le porte-jarretelles et la ceinture de chasteté allèrent dans la poche de son manteau. Quand elle quitta la salle de douche,

Madeleine se trouvait toujours sous le jet d'eau, visiblement désemparée.

À l'étage, Suzanne se plaça dans l'entrée du salon pour dire à son mari :

— Si dans cinq minutes tu n'es pas assis dans l'auto à côté de moi, tu appelleras un taxi pour rentrer à la maison.

Louis était à côté de Rolande. De la cuisine parvint la voix moqueuse de Philippe :

— Ben là, on sait qui mène chez vous !

Ne souhaitant pas s'attarder, Suzanne enfila ses pieds nus dans ses bottes, mit son manteau et sortit. Le froid lui fit du bien. En s'approchant de la Renault, elle sentit un poids quitter ses épaules.

Dans l'auto, elle attendit un peu plus de cinq minutes. Quand Louis occupa son siège, il dit d'une voix rageuse :

— Qu'est-ce que ces gens vont penser de toi, maintenant ?

— Si tu savais comme je m'en fous. Cela dit, si je dois consulter en ORL, j'éviterai le bon docteur Tellier.

Elle appuya un peu trop fort sur l'accélérateur. Heureusement, la rue était déserte. Elle avait parcouru à peu près un mille quand elle reprit :

— Tu l'as peut-être compris déjà, mais pour moi, le mariage *open*, c'est terminé. Ou il sera fermé, ou il n'y aura plus de mariage du tout.

Louis ne dit pas un mot. À ce moment, il se concentrait sur son estomac. L'alternance trop rapide de son épouse entre le frein, l'embrayage et l'accélérateur lui faisait craindre de répandre toutes les margaritas sur les jolies banquettes de sa voiture.

Le dimanche, Louis avala quatre aspirines en se levant et prit une bouteille de Montclair dans le réfrigérateur.

— Tu veux manger quelque chose ? s'informa Suzanne.

— Certainement avant de me coucher ce soir, mais pas tout de suite.

Il alla s'asseoir dans le salon, où il prit une longue lampée d'eau minérale à même le goulot. Après quelques minutes, il demanda :

— Hier, tu m'as bien dit que c'était ta dernière participation à nos soirées ? Je ne suis pas certain, je n'allais plus très bien.

— Pourtant, tu as bien compris.

— Ça s'est mal passé ?

— Non. Enfin, pas plus mal que ce à quoi je m'attendais. Ces rencontres ont un côté excitant, mais à la base, elles sont inhumaines.

Sauf qu'elle savait maintenant qu'il n'y avait pas qu'un homme sur terre, et que son choix ne s'était pas porté sur le meilleur amant. Cela changeait beaucoup ses perspectives.

— Tu as semblé avoir du plaisir.

— C'est un reproche ?

— Non, non. Simplement, je ne comprends pas que tu veuilles cesser, si tu y trouves ton profit.

— Comprendre les femmes, ce n'est peut-être pas ton fort.

Il préféra abandonner ce sujet, pour en aborder un autre :

— Et tu as bien parlé de mariage fermé ?

— C'est simple, si je soupçonne que tu vas voir ailleurs, très vite, ton avocat devra parler avec le mien.

Louis demeura dans son fauteuil quelques minutes encore, le temps de vider la bouteille de Montclair. Ensuite, il décida d'aller tremper dans son bain.

Chapitre 23

C'était déjà le 15 décembre. Il restait exactement une semaine à la session d'automne. On en était à remettre les derniers travaux aux professeurs. Jacques avait terminé tous les siens depuis plusieurs semaines. Maintenant, il ne cessait de les retoucher pour les rendre plus que parfaits. La veille, il avait retapé celui destiné à Robitaille parce qu'il manquait l'espace entre deux mots, à la page trois.

Pour ne pas passer ses prochaines nuits à des tâches aussi vaines, il décida de les rendre avant l'échéance. Il se présenta au secrétariat du département pour demander à l'une des secrétaires :

— J'aimerais remettre quelques travaux à des professeurs.

— D'habitude, la remise des travaux se fait en classe, non ?

— Oui, mais je crains de devoir être absent à certaines rencontres. Et si je les glisse sous leur porte, ils risquent de mettre leurs bottes couvertes de *slush* dessus en entrant.

Ce qui serait du plus mauvais effet. Comme elle savait que ce garçon était un assistant de recherche de Louis Gervais, elle se laissa fléchir. Les professeurs se comportaient comme autant de petits rois, et leurs assistants partageaient un peu ce statut.

— Je vais m'en occuper, dit-elle en tendant la main.

— Je vous remercie infiniment, madame.

En sortant, il se dit que le sourire de Jacinthe Couture était franchement plus avenant.

Ensuite, il s'arrêta dans l'atrium pour admirer un charmant spectacle : un peu plus loin, devant les bureaux du décanat de la faculté des lettres, Marc Samson enlaçait Sylvie-Nicole. Elle portait un ravissant manteau de fourrure. S'il n'avait pas été blanc, il aurait parié pour du vison.

Bientôt, ils s'éloignèrent l'un de l'autre. Quand Jacques passa à côté de Sylvie-Nicole, elle murmura avec dédain :

— Le saint inquisiteur… Ne va pas me dénoncer à monsieur le curé, nous allons nous marier aux Fêtes. Ça, c'est en quelque sorte ma bague de fiançailles.

La jeune femme pivota sur elle-même pour lui montrer son beau manteau. Ensuite, elle s'éloigna en riant.

Quand Jacques se présenta à la cafétéria à l'heure du souper, il se dirigea vers sa table habituelle. Une fois assis près de Sylvain, il lui dit :

— Tout à l'heure, j'ai vu une scène touchante entre le vice-doyen Samson et la princesse du programme d'archéologie. Tous les deux s'aiment beaucoup.

— Mais maintenant, c'est permis, ils vont se marier.

— Sais-tu si Martial est au courant ?

— Je ne sais pas, et je doute qu'il reçoive un faire-part.

À l'arrivée d'autres membres du petit groupe enclin à tourner Martial en ridicule, Jacques préféra changer de sujet. À la demie, il se dirigea vers le De Koninck en empruntant les tunnels en compagnie de Jean-Philippe.

— C'est vraiment dommage que ce ne soit pas le dernier séminaire de Gervais. Autrement, je pourrais retourner dans ma campagne dès vendredi, dit Jean-Philippe.

Ce soir-là, les deux tiers des chambres dans les résidences seraient vides de leurs occupants. Seuls resteraient les malchanceux qui avaient cours le 22 décembre.

— Comme le séminaire a lieu le lundi, nous avons manqué celui de la fête du Travail, et celui de l'Action de grâce.

— Je sais. Mais je serais heureux tout de même d'avoir une autre rencontre en moins.

Cela d'autant plus que le professeur n'enseignait aucune matière nouvelle depuis le début de novembre. C'était au tour des étudiants de prendre la parole. Au moment d'entrer dans la salle, Jacques trouva Diane très nerveuse. Malgré sa répétition avec eux plus tôt dans la journée, l'exercice lui paraissait très difficile.

— Ça va aller, lui dit-il.

— Le dentiste m'a dit exactement la même chose avant de faire mon dernier plombage, et ça m'a fait mal pendant trois jours.

— Mais comme tu vis toujours, il avait raison.

Finalement, ça se passa plutôt bien. Et son sourire, quand elle revint s'asseoir, témoignait de son soulagement.

— Aujourd'hui, j'ai appris une curieuse nouvelle. Tu te souviens de Sylvie-Nicole ? lui demanda Jacques.

— La très jolie brunette méchante ?

— Oui, c'est elle. Eh bien, elle deviendra madame Samson. Ils vont se marier pendant les Fêtes. Tu ne trouves pas ça étrange ?

— Je vais t'apprendre une bien triste réalité : pour toutes les très jolies garces, il y a un idiot avec de l'argent pour les épouser.

— Un vice-doyen, c'est riche ?

— Sans doute plus qu'elle.

— Tu penses que je devrais le dire à Martial pour qu'il ne l'apprenne pas de façon brutale ?

— Ce serait plus prudent.

Jacques hocha la tête. Puis il voulut satisfaire sa curiosité :

— Un vison, ça peut être blanc ?

— Oui, mais ce n'est pas du meilleur goût.

À cet instant, tous les étudiants étaient revenus en classe. C'était au tour de Brigitte de prendre la parole. Elle semblait si anxieuse que Louis lui dit :

— Ne t'en fais pas, je suis certain que ça ira.

— Le beau phénix est bien ressuscité, murmura Monique à sa gauche.

En tout cas, le professeur ne cessa de couver l'étudiante des yeux et de lui adresser de petits sourires encourageants.

En entrant au pavillon Parent, Jean-Philippe commenta les performances de Diane et Brigitte. Ensuite il demanda :

— Toi, qu'en dis-tu ?

En réalité, Jacques avait prêté une oreille très distraite à Brigitte. Son arrêt à la chambre de Martial lui pesait déjà.

— Diane était très nerveuse. Heureusement, ça ne lui enlevait pas tous ses moyens, sa performance a été bonne. Brigitte a profité du support moral du professeur, ça lui a facilité les choses.

— Support moral ! ricana Jean-Philippe. Dis donc, tu savais, à propos de Sylvie-Nicole ?

Ainsi, tout le monde était au courant, sauf probablement le principal intéressé. Ils se quittèrent dans le hall de la résidence. En arrivant au septième, Jacques alla frapper à la porte de Martial.

— Une minute !

Quand il ouvrit, il portait un peignoir à carreaux, le genre que l'on voyait sur des grands-pères. Sa repousse de barbe lui noircissait les joues.

— Qu'est-ce qu'il y a ? demanda-t-il, bourru.

— Actuellement, Sylvie-Nicole se promène avec un beau vison. C'est son cadeau de fiançailles. Dans deux semaines, elle sera mariée.

Martial accusa le coup.

— Je lui souhaite de crever. Depuis septembre qu'elle se moquait de moi et pendant ce temps, elle faisait la belle avec à peu près tout le monde.

En tout cas, la première partie de cet énoncé était indéniable.

— Tu ne vas pas faire une folie, hein ?

Martial lui claqua la porte au visage, sans rien dire de plus.

La petite cabale de Jean Van Doesberg pour rafler le pouvoir n'avait pas échappé au directeur du département. Et en plus, par amitié, Robitaille lui avait raconté ce qu'il en savait. La responsabilité de directeur comportait beaucoup de travail frustrant, et peu d'avantages financiers ou de prestige. Pourtant, il y tenait.

Pour cultiver l'esprit de corps parmi les professeurs du département d'histoire, le jeudi 18 décembre, tout le monde se trouva convié à une petite réception de Noël. Et dans la mesure où les épouses paraissaient aussi en campagne – notamment la sienne et celle de son concurrent –, l'invitation s'étendit à elles.

— Je suppose que ce sont les secrétaires qui ont préparé tout ça, dit Suzanne en arrivant dans l'atrium avec Louis.

Comme toujours, des boissons étaient déposées sur deux tables poussées contre le mur. Sur deux autres, il y avait de quoi grignoter en attendant le souper. Ce soir-là, la jeune femme recyclait sa tenue de la dernière rencontre échangiste, évidemment sans les bas – un collant noir était plus confortable –, le porte-jarretelles, et la ceinture de chasteté. Le tout était particulièrement seyant.

— Pour les bouteilles, les chips et les bretzels, oui, dit Louis. Mais le sapin a été monté par le personnel du service d'entretien.

— Vous avez droit à un traitement spécial. Nous n'avons rien de ça à mon étage.

— Les avocats ont déjà tellement de privilèges… Tu viens ?

Il l'entraîna vers le directeur, flanqué de son épouse, Aline.

— Bonsoir, dit celui-ci en tendant la main. C'est curieux, vous travaillez dans cet édifice, et nous ne nous croisons jamais.

— Nous sommes certainement les deux employés les plus occupés de l'université. Quelqu'un jouera le rôle de père Noël, ce soir ?

— J'ai demandé au vice-recteur aux finances. Il a refusé. Nous n'aurons pas d'augmentation cette année.

En 1975, l'inflation dépasserait probablement les dix pour cent. Le gouvernement de Pierre Elliott Trudeau, réélu l'année précédente, avait déposé un projet de loi destiné à contrôler les prix et les salaires. Les divers syndicats regroupant le personnel de l'Université Laval s'agitaient pour obtenir des augmentations susceptibles de compenser la perte de pouvoir d'achat, mais la nouvelle législation rendrait cela impossible.

Suzanne passa ensuite à l'épouse, pour prendre sa main.

— Madame Robert, comment allez-vous ?

— Bien, merci.

— Et vos enfants ?

Ensuite, toujours en compagnie de Louis, elle eut l'occasion de rencontrer plusieurs de ses collègues. La proximité de Buczkowski lui tira une grimace de dégoût, à cause de l'odeur. Et cela lui fit penser à sa conversation avec Pierre Aubut.

À sept heures, Jacques Charon et ses amis se retrouvèrent au pavillon De Koninck afin d'assister à la dernière rencontre du séminaire donné par James Nelles. Les exposés des étudiants s'étaient déroulés lors des semaines précédentes. Cette fois, il s'agissait pour le professeur de faire un bilan des apprentissages de la session.

Jacques ayant remis son dernier travail deux semaines plus tôt, le professeur lui rendit sa copie corrigée en disant :

— Tout à l'heure, pouvez-vous venir me voir ?

Alors qu'il faisait la même invitation à Sénécal, Jacques regarda la seconde page. Il esquissa un sourire. Pendant une heure, le professeur leur parla comme s'ils étaient devenus des spécialistes de la Troisième République française. Ensuite, il se décida à les libérer en les remerciant d'avoir été de parfaits étudiants.

— Vous m'attendez un instant ? dit Jacques à ses amis pendant que la salle se vidait.

Quand il ne resta plus que lui et Sénécal, Nelles leur dit :

— Vous avez remis d'excellents travaux. Je sais que vous en êtes à la moitié du premier cycle, mais si un jour vous songez à vous inscrire à la maîtrise, pensez à l'Université Carleton, et à moi pour vous diriger.

Les jeunes gens échangèrent un regard. Ce genre de proposition avait un côté si étrange. Le professeur s'esclaffa :

— Il n'y a pas de sous-entendu. Dans mon établissement, aucun étudiant ne sait lire le français. Je ne trouve pas d'assistant de recherche.

— C'est très loin, la maîtrise, dit Jacques, mais je retiendrai votre offre. Je vous remercie. Passez de bonnes fêtes !

Dans le couloir, Diane demanda :

— Qu'est-ce qu'il voulait ?

— Nous parler de nos travaux. Bla, bla, bla.

Que les professeurs voient en lui un excellent candidat présentait un avantage. Toutefois, selon son expérience, ce statut n'améliorerait en rien ses relations avec ses camarades.

Le petit groupe se dirigea vers l'aile A et déboucha dans l'atrium.

— Voilà donc nos éminents professeurs en train de festoyer, remarqua Jacques à voix basse.

— Se saouler, dit Monique. Moi, je ne veux pas passer près de lui…

Il suivit son regard pour voir Buczkowski un verre à la main, conversant avec des collègues. Des mois plus tard, elle redoutait toujours de le rencontrer.

— Prenons l'escalier au bout du couloir pour descendre, suggéra-t-il. De toute façon, nous allons vers les tunnels.

Suzanne était restée près de Louis pendant une quarantaine de minutes, le temps de serrer des mains et de répéter exactement les mêmes phrases à une quinzaine de professeurs. Finalement, elle se dirigea vers la table sur laquelle se trouvaient les boissons. Pour étancher sa soif, bien sûr, mais aussi parce que Pierre Aubut se tenait tout près.

— Cette fois, il reste du Perrier, dit-il en la voyant approcher.

— Ah !

— Je pense que ce temps de festivités favorise la consommation d'alcool. Il y a moins de personnes sages.

— Je préfère en rester au Perrier.

Elle se laissa servir.

— Comment a été la vie, depuis le début de l'année ? demanda-t-il.

La jeune femme eut un petit rire. Que ferait-il si elle disait la vérité ?

— Il y a eu des lettres à dactylographier et des repas à préparer. La routine, quoi.

— Même chose pour moi, sauf que j'écris d'abord à la main.

À cet instant, ils entendirent la musique d'un classique de 1964, *Le rock'n'roll du Père Noël*, de Marcel Martel.

— Ça te tente ? dit Aubut.

Des femmes dansaient déjà entre elles : les professeures et quelques épouses. Suzanne se laissa tenter. Ça ne lui était pas arrivé depuis ses années de fréquentation du Cercle électrique. Autrement dit, depuis une éternité.

Si son interlocuteur avait proposé ça, ce n'était certainement pas pour montrer ses talents de danseur. Ses mouvements saccadés n'avaient aucun lien avec la musique, comme s'il était sourd. En riant de bon cœur, elle s'exécuta avec un synchronisme nettement supérieur.

Ensuite, le hasard les servit. D'abord, il y eut *Marie-Noël*, de Robert Charlebois. Un slow au rythme un peu rapide, pas trop « colleux ».

— Nous continuons ? demanda-t-il.

Rapidement, Suzanne se rendit compte que Louis ne la quittait pas des yeux. Puis ce fut *Le sentier de neige*, des Classels, nettement plus languide. Imperceptiblement, elle s'approcha de Pierre.

— Comme tu vois, dit-il, je m'en tire un peu mieux quand je peux danser lentement.

— Tu as mis au point un bon scénario. D'abord faire rire la fille, et ensuite la tenir dans tes bras.

— Je jure que le choix musical n'est pas de moi.

Il s'agissait certainement d'un montage réalisé par un membre du personnel passionné de la fête de Noël. Il avait mis bout à bout les succès des dix dernières années.

Une voix se fit entendre tout près d'eux :

— Qu'est-ce que tu fais ?

Louis présentait sa mine des mauvais jours.

— On appelle ça danser.

— Tu veux dire te dandiner contre lui.

— Là, tu exagères ! dit Aubut.

Louis recula un peu. Face au gabarit d'Aubut, il n'était pas très sûr de lui. Suzanne lui lança :

— Tu es sérieux, vraiment ? Tu vas me faire une scène de jalousie juste devant la porte de la petite que tu t'envoyais encore il y a six mois ?

De son index, elle montrait le bureau du directeur.

— Ces derniers mois, j'ai compris pourquoi tu es toujours en chasse. Tu es nul au lit ! Il te les faut donc jeunes et inexpérimentées. Demain, je parle à un avocat. Maintenant, tu vas me passer les clés de ton bureau pour que je reprenne mon manteau.

Louis obtempéra.

Pour tous les témoins – les deux tiers de l'effectif professoral, et une douzaine d'épouses –, cette petite réception resterait dans les annales. Madame Choinière expliquerait encore, dans quelques années, pourquoi Louis Gervais et Pierre Aubut ne se trouvaient jamais au département en même temps.

Suzanne se tourna vers Pierre :

— Tu veux me conduire chez ma mère ?

— Oui, bien sûr.

Ils montèrent tous les deux à l'étage. Quand Suzanne sortit du bureau de Louis, penchée sur la rambarde, elle cria :

— Attrape !

Elle lui lança les clés.

Ensuite, Suzanne rejoignit Pierre près de l'escalier. En descendant, elle lui dit :

— Je m'excuse de te mêler à cette histoire. En plus, je te prive de cette petite sauterie.

— Tu me donnes un bon motif pour partir.

La vieille Volks un peu bosselée se trouvait près de la « tour de l'éducation ». Marcher dehors au froid fit du bien à la jeune femme. En s'assoyant sur le siège du passager, elle demanda :

— Me permets-tu d'abuser ?

— C'est bien la première fois qu'une fille me demande ça.

— As-tu un canapé ? Je préférerais ne pas rentrer chez ma mère tout de suite. Je ne me sens pas de taille à affronter ses questions.

— Tu pourras prendre mon lit.

— Pas question !

Il allait tourner la clé de contact. Arrêtant son geste, il la regarda :

— Je ne voulais pas dire...

— Je sais bien ce que tu voulais dire, mais je ne te priverai pas de ton lit. Je me sens déjà assez mal à l'aise comme ça.

Pierre Aubut habitait rue Fraser, dans un appartement situé au deuxième étage d'un immeuble au revêtement de briques rougeâtres. L'endroit était vieillot, mais sympathique. Tous les meubles avaient visiblement été achetés d'occasion. Il n'y avait pas de moquette à la couleur étrange, de sanitaires lilas ni d'électroménagers *avocado*. Un repos pour les yeux.

— C'est un peu poussiéreux, dit Aubut en l'aidant à enlever son manteau.

— C'est parfait. J'aimerais téléphoner à ma mère, parce que mieux vaut qu'elle sache que je suis chez elle…

Louis pouvait bien lui téléphoner, ou même se rendre à L'Ancienne-Lorette pour récupérer « sa » femme.

— Ensuite, pourrais-je avoir un vieux T-shirt ? Je devrai passer la journée avec ces vêtements, demain.

— Je te donne ça tout de suite.

Il lui prêta un grand chandail de coton molletonné portant les couleurs de l'Université de Sherbrooke, puis il lui désigna la salle de bains. En enlevant ses vêtements, elle constata qu'ils sentaient la fumée de cigarette. Elle les pendit sur la tringle du rideau de douche pour les faire aérer. Elle enfila le chandail. La très large encolure dégageait une épaule. Il lui allait à mi-cuisse, dissimulant toutes ses rondeurs. « J'ai déjà porté des robes plus courtes que ça », se dit-elle en se regardant dans le miroir. Malgré tout, en revenant dans le salon, elle se sentait intimidée.

— Le téléphone est dans la plus petite chambre, sur ma table de travail.

Le bureau était encombré de papiers. Elle lut le nom de Pierre-Joseph-Olivier Chauveau sur un feuillet. Louis avait évoqué l'obligation d'écrire une biographie de ce premier ministre, le printemps précédent. Une corvée dont il s'était finalement débarrassé. Aubut avait hérité de ce pensum.

Sa mère répondit à la troisième sonnerie. Tout de suite après avoir entendu le «Allô», Suzanne dit très vite:

— Je le quitte pour de bon.

— Un bon débarras. Ta chambre t'attend.

D'autres mères lui auraient reproché de trahir le sacrement du mariage. Pas la sienne.

— Non, je me suis réfugiée chez une de mes amies. Je rentrerai demain soir.

— Je connais cette fille?

Un petit soupçon perçait dans la voix.

— Non, elle travaille à l'université. Samedi, penses-tu qu'il serait possible que mes frères m'accompagnent pour récupérer mes affaires?

— Je suppose que oui. Je leur demanderai.

— Bon, je te laisse. Bonne nuit.

— Tu fais bien, répéta sa mère. Bonne nuit.

Quand elle rejoignit Pierre, celui-ci demanda:

— Je te sers quelque chose?

— Je n'ai pas bu plus de trois gorgées du Perrier. Tu en as?

— Vichy?

Elle fit oui de la tête. En revenant, il lui remit un verre. Lui s'était servi une bière. Il désigna le téléviseur en demandant:

— Je peux?

— Tu es chez toi.

Il s'agissait d'un appareil noir et blanc, surmonté d'oreilles de lapin un peu croches. À l'émission *Les grands films*, il restait encore quelques minutes de *L'assassinat de Trotsky*. Il mit le son très bas, ce qui était tout aussi bien au moment où le révolutionnaire recevait le coup de piolet sur le crâne.

Après quelques minutes, Aubut osa:

— Tu l'avais quitté, l'été dernier, n'est-ce pas ?

— Après le congrès de Kingston.

— Ah, oui. Je comprends…

Ainsi, tout le monde savait au département d'histoire. Suzanne se sentit tellement honteuse de sa propre sottise.

— Je suis revenue en septembre, juste après le party du département, pour donner une chance à ce mariage. C'était une erreur.

Il ne la contredit pas. À dix heures trente, il monta un peu le son de la télévision pour écouter *Le téléjournal*. Ensuite, il y eut un malaise.

— Tu es certaine, pour le lit ? demanda-t-il en se levant.

— Absolument.

— Dans ce cas, le mieux serait de te prêter mon sac de couchage et un oreiller. Ne crains rien, je l'ai lavé à mon retour de la Gaspésie, ajouta-t-il en souriant.

— Ça sera parfait.

— Demain, nous partirons très tôt. J'ai un cours à huit heures trente.

Il utilisa la salle de bains le premier pour lui laisser toute la place ensuite. La jeune femme mit un peu de dentifrice sur son index pour se laver les dents. Elle se nettoya le visage tant bien que mal.

Le sac de couchage lui parut très grand. Il sentait un peu le savon à lessive et le fond de placard. Avant de s'endormir, elle songea aux derniers mois, à ce qu'elle avait fait. Quelqu'un pourrait-il s'intéresser à elle après ça ? Que la question lui passe par la tête, à cet instant, aurait dû lui mettre la puce à l'oreille.

Chapitre 25

Le lendemain matin, après une douche, au moment de rejoindre Pierre dans la cuisine pour un déjeuner sur le pouce, Suzanne commenta :

— Mes vêtements ne sont plus très frais. Je tenterai de tenir mes distances...

— Moi, je ne sens rien, en tout cas.

— C'est à cause de l'odeur des toasts et du beurre d'arachide.

Elle se versa une demi-tasse de café, mangea un peu. En se dirigeant vers la voiture, la jeune femme observa :

— Je t'ai mis en retard.

— Tous les étudiants de ma classe vont t'adresser une lettre de remerciement pour ça.

Roulant sur le boulevard Saint-Cyrille, Pierre demanda :

— Comptes-tu faire toute ta journée de travail, aujourd'hui ?

— Pourquoi pas. Ça sera plus distrayant que les émissions féminines à la télé.

Et sa mère aurait déjà trop de temps pour lui poser des questions, autant ne pas lui en procurer plus.

— Je t'attendrai à la sortie du De Koninck à cinq heures.

— Ce n'est pas nécessaire. Je peux prendre un taxi.

— Hier, le contrat c'était de te conduire à L'Ancienne-Lorette, je tiens à le respecter.

— D'accord, à cinq heures.

Suzanne prit l'ascenseur pour se rendre à la faculté de droit. Manque de chance, ce jour-là, le doyen Morin était arrivé à huit heures trente. Elle se planta dans l'embrasure de la porte pour dire :

— Bonjour, monsieur. Je m'excuse de mon retard.

— Il est amplement compensé par toutes les petites corvées que je vous impose en dehors des heures régulières de bureau.

Cette bonne volonté la rassura pour la suite de cette conversation.

— Je peux prendre un peu de votre temps ?

— Fermez la porte et asseyez-vous.

— Je vais quitter mon mari… Pourriez-vous me conseiller un avocat ? Mais pas trop cher, car vous connaissez mes moyens.

— C'est certainement une bonne décision.

Il ouvrit son carnet d'adresses et écrivit un nom et un numéro de téléphone sur un papier. Il le lui tendit.

— Martine Brunet, lut la jeune femme. Elle vient ici, parfois ?

— C'est ma nièce et elle est inscrite avec moi pour une maîtrise en droit de la famille. Présentement, elle fait son stage dans un bureau situé tout près d'ici. Elle pourra remplir tout de suite la paperasse. Avant que la procédure ne soit terminée, elle aura sans doute été assermentée, ce qui lui permettra de vous représenter. Je vais lui dire de vous appeler.

— Merci beaucoup, monsieur.

Elle faisait mine de se lever quand il ajouta :

— Comment vous débrouillerez-vous, maintenant ?

— Je retournerai chez mes parents. Mais ce n'est pas une solution durable : je n'ai pas de voiture et c'est trop loin de l'université. Dommage que je ne sois pas une étudiante, le pavillon Lacerte est à deux pas, et ça conviendrait sans doute à mes moyens.

— Certains jeunes professeurs habitent en résidence, au début. Si vous le permettez, je vais m'informer.

Évidemment, elle le lui permit. Ensuite, elle regagna son bureau. Au début, elle eut du mal à se concentrer sur son travail. Tellement d'émotions se bousculaient dans sa tête. Mais un sentiment de légèreté dominait, toutefois.

Dans la salle de classe, plusieurs dizaines d'étudiants attendaient Pierre Aubut. En temps normal, après cinq minutes, la classe se serait vidée à moitié, et totalement après dix minutes. Cependant, personne ne s'éclipsa. Il fallait lui remettre un dernier travail.

— Ce n'est pas son genre, fit remarquer Diane.

Elle avait orienté son siège de façon à pouvoir appuyer son dos contre le mur. Ainsi, elle pouvait voir Jacques.

— C'est la seconde fois. Il a déjà parlé de sa voiture capricieuse.

— Dis donc, hier soir, tu as tout de suite rangé ton travail dans ton sac quand Nelles te l'a remis. De mauvaises nouvelles ?

— Non. Je suis plutôt satisfait.

— Nous, il va falloir attendre qu'il nous les envoie par la poste.

Les étudiants désireux de prendre connaissance des annotations avaient dû fournir une grande enveloppe pré-affranchie. Quant aux autres, ils verraient le résultat de leurs efforts sur le relevé de notes.

— Il y a un avantage à s'y prendre un peu d'avance.

Sénécal choisit ce moment pour venir vers eux et dire :

— Comme hier tu ne t'es pas attardé, je suppose que son histoire de maîtrise ne t'intéressait pas.

— Ça m'intéressera l'an prochain, à la même période de l'année. Là, c'était très prématuré. Et toi ?

— L'idée d'aller à Carleton n'est pas mauvaise, ne serait-ce que pour quitter enfin le nid familial, sans compter l'apprentissage de l'anglais. Ce que j'ai appris chez les jésuites ne me rend pas tout à fait *bilingual*.

Le sujet les retint encore un instant, puis il s'éloigna. Diane le regardait maintenant avec un petit sourire en coin.

— Tiens, tiens. Il vous a parlé de maîtrise.

— Les assistants de recherche comprenant un peu le français seraient peu nombreux à Carleton.

— Et il a tenté de recruter les deux meilleurs du groupe…

Un brin de jalousie pointait dans la voix, mais rien de mesquin. Jacques s'était dit la même chose la veille, ce qui lui avait permis de se coucher en ressentant un certain optimisme. Un second professeur lui signifiait que son inscription au second cycle allait de soi.

— Ou les deux plus beaux. Après tout, pourquoi Brigitte serait la seule à profiter d'un traitement de faveur ?

— Ouais, ça doit être ça.

À cet instant, Pierre Aubut entra dans la salle. Il alla vers l'estrade à grandes enjambées.

— Je sais, je sais ! Je suis en retard. Ça n'arrivera plus. En tout cas, pas pendant cette session.

Comme il s'agissait de son dernier cours, on pouvait le croire sur parole. Une heure plus tard, les étudiants se dispersaient. Dans le couloir, Diane proposa :

— Les profs ne nous retiennent jamais longtemps pour le dernier cours. En quittant celui de Gervais lundi soir, nous pourrions manger tous les quatre.

— Tu as un endroit en tête ? demanda Jacques.

— Le Marie-Antoinette ?

Pour dîner, Suzanne était descendue à la cafétéria au sous-sol afin d'acheter un sandwich dans une distributrice. Par souci de discrétion, elle préféra aller manger dans la petite salle réservée au personnel administratif. Morin ne lui avait pas semblé particulièrement curieux, mais elle craignait tout de même de le voir venir « aux nouvelles ».

Au milieu de l'après-midi, elle répondit au téléphone et entendit une voix féminine lui demander :

— Madame Gervais ?

— Oui, c'est moi.

— Bonjour, je m'appelle Martine Brunet. Mon oncle m'a dit que vous auriez besoin d'un avocat… Que diriez-vous si nous nous parlions lundi matin ? Je pourrais me rendre à la faculté.

— Vous savez que mes moyens...

— C'est le cas de neuf femmes sur dix qui engagent des procédures de divorce. Je ne facturerai pas mon déplacement. J'en profiterai pour dire un mot à mon directeur de mémoire.

Elles se verraient donc vers neuf heures, le lundi suivant. Après cela, Suzanne demeura songeuse. Quitter Louis était une chose. Divorcer en était une autre. La télé et les journaux faisaient souvent état des déchirements liés à ces procédures.

En montant dans l'ascenseur, Suzanne affichait quand même un petit sourire. La veille, elle était venue à l'université avec Louis. Maintenant, un autre homme la reconduirait chez sa mère. Planté devant les portes, elle aperçut le grand barbu qui, sous ses airs de hippie, travaillait sérieusement sur des sujets sérieux.

— Je me sens un peu gênée, dit-elle en le rejoignant.

— Moi aussi, mais c'est comme ça même quand tu n'es pas là. Alors, où habitent tes parents? Tu m'as dit à L'Ancienne-Lorette. Dans ce cas, tu devras me guider.

— D'ici, le mieux est d'aller prendre le boulevard Charest, direction ouest.

Quarante minutes plus tard, ils se trouvaient devant la maison des Trottier.

— Pour une femme mariée, revenir une fois dans la maison familiale, c'est intimidant. Mais la seconde fois, c'est honteux.

— Comment envisages-tu la suite des choses?

— Je vois une avocate lundi. J'espère juste que ce sera vite fait, et sans trop de douleur.

Elle prit une carte professionnelle dans la poche de son manteau et la lui tendit:

— J'ai eu l'impression que je ne te déplaisais pas trop.

Au moins, l'automne lui avait permis d'apprendre qu'elle pouvait plaire.

— Oui, tu me plais.

— Tu as quelqu'un dans ta vie?

Il eut un instant d'hésitation avant de secouer la tête.

— Ce n'est pas ma carte, mais celle de mon patron. Le jour, c'est moi qui réponds au téléphone. À l'endos, tu as mon nom de jeune fille, et le numéro de téléphone de ma mère. Si tu m'appelles pour m'inviter à faire quelque chose, je serai très heureuse de te dire oui. Pas pour te remercier pour hier. Juste parce que tu me plais aussi.

— Je te téléphonerai. Dimanche, sans doute.

— D'accord.

Rapidement et maladroitement, elle lui donna une bise sur la joue avant de sortir. Quand la jeune femme arriva devant la porte, celle-ci s'ouvrit immédiatement.

— Je suis désolée de m'imposer comme ça.

— Tu devrais te désoler d'avoir donné une chance à l'autre. Je sais que tu es jeune, mais tu as tout de même perdu quatre mois de ta vie.

En la précédant dans le salon, la mère constata, ironique :

— Ton amie a vraiment un problème de pilosité au visage.

— C'est un bon ami. Il est costaud, timide et gentil. Tout ce que Louis n'est pas. Il va me téléphoner dimanche.

— Tiens, je l'aime déjà, celui-là. Maintenant, viens m'aider à finir le repas. Ton père arrivera bientôt du travail.

Afin de ne pas le surprendre au lit lors de sa visite, Suzanne avait pris la peine de téléphoner à Louis dès le matin. Elle reconnut la voix un peu pâteuse des lendemains de veille. S'était-il consolé avec quelqu'un ? Une fois la question posée, elle se rendit compte avec plaisir que la réponse lui était totalement indifférente.

— Dans une heure, je passerai à la maison avec mes frères. Cette fois, je rapporterai toutes mes affaires.

— Rien n'est à toi dans la maison. Tout est à mon nom.

— Tu tiens sans doute à donner mes dessous à la nouvelle ?

Il y eut un silence à l'autre bout du fil, puis il dit :

— Apporte une valise de chez ta mère. La dernière fois, tu as pris la mienne.

— La tienne, la mienne. Tout est devenu bien confus. Ce sera au juge de démêler tout ça. Et tu sais, ce serait une bonne idée que tu ailles déjeuner au Marie-Antoinette. Mes frères sont un peu de mauvaise humeur. Et tant qu'à aborder le sujet des inimitiés, mes belles-sœurs aussi. Il y en a une qui a craché dans ta purée, à l'Action de grâce. Je te laisse deviner laquelle.

Puis elle raccrocha. Sa mère avait tout entendu, l'épaule appuyée contre le cadre de la porte du salon.

— Nous aurions dû cracher toutes les quatre.

— Maintenant, je regrette d'avoir dit ça. Je me demande dans quel état je retrouverai mes affaires.

Quand Suzanne entra dans le jumelé de Sainte-Foy, Louis n'y était pas.

— Enlevons nos bottes, dit-elle à ses frères.

— Pour quoi faire ? C'est pas toi qui vas laver les planchers.

— Et ce n'est pas toi qui te retrouveras devant un juge.

À la fin, ils acceptèrent de se comporter comme de bons garçons. Ses vêtements et ses chaussures se retrouvèrent dans de grands sacs-poubelles. Elle s'occupa aussi de ses papiers – des cartes de Noël reçues au cours des ans jusqu'à son certificat de naissance, en passant par son diplôme d'études collégiales. Et bien sûr, sa ceinture de chasteté.

Quand elle quitta les lieux, ce fut avec le désagréable sentiment d'être une voleuse.

Le lundi suivant, Suzanne constata que son patron était déjà arrivé. Elle entendait le murmure d'une conversation et des éclats de rire.

Bientôt, la porte s'ouvrit.

— Ah ! Madame... Là, je ne sais plus trop comment vous appeler.

— Gervais, je suppose. Jusqu'au divorce. Ensuite, ce sera Trottier.

— Vous avez déjà parlé à Martine, je pense.

En se tournant à demi, le doyen dit à sa nièce :

— Le mieux serait que vous alliez dans une des salles de réunion.

— Bonjour, Martine. Suivez-moi, dit Suzanne après avoir pris une clé et une grande enveloppe.

Quelques locaux permettaient de tenir des réunions, parfois entre procureur et clients. Quand l'avocate eut posé son fardeau, elle tendit la main.

— Je me présente maintenant pour de vrai. Martine Brunet. Actuellement, je ne peux pas vous représenter devant un tribunal, mais ce sera bientôt le cas. De toute façon, mon oncle vérifiera tout, ne vous inquiétez pas de la qualité de mon travail.

— Je sais qu'il est du genre à tout vérifier...

La remarque tira un sourire à l'avocate.

— Asseyons-nous.

Elle récupéra quelques crayons et une gomme à effacer.

— Pourquoi voulez-vous divorcer ?

— Vous désirez la version courte ou la version longue ?

— Commençons par la courte.

— Il a envie de baiser toutes celles qui passent sous ses yeux, et il réussit avec quelques-unes.

— Wow ! C'était vraiment court.

Sur sa feuille, l'avocate écrivit en lettres majuscules : adultère.

— Et si nous y allions avec une version un peu plus longue ?

Cette fois, Suzanne évoqua quelques aventures dont elle avait eu connaissance. Elle nomma également Jacinthe Couture.

— Voulez-vous son numéro de téléphone ? Elle travaille sur le campus.

— Oui. Ce sera utile s'il nie les faits. Vous avez d'autres noms ?

— Je soupçonne toutes ses collègues et la moitié de ses étudiantes. Mais à propos de cette jeune secrétaire, je suis sûre hors de tout doute raisonnable.

Son interlocutrice parut déçue.

— Une seule aventure...

— Tout l'automne, il m'a traînée dans des échanges de partenaires. D'après ses discours, c'est le genre d'activité qui soude un couple.

Dire « traînée » était très nettement exagéré. En même temps, jamais elle n'aurait fait ça de sa propre initiative.

— Ostie…

Puis l'avocate dit après une pause :

— Je suis désolée, ça ne fait pas très professionnel.

— Je ne m'en formaliserai pas.

— J'ai entendu parler de couples qui font un voyage pour se remettre sur la même longueur d'onde. Charlevoix ou Paris. Ou même juste un souper en amoureux. Mais j'ignorais que l'échangisme pouvait aider.

— Cela dit, il sait être très romantique et attentionné pendant la parade amoureuse. Mais après avoir baisé, c'est une autre histoire.

Suzanne avait sorti son contrat de mariage et le carnet bancaire du compte conjoint.

— Vous avez bien fait de m'apporter tout ça, dit Martine. Décrivez-moi le patrimoine familial.

— Nous possédons une maison sur laquelle nous ne payons à peu près pas de capital, mais beaucoup d'intérêts. Une auto et des meubles qui ne valent pas la dette à la caisse.

Louis lui avait dit qu'une voiture perdait le tiers de sa valeur une fois sortie du garage. Quand elle avait répondu: « Pourquoi ne pas en acheter une qui n'est plus au garage? », il l'avait regardée comme si c'était une demeurée. Pourtant, bien des gens achetaient des voitures usagées.

— Dans le cas de l'auto, c'est vrai. Pour les meubles aussi. La maison, elle, prend à peu près dix pour cent par an. Si vous l'avez payée vingt mille il y a trois ans, elle en vaut au moins vingt-sept mille aujourd'hui.

— De toute façon, tout est à son nom. Il tenait à signer tous les contrats.

— Faisait-il seul tous les paiements?

— Non. Nous mettions de l'argent chaque semaine dans ce compte conjoint.

— Vous avez des épargnes?

Suzanne secoua la tête.

— Bon, comme il n'y a pas vraiment d'enjeu financier, ni d'enfants, ça devrait se régler sans trop de mal.

Pour une maison non hypothéquée, l'affrontement aurait été homérique. Mais pour quelques centaines de dollars, l'enjeu n'en valait pas la peine.

— J'ai quitté le domicile conjugal.

— Il vous a trompée.

— Il y a cette histoire d'échangisme.

L'avocate eut un petit rire, puis expliqua:

— Savez-vous que cet établissement a été catholique jusqu'en 1971? Et qu'en 1972, pour la première fois, le recteur a été élu, plutôt que nommé par l'archevêché?

— Je sais. J'étais déjà sur le campus à ce moment-là.

— Les mentalités ne changent pas très rapidement. Si les activités échangistes d'un professeur sont connues, sa carrière en souffrira certainement.

En tout cas, que ce soit dans *Le Soleil* ou *Le journal de Québec*, les articles sur le sujet ne manqueraient pas de sel. Parce qu'un procès était public.

— Je vous accompagne à la caisse de l'université pour que vous leur expliquiez que ce compte conjoint n'est plus conjoint, et pour en ouvrir un nouveau à votre seul nom.

— Vous devez être là ?

— La Caisse populaire Desjardins est plus conservatrice que l'Université Laval. Que quelqu'un leur rappelle la loi sera utile.

Il n'y avait en effet pas si longtemps que les femmes mariées pouvaient gérer leurs propres affaires. Les membres du *boys club* tendaient à l'oublier, parfois. L'avocate dit en se levant :

— Nous y allons ?

— Vous voulez dire, maintenant ?

— Présentement, je devrais être au bureau. Autant ne pas multiplier les déplacements.

Elles marchaient vers le pavillon Pollack quand Martine reprit :

— Mon oncle m'a dit que vous songiez au pavillon Lacerte comme lieu de résidence, est-ce toujours le cas ?

— Faire le trajet depuis L'Ancienne-Lorette en autobus prend trop de temps. Et compte tenu de mes moyens, je ne peux pas m'acheter une voiture. Mais je ne suis pas étudiante.

— Moi, je le suis. À la maîtrise.

Ainsi, la carrière de cette avocate commencerait par une petite fraude : elle louerait une chambre à son nom et sa cliente l'occuperait en se faisant passer pour elle. Après la

Caisse populaire, elles s'arrêtèrent au service des résidences, situé aussi au pavillon Pollack. Toutefois, Martine y alla seule.

Quand elles se quittèrent sur le trottoir, l'avocate expliqua :

— Des étudiants quittent leur programme à la fin de chaque session. Donc tu ne chasses personne de son logis. C'est grâce à mon oncle si j'ai pu louer une chambre tout de suite, en dépit de la liste d'attente.

Devenues complices, elles étaient passées au tutoiement. L'avocate lui tendit la clé et le bout de papier sur lequel était écrite la combinaison du casier postal.

— J'ai fait un chèque qui couvre la dernière semaine de décembre, et le mois de janvier.

Cette fois, c'est le reçu qu'elle lui remit.

— Tu as vu, je n'ai pas beaucoup d'argent, lui rappela Suzanne.

De quoi verser la part sociale à la Caisse, et quarante dollars dans son nouveau compte.

— C'est un prêt. Le reçu te servira d'aide-mémoire. Et ne va jamais dire ton véritable nom à la personne de service au comptoir. Ce serait vraiment une catastrophe.

Elle eut un rire nerveux et continua :

— Mon oncle t'apprécie beaucoup. Il s'est vraiment donné du mal pour toi. Bon, demain matin, je mettrai une lettre recommandée dans le courrier pour signifier à ton futur ex-époux tes intentions, et le fait que tu ne participeras plus au paiement de toutes ces dettes.

Elles se quittèrent sur une poignée de main. Quand Suzanne réintégra son bureau, la plus grande partie de la matinée était passée. À midi, le doyen sortit pour aller dîner. Il s'arrêta pour demander :

— Alors, le processus est en branle ?

— Oui, monsieur. Je vous remercie. Pour votre nièce et pour tout le reste.

— Ce n'est rien. Au moins, de nos jours, il est possible de réparer certaines erreurs. Ce n'est plus pour la vie… Bon, bonne fin de journée. Je ne reviendrai pas cet après-midi.

— Bonne fin de journée, monsieur.

Chapitre 25

Assis un peu à l'écart de la porte d'entrée du pavillon Parent, Jacques attendait l'arrivée de Jean-Philippe. C'est alors qu'il vit Sylvie-Nicole vêtue de son vison blanc, pendue au bras d'un garçon. Elle était avec l'un de ceux qui, quelques semaines plus tôt, se tenaient l'oreille collée contre la porte de Martial.

Ce type savait se montrer serviable puisqu'il portait une grosse valise. Aucun des deux ne parut remarquer la présence de Jacques.

— J'ai un petit cadeau de Noël pour toi, dit-elle en fouillant dans son sac à main.

Elle sortit un étui avec le mot Parker écrit dessus. Le garçon l'ouvrit et en sortit un stylo plume bleu. Le genre de stylo coûtant au moins l'équivalent du loyer d'une chambre en résidence pour une session entière.

— Oh ! Merci !

— Avec ça, tu pourras écrire ton prochain roman.

— C'est un projet dans le cadre d'un cours de création littéraire, rien de plus.

— Il faut bien commencer quelque part.

Il caressait donc des projets littéraires. Elle l'embrassa longuement.

— Mais le prix...

— Ne t'inquiète pas pour ça.

— Ça vient du vieux ? Je ne veux rien accepter de lui.

— Il me l'a donné, et là, je te le donne. C'est de moi que tu l'acceptes.

Ce vice-doyen ne faisait pas preuve de plus de discernement que Martial, dans les affaires de cœur.

— J'aime mieux ne pas le voir. Je préfère remonter, dit le garçon.

— Nous nous reverrons après le jour de l'An ?

— Bien sûr ! Tu sais où j'habite.

Certains rendez-vous avaient moins de romantisme que d'autres. Ce gars s'attendait à des retrouvailles dans sa chambre, avec la nouvelle épouse d'un autre. Quand il partit, Sylvie-Nicole prit sa valise pour la mettre près de la rangée de chaises. Ce n'est qu'à ce moment qu'elle constata la présence de Jacques.

— Tu m'espionnes encore ?

— Je suis assis dans le hall de la résidence où j'habite.

— C'est ça… Toujours au bon endroit. À moins que tu sois simplement un voyeur. Tu veux quoi, me faire brûler vive devant la cathédrale ?

— Penses-tu que c'est ça que tu mérites ?

Elle jeta sur lui des yeux assassins. Heureusement, une voiture s'arrêta devant la porte juste à cet instant. Le vice-doyen en descendit.

— Pauvre minable, dit-elle entre ses dents. Tu peux bien passer ta vie avec ces idiots.

Le vice-doyen Samson entra en coup de vent et posa ses lèvres sur celles de sa fiancée.

— Donne-moi ça, dit-il en prenant la poignée de la valise. Je n'ai pas le droit de rester là.

Avant de sortir, Sylvie-Nicole jeta encore un regard méprisant à Jacques. Quelques minutes plus tard, Jean-Philippe arrivait.

— Désolé, j'étais au téléphone avec mon frère. Il passera me prendre demain. Et toi ?

— Je prendrai l'autobus Voyageur.

— Au moins, il sera à l'heure, lui... Ce n'est pas comme Gilles.

Le samedi précédent, quand Louis Gervais était rentré chez lui, il avait constaté que Suzanne avait tenté d'effacer toute trace de sa présence. Sans succès, évidemment. Par exemple, le gros classeur dans lequel elle colligeait des recettes était resté dans un tiroir de la cuisine. N'empêche, la maison paraissait si vide. Tout ça parce qu'il n'avait pas aimé la voir se déhancher pour le profit de ce gros ours hirsute.

Mais c'est en arrivant sur le campus, ce lundi-là, que l'ampleur des changements à venir le heurta de plein fouet. Quand il s'était arrêté au pavillon Pollack afin de retirer un peu d'argent, il avait constaté qu'il n'existait plus de compte conjoint. Et son seul salaire ne permettrait pas de faire face aux échéances de la fin du mois.

En classe, c'est de façon un peu machinale qu'il se livra au bilan de la session. Il fit un résumé de l'ensemble des exposés présentés par les étudiants depuis le début du mois de novembre, tout en soulignant les apprentissages réalisés.

— Maintenant, je vous souhaite beaucoup de repos si vous êtes fatigués, et beaucoup de fatigue si vous ne l'êtes pas. Vous aurez toujours le temps de vous reposer pendant les cours de la session d'hiver.

C'est sur cet au revoir que les étudiants commencèrent à ramasser leurs affaires. Certains lui souhaitèrent de bonnes vacances. D'autres s'approchèrent pour lui serrer la main et lui offrir des vœux plus personnels.

Brigitte paraissait soudée à sa chaise. Quand le local fut vide, elle dit :

— Quelque chose ne va pas, Louis ?

La perspective de se faire consoler lui parut finalement préférable à rentrer seul chez lui.

— Non, ça ne va pas. C'est ma femme...

Le professeur lui raconta que son épouse s'était arrangée pour qu'un collègue lui fasse des avances. Brigitte posa la main sur son avant-bras, si visiblement attristée.

— C'est épouvantable de te faire ça !

— Écoute, le mieux serait de ne plus y penser, au moins pendant un moment. Ça te dit de venir avec moi ? Il y a un bar au motel Universel, chemin Sainte-Foy, avec des fauteuils moelleux et de la musique. Un lundi soir, nous serons tranquilles.

En sortant du séminaire, les quatre amis se dirigèrent vers le stationnement du De Koninck. Jacques et Jean-Philippe se contorsionnèrent un peu pour occuper la banquette arrière de la voiture de Diane, les deux femmes s'installèrent à l'avant.

— Ce fut bref, commenta Diane en actionnant le démarreur.

— Moi, j'ai trouvé ça long, dit Monique. Depuis une semaine, nous nous retrouvons en classe pour entendre des professeurs parler pour ne rien dire. Franchement, pourquoi nous résumer quinze exposés en cinquante minutes ? Nous les avons tous entendus.

— Mais à sa décharge, ce soir, il avait une bonne raison d'avoir la tête ailleurs. Brigitte est mûre, s'il ne se dépêche pas, elle sera bientôt trop vieille pour lui, ricana Diane.

Chez Marie-Antoinette, ils s'installèrent à une table près des grandes vitrines qui donnaient sur la réception de l'hôtel Classique, de l'autre côté du stationnement. Quand ils eurent commandé et que chacun eut son verre, Diane leva le sien en disant :

— *Cheers!* En voilà une autre de terminée. Nous sommes à la moitié du programme de premier cycle.

« Ça m'a pris tout ce temps pour compter parmi les trois premiers de la promotion », songea Jacques. Car en remettant ses travaux le premier, il recevait ses résultats avant les autres. Évidemment, c'était présomptueux : d'autres étudiants pouvaient avoir mieux performé encore.

— C'était difficile d'y croire quand nous étions dans l'atelier dirigé par Fecteau, rappela Monique.

— Comme dans n'importe quelle activité, il s'agit de comprendre les règles du jeu.

Les commentaires sur les progrès parcourus les occupèrent pendant une bonne partie du repas. Ensuite, ce furent les projets pour le congé à venir. Sans surprise, Diane évoqua un voyage dans le Sud, et les trois autres, quelques réunions familiales. À la fin, Monique et Jean-Philippe se levèrent pour aller aux toilettes. Jacques en profita pour demander à Diane :

— Je crois que ça va mieux chez toi, non ?

— Oui, tu as raison. Nous avons vu un psychologue pour la première fois la semaine dernière. Un spécialiste des thérapies de couple. Un drôle de type. Un genre de hippie.

— Attention. Il vit peut-être dans une commune et il va te proposer ce mode de vie. Puis il y a ces thérapies étranges... Le cri primal, la Gestalt, et d'autres plus étranges encore.

Cette fois, elle rit de bon cœur. Quand elle revint, Monique demanda :

— Qu'y a-t-il de si amusant ?

— Jacques est un pince-sans-rire, sous ses airs ascétiques.

Elle ne tenait pas vraiment à aborder le sujet de sa thérapie de couple devant Monique et Jean-Philippe. Quand la serveuse revint, Jacques décida de célébrer en grand ses accomplissements.

— Je vais prendre un morceau de gâteau au chocolat avec de la crème glacée, dit-il en lui tendant le menu. Et une tasse de thé.

Ce serait le début d'une longue addiction. Diane prit son second gimlet ; les autres, des cafés. Jean-Philippe remarqua :

— Je le connais, ce gars-là.

Du doigt, il pointa une vieille Volks dans le stationnement du restaurant et, surtout, l'homme qui en descendait. Un instant plus tard, ils virent Aubut entrer avec une jeune femme.

— Vous savez qui est avec lui ? demanda Monique.

— C'est la femme de Louis Gervais, répondit Jean-Philippe.

— Elle s'appelle Suzanne, compléta Jacques. Nous les avons croisés au cinéma.

Ils suivirent le couple des yeux jusqu'à ce qu'il soit assis. La jeune femme se tenait tout près de son compagnon. Au passage, Aubut leur adressa un petit salut de la tête.

— Même si ce n'est pas ensemble, dit Diane, les deux membres du couple Gervais semblent s'amuser, ce soir.

Ce serait une information de plus à partager lors des longues conversations à la cafétéria.

Pierre avait téléphoné chez les Trottier la veille pour proposer une sortie au cinéma ce jour-là.

— Je ne voulais pas attendre, avait-il dit, parce que le 23, je vais chez mes parents passer quelques jours.

Un empressement qui fit plaisir à Suzanne. Rencontrer quelqu'un qui paraissait décent lui ferait du bien.

Comme ils étaient tous les deux sur le campus ce lundi, ils avaient convenu de partir de là pour se rendre au cinéma Le Canadien, situé près de la Place Sainte-Foy. Elle lui avait donné rendez-vous un peu avant sept heures, devant le pavillon Lacerte. Et voilà qu'ils partageaient leur souper.

Après avoir commandé, Pierre demanda :

— Tu vas vraiment habiter dans le cerisier ?

Devant ses sourcils froncés, il expliqua :

— Nous disions ça, dans le temps. Toutes les jeunes filles qui habitaient là...

— ... étaient vierges, je suppose.

— Comme je l'étais, je tenais pour acquis qu'elles n'étaient pas plus affranchies que moi. Donc, tu vas habiter là ?

— Tu me vois dans la même maison que lui en attendant la fin des procédures ?

Il fit non de la tête. Avec un divorce au programme, la cohabitation serait certainement invivable. En réalité, dès leur première rencontre lors d'une activité du département trois ans plus tôt, il s'était demandé pourquoi elle vivait avec cet idiot.

— Tu te plairas, à cet endroit ?

— Je suis allée voir la chambre. À ma grande surprise, j'ai adoré ! Avoir vingt ans, se préparer à une carrière... Ces filles ont de la chance.

— Qu'est-ce qui t'empêche de faire la même chose ?

— Voyons, ne te moque pas de moi.

Suzanne paraissait un peu blessée. Il tendit la main pour toucher la sienne.

— Tu sais, avoir vingt-cinq ans et se préparer à une carrière, ce n'est pas très différent. Tu as vu les deux femmes, tout à l'heure ? Elles sont dans mon cours. Elles ont trente ans.

— Je n'ai pas les moyens de me priver de salaire pendant trois ans.

— Si c'est vraiment ce qui te tente, penses-y sérieusement. Tu mérites bien ça.

La remarque la toucha. Le repas arriva à ce moment. Cela leur permit une transition vers un sujet plus léger. Elle demanda :

— Et puis, qu'as-tu pensé de *La tête de Normande St-Onge* ?

— C'est une jolie tête.

C'était celle de Carole Laure. Suzanne le regarda avec un petit sourire moqueur.

— J'avoue, et pas juste la tête. Mais la pauvre fille qui entretient sa sœur malade, l'alcoolique au troisième étage, le colocataire étrange et le magicien un peu fou... Tu n'as pas trouvé ça déprimant ?

— Oui, mais penser aux préoccupations des autres, ça me repose des miennes…

Après le repas, ils montèrent de nouveau dans la Volks pour aller à L'Ancienne-Lorette. En chemin, Pierre demanda :

— Alors, quand vas-tu emménager au Lacerte ?

— Durant les Fêtes. Et toi, quand reviendras-tu de Sherbrooke ?

— Probablement le 27.

Après un silence, il demanda :

— Veux-tu faire quelque chose ?

— Si c'est avec toi, certainement.

Quand il s'arrêta devant la maison des Trottier, l'homme se tourna pour lui faire face.

— Je te souhaite un joyeux Noël !

— Joyeux Noël à toi aussi.

Puis elle l'embrassa. Cette fois, sur la bouche.

— Là, maman nous regarde. Viens lui dire bonsoir.

— Je...

— Ça va la rassurer. Viens !

Il coupa le moteur et descendit de la voiture. Madame Trottier ouvrit immédiatement.

— Vous êtes gentil de la sortir ! Ça vous dit, un morceau de tarte aux pommes ? Elle est encore chaude.

Encore un mot

On dit souvent que les années 1960 étaient celles de la révolution sexuelle. Je ne crois pas. On parlait plus ouvertement de sexualité, c'est vrai. Par exemple, c'était le cas du docteur Lionel Gendron dans ses livres, de Janette Bertrand aussi, des émissions de radio et de télévision et des courriers du cœur. Le discours demeurait toutefois très conservateur. Tous répétaient que les jeunes filles bien ne faisaient pas ÇA avant le mariage.

Dans les années 1960, une nette majorité de femmes se mariaient vierges. Les hommes aussi, pour la plupart. Mais eux faisaient semblant d'être de grands séducteurs. Ces femmes avaient parfois pris des libertés avec des jeunes gens. Si les banquettes arrière des automobiles de ce temps pouvaient parler... Mais de là à aller jusqu'au bout ? Peut-être avec un fiancé qui vous avait déjà donné une bague, et lorsque la date du mariage avait été convenue avec monsieur le curé.

Évidemment, dans ce cas, c'était acceptable. Sinon... À propos, un long article sur la sexualité des cégépiens a vraiment été publié dans *Le Soleil* à quelques jours de la Saint-Valentin, en 1975. Je fais longuement référence aux données de cette recherche dans le premier tome de ce roman.

Les comportements changeront vraiment durant les *Swinging Seventies*. Quand je fréquentais l'université (de

1974 à 1981), les gens apprenaient encore dans les livres. Internet n'existait pas. Certains titres ont été vendus par millions. Et ceux qui ne les lisaient pas en entendaient parler à la radio et à la télévision. Rappelez-vous les talk-shows animés par Réal Giguère ou Lise Payette. Il y avait aussi les journaux et les magazines.

Ci-dessous, je donne quelques titres de livres très populaires en 1975, l'année où se déroule ce roman. J'en ajoute pour les années 1976 et 1977. Vous vous en souvenez peut-être. Moi, en tout cas, je m'en souvenais, et je les ai relus pour écrire ce roman. C'était comme voyager dans le temps, renouer avec une façon de penser très répandue alors.

Ce sont des livres sur la sexualité, mais aussi sur le féminisme. Les deux me semblaient, et me semblent encore, aller ensemble.

Bartell, Gilbert D., *Group Sex : An Eyewitness Report on the American Way of Swinging*, 1971.

Cardinal, Marie, *Les Mots pour le dire*, 1976.

Comfort, Alex, *The Joy of Sex. A Gourmet Guide for Love Making*, 1973.

Groult, Benoîte, *Ainsi soit-elle*, 1975.

Heck, Peter et Suzanne, *The Joy of Open Marriage*, 1974.

Hite, Shere, *The Hite Report on Female Sexuality*, 1976.

Masters, William H., et Virginia E. Johnson, *Human Sexual Response*, 1966 ; *Human Sexual Inadequacy*, 1970 ; *The Pleasure Bond*, 1974.

O'Neill, Nena et George, *Open Marriage : A New Life Style for Couples*, 1972.

Scott, Valerie, *Surrogate Wife*, 1973.

Évidemment, cette liste est loin d'être exhaustive.

Et après, il y a eu « les années sida ». J'ai voulu intituler ce livre *Les années avant le sida*. Mais d'après mon éditrice, le mot « sida » sur une couverture de livre, ce n'est pas très vendeur…

Encore un mot

Si vous désirez garder le contact entre deux romans, vous pouvez le faire sur Facebook à l'adresse suivante :

Jean-Pierre Charland auteur

Au plaisir de vous y voir.

Jean-Pierre Charland